KB185523

새로운 일하기 실험

: 나와 그들의

적당히 벌고 잘 살기

김진선 지음

슬리비

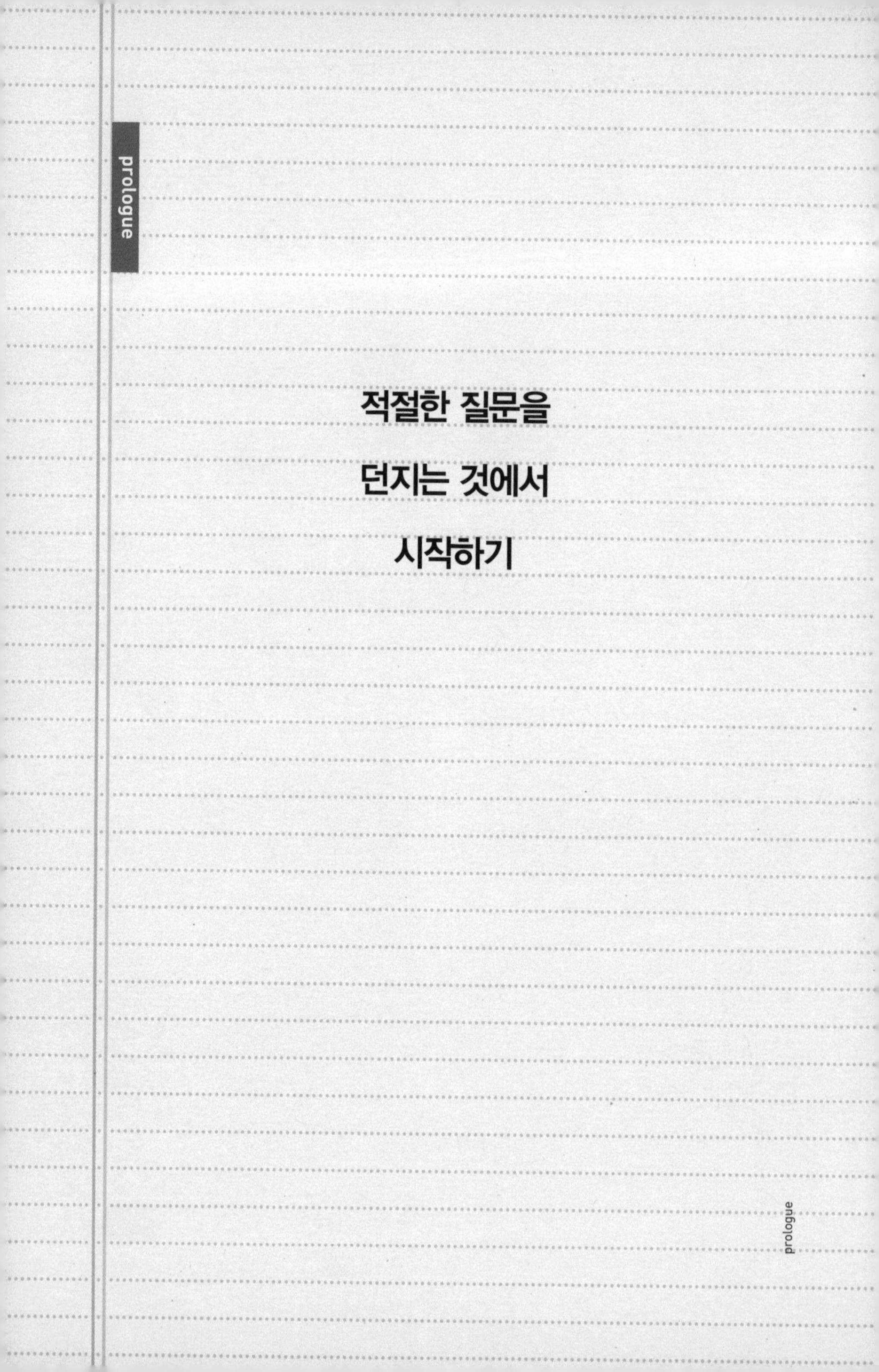

적절한 질문을 던지는 것에서 시작하기

지금 잘 살고 있나요?

회사다닐 때 존경하던 선배가 있었다. 그녀는 일도 잘하고 성격도 좋아서 회사에서 인기가 많았다. 회사에서 가끔 마주칠 때마다 쾌활하게 웃으며 "일은 즐겁나?" "할 만한가?" "재미있게 잘 살고 있나?"라는 질문을 하곤 했다. 사람들은 친구도 아닌 직장 동료에게 격의 없이 그런 질문을 하는 선배를 엉뚱하게 여겼던 것 같은데, 나는 그런 질문을 해 주는 선배가 참 좋았다. 평소 잘 지내다가도 그런 물음을 받으면 내 삶을 진지하게 돌아보게 되었다. 그 선배가 던졌던 말에 '그렇다'고 답할 수 없는 때가 왔을 때 나는 회사를 그만두었다.

월급이 주는 경제적 조건이 내 삶을 충만하게 하는가, 조직 생활이 우애 넘치는 인간관계를 가져다주는가, 기술은 발전하는데 왜 사람들은 더 많이 일하게 될까, 왜 누군가는 일 할 기회가 없어서 루저가 되고 누군가는 과로에 시달릴까, 일과 휴식을 반복하며 살 수는 없을까?

미심쩍은 상황에서 질문이 꼬리에 꼬리를 물고 이어졌다. 그런 질문에 대해 진지하게 생각하면서 나는 10여 년간의 회사 생활을 정리할 수 있었다.

이상과 현실은 다를 수밖에 없나?

딱히 무엇을 해야겠다는 계획이 있었던 것은 아니다. 다만 매일 반복되는 현실의 고리를 끊고 다른 꿈을 꾸고 싶었다. 어제와 오늘, 그리고 내일은 분명 다른데 왜 무감각하게 하루를 맞고 또 흘려보내는 걸까? 하루하루가 새롭게 느껴지지 않는다면 그것이야말로 이상한 일이 아닌가.

현재는 영어로 'present'이다. present는 현재라는 뜻도 있지만 선물이라는 뜻도 있다. 내가 발 딛고 있는 지금 여기는 곧 나에게 주어진 선물이다. 그렇다면 나는 현재를 충분히 행복하게 살아야 할 의무가 있다. '그건 이상일 뿐이야'라고 말할 게 아니라 내가 되고 싶은 존재가 되도록 노력해야 하지 않을까? 예속이 아닌 자유로운 삶에 관해 이야기하는 스피노자는 존재 자체가 실존의 능력이라고 한다. 그럼 나는 어떤 존재가 되고 싶은가. 어떤 일을 하며 어떻게 살고 싶은가.

새로운 질문이 새로운 길을 만든다

조금은 다른 방식으로 일과 삶을 꾸려가는 사람들을 만나보고 싶었다. 운이 좋게도 나는 회사에서 일하며 사회적기업이나 협동조합, 소셜벤처 등 새로운 일을 만들어 가는 이들을 만날 기회가 종종 있었다. 그들의 시작은 어땠고 어떤 과정을 겪고 있는지 듣고 앞으로 나의 일과 삶에 대한 실마리를 얻고 싶었다.

설국열차에서 송강호(남궁민수 역)는 항상 창문 밖을 쳐다본다. 다른 이들이 기관실로 전진하거나 열차의 후미로 뒷걸음질치는 것만 생각했다면 송강호는 앞과 뒤가 아닌 옆을 보는 사람이었다. 기차에서의 삶이 전부였던 고아성(요나 역)이 열차를 버리고 땅에 거룩한 한 걸음을 내디딜 수 있었던 것은 계속해서 기차 바깥세상의 변화를 주시한 송강호가 있었기 때문이다.

이 책에 나오는 사람들이 바로 그렇다. 모두 다 이것만이 현실이라고 생각할 때 다른 현실을 꿈꾸며 만들어 가는 사람들, 나보다 먼저 이상을 현실로 만든 실험을 해온 사람들의 이야기. 이 책은 내가 새로운 길을 내는 시작점이다.

contents

공부가 밥이 될까?

질적으로 감화시키는 것은
말에 있지 않고
여 보이는 행동에 있다.

Chapter 01

지금이 '때'다

회사 생활에 회의를 느끼며 해결되지 않은 질문을 안고 끙끙대던 4년 전 이맘때, 나는 두 가지 딴짓을 시작했다. 요가 수련과 사주명리학 공부. 직장에 다니는 동안 틈틈이 여러 운동을 해왔지만 요가만큼 내 삶을 바로 세우는 데 도움이 된 것은 없었다.

당시 나는 인터넷 서비스업에 종사하며 매일 새로운 소식을 포털 사이트에 올리는 일을 했다. 포털 사이트의 메인페이지는 엄청난 수의 사용자들이 주시하고 있어서 링크 오류나 오·탈자 등 한 치의 실수도 허용하지 않았다. 그래서인지 일상적으로 늘 긴장 상태였고 하루도 마음 편한 날이 없었다.

고대 인도의 경전 『우파니샤드』에서는 마차를 인간의 육체에, 말을 인간의 마음에, 말에 타고 있는 사람을 인간의 영혼에 비유하며, 요가란 말을 잘 통제하여 바른길로 가게 하는 것이라고 정의한다. 몸을 수련함으로써 마음을 통제하고 이 둘의 합일을 통해 영혼이 바른길로 가게 한다는 의미이다.

요가 수련은 바쁘다는 핑계로 묻어두고 외면해 왔던 질문을 마주하게 했다. '앞으로 어떻게 살아야 할까? 뭘 해야 행복할까?' 내가 나에게 하는 질문은 꼬리를 물고 이어졌다. 하지만 답은 쉽사리 보이지 않았다. 내가 뭘 하고 싶은지 모르는 게 문제였다. 그러다 인문학공동체 '수유+너머'의 '왕초보의역학: 사주명리학 기초'라는 강좌를 만났다.

"삶에서 관계가 불편한 분들, 지금과 다르게 살고 싶은 분, 딱히 문제는 모르겠는데 계속 문제가 발생하는 분, 어제가 오늘 같고 오늘이 어제 같은 분, 시간이 많으신 분, 늘 시간에 쫓기시는 분, 어서어서 오셔서 지금 내가 자명하다고 믿는 세계가 정말 그러한 것인지 … 삶의 노하우를 얻으시길 바랍니다."

어제가 오늘 같고 오늘이 어제 같은 분이라니, 강좌 소개 글이 딱 나를 두고 하는 말이었다. 매일 눈 뜨면 '회사에 나가는 게 이렇게 재미없는데 계속 다녀야 할까? 다들 멀쩡히 잘 다니는데 나만 이상한 건가?' 이런 생각을 하다가 내 팔자에 대한 궁금증에 이르렀다.
직장에 다닐 때 가끔 친구들과 사주나 점을 보러 다녔다. 내 인생인데 생판 모르는 도사들을 찾아가 중요한 질문을 하는 게 터무니없어 보일지도 모른다. 하지만 어디서든 조언을 듣고 싶었다. 좋은 이야기를 들으면 위로받았으니 됐고 안 좋은 얘기는 잊어버리면 그만이었다. 고민을 들어주고 충고까지 곁들여주니 그처럼 간편한 심리 상담이 어딨겠나. 그렇게 스스로 합리화하며 종종 점집과 철학관을 순례했다. 무엇보다 그들이 나에 대해 콕 집어 말하는 게 신기했다. 그 뿌리가 뭔지 궁금했다. 그럴 때마다 사주 공부를 하고 싶다는 생각을 했지만 왠지 도사 이미지가 떠올라 관두었다.

내가 알고 있던 수유+너머는 흔히 고전이라 일컫는 소크라테스니 니체니 헤겔이니 하는 어렵고 심오한 철학자들의 사상을 공부하는 모임이다. 그런데 인문학공동체에서 사주 공부라니, 뜻밖의 조합이라 더 호기심이 일었다. 바로 이거다 싶었다. 그렇게 나의 직장 생활의 두 번째 탈출구로 사주명리학 공부를 시작했다. 강좌를 통해 속 시원한 답을 찾고 싶었다. 제대로만 공부하면 앞으로 어떻게 살아야 할지, 능동적인 판단을 내릴 수 있을 거라는 기대감도 있었다.

매주 일요일 아침 나는 402번 버스를 타고 남산 아래 있는 수유+너머로 향했다. 남산순환도로에서 내려 수유+너머가 자리 잡은 곳으로 내려가다 보면 한가로이 동네를 거니는 사람들을 심심찮게 만났다. 그 길에서 나는 참 여러 생각을 했다. 나는 왜 저들처럼 한갓지게 휴일을 보내지 않고 여기 왔나, 오늘은 어떤 이야기를 듣게 될까, 그 이야기가 내 삶의 어떤 질문과 만나게 될까?

수유+너머는 단순히 인문·철학을 공부하는 모임이 아니었다. 공부를 통해 삶의 비전을 찾는 공부공동체였다. 알고 보니 내가 신청한 강좌는 거기서 가장 인기 있는 강좌였다. 그만큼 많은 사람이 '나는 누구인가' '앞으로 어떻게 살아야 하는가' 하는 질문과 만나지만 쉽사리 답을 찾지 못했다는 방증이 아닐까.
왕초보의역학을 소개하는 작은 종이에는 '음양오행의 원리를 바탕으로 몸과 우주의 비전을 탐구하는 강좌'라고 되어 있었다. 흔히 '비전'이라는 낱말은 꿈이나 이상처럼 눈에 보이지 않는 바를 추구할 때 쓰는데 몸과 우주의 비전이라니, 뭔가 알듯 말듯 모호했다.
강좌를 진행하는 방식도 독특했다. 수업을 시작하기 전에는 다 함께 '보왕삼매론'이라는 글을 낭송했다. 수행 과정에서 나타나는 장애를 극복하기 위한 10가지 지침이라나. 그런데 그게 참 신기했다. 처음엔 쭈뼛쭈뼛 '이걸 왜 읽지?' 하면서 수동적으로 따라 했는데, 목소리에 힘을 팍 주고 소리 내서 구절 하나하나 읽다 보면 묘하게도 기운이 솟았다.

"세상살이에 곤란 없기를 바라지 마라. 세상살이에 곤란이 없으면 업신여기는 마음과 사치하는 마음이 생기나니, 그리하여 성인이 말씀하시기를 '근심과 곤란으로써 세상을 살아가라' 하셨느니라."

특히 위 구절을 낭송할 때는 한 글자 한 글자가 내 몸에 새겨지는 듯했다. 미래에 대한 불안이나 나를 힘들게 하는 직장 상사, 이런 세상살이의 어려움은 누구나 겪기 마련인지라 그것으로 세상을 살아가라는 말은 묘하게 위로가 됐다.
일요일 아침에 세대도 성별도 직업도 다 다른 60여 명이 한목소리로 낭송할 때 방안 가득 퍼지는 울림소리가 참 좋았다. 낭송만 했을 뿐인데 일주일간 이리저리 부대꼈던 마음은 한결 가벼워지고 막힌 곳이 뚫리는 것처럼 후련했다.
사주명리학 공부는 내가 어떤 사람이고 어디로 가야 하는지를 깨닫게끔 하나의 틀을 보여 주었다. 그 틀은 나와 내 현실과 나아갈 길을 제한하지 않고, 그 안에서 어떻게 능동적으로 대처하고 건강하게 삶을 꾸려갈 수 있을지 보여 주었다.
사주명리학 강의를 맡은 선생은 '자기 스스로 길 찾기'를 강조했다. 점집처럼 콕 집어 지침을 주는 게 아니라, 내 인생의 문제를 스스로 결정하고 더디더라도 한 걸음씩 나아갈 힘을 키워주는 가르침이었다. 수업이 진행될수록 희열도 커졌다. 지금도 당시 강좌 매니저의 말 한 마디 한 마디가 생생하게 기억난다.

"일요일 아침에 제 발로 남산꼭대기까지 찾아온 마음을 잃지 마세요. 지각하지 말고 결석하지 않고 강좌를 끝까지 완주하는 것, 그것이 여러분이 해야 할 첫 번째 수행입니다. 제대로 된 앎은 그것을 실천하는 것까지 포함합니다. 책 한 권 읽는 것보다 사소한 약속 하나 지키는 것이 우리 삶을 바꾸는 데 큰 힘이 돼요. 사실 이런 작은 습관(習) 하나를 바꿀 수 있다면 팔자는 자연스레 바뀌는 거예요. 그렇게 습관을 바꿀 때 새로운 앎이 생긴다는 거죠. 매번 수업에 지각하던 사람이 제시간에 도착했을 때의 깨달음, 그 앎이 삶을 바꿀 수 있습니다. 조금만 일찍 오면 늦을까 봐 불안하지 않고 다른 사람 눈치도 안 보고 우선 자기 마음이 편안하죠. 그 차이를 깨달으면 인생에 끌려다니지 않습니다. 하나의 변화가 내 삶의 다른 부분까지 변화시킵니다. 이런 앎과 삶의 일치, 그게 바로 공부입니다."

그동안 다녔던 점집이나 철학관에서의 사주명리학이 내 안의 어떤 변화도 일으키지 못하고 그저 일회성 상담에 그쳤다면, 여기서는 달랐다. 머리로 이해하는 것이 아니라 몸으로 실천하는 앎이다. 앎이 곧 삶이 될 때만이 비로소 내 삶을 바꾸는 공부가 될 수 있다는 것이다.

사주명리학 공부는 '내 삶을 어떻게 세워나갈 것인가'라는 질문으로 나를 깨웠다. 공부를 통해 깨달은 앎을 실천으로 이끄는 능동적인 길잡이였다. 그렇게 서른두 살에 사주명리학으로 제대로 된 공부를 시작하게 되었다.

공부는 나를 계속 끌어당겼다. 사주명리학 강좌가 끝나고 '대중지성'이라는 6개월짜리 프로그램을 덥석 신청했다. 또다시 강행군이 시작되었다. 매주 목요일 저녁 7시, 나는 필동으로 향했다. (이즈음 수유+너머는 몇 개로 나뉘어, 고전과 의역학을 중심으로 공부하는 이들은 '남산강학원+감이당'이라는 이름으로 서울시 중구 필동에 둥지를 틀고 새로운 공동체 실험을 시작했다.)

누가 등 떠민 것도 아닌데 강의가 있는 날이면 나는 어김없이 그곳에 있었다. 그렇지만 몸이 움직인 만큼 머리는 쉬이 따라주지 않았다. 어려운 철학책은 쉽게

와 닿지 않았고, 읽어내는 것도 만만치 않았다. 그럴 때마다 함께 공부하는 학인들이 나를 일으켜 주곤 했다. 조지 오웰의 『나는 왜 쓰는가』, 루쉰의 『아침 꽃을 저녁에 줍다』 등 고전 문학에 담긴 삶에 대한 성찰도 나를 불러 세웠다. 늦은 저녁 작은 공간에 모여 책과 인생을 논하던 긴장감과 설렘은 중독성이 있었다. 그 하루하루의 시간이 새로운 내가 되어가는 과정이 아니었을까.

매주 드나들던 남산강학원+감이당은 신기한 곳이었다. 여러 강좌와 세미나도 하나같이 지적 욕구를 자극했지만, 무엇보다 내 마음을 끈 건 공부로 먹고살겠다며 그곳에서 공동체 생활을 하는 사람들이었다. '도심에서 유목하기, 세속에서 출가하기, 일상에서 혁명하기, 글쓰기로 수련하기'라는 공동체의 모토도 호기심을 끌었다.

공부를 계기로 새로운 삶을 선택한 사람들. 이들은 함께 살며 매끼 소박한 밥상을 나누고 소비를 최소화하는 삶을 택했다. 오가며 마주치는 그들에게서 시류에 휩쓸려 살지 않겠다는 단단함을 느꼈다. 어쩌면 나는 그때 그들의 눈빛과 기운 때문에 공부와 새로운 삶에 기대를 품고, 덥석 대중지성 프로그램까지 신청했는지도 모르겠다.

욕심을 버리고 배운 대로 살기 위해 자기 삶을 실험하는 청년들의 모습이 매우 편안해 보였다. 가난을 벗 삼아 동무들과 공부하는 즐거움에 빠져 지내던 17세기 조선의 선비들이 거기 있었다. 나도 그렇게 살고 싶다는 생각이 들었다. 그들의 모습은 공부와 밥벌이 사이에서 고민하는 내게 좋은 길잡이가 되었다.

첫 번째
나의 실험

회사에서 함께 공부를 시작하다

협동조합 스터디

공부 멤버를 모으다

남산강학원+감이당에 드나든 지 6개월쯤 지났을 때이다. 바깥에서의 공부에 재미를 붙인 나는 직장 동료들과 공부를 해야겠다고 생각했다. 하루 8시간 이상 같은 공간에서 부대끼며 사는 동료들이 어떤 생각을 하는지, 나와 비슷한 고민을 하는 사람은 없는지 궁금했다.

당시 나는 네이버에서 메인페이지에 공익 콘텐츠를 소개하는 일을 하고 있었다. 이윤이 아닌 가치를 위해 일하는 사람들의 이야기를 발굴하여 소개하는 일이었다. 마을기업, 사회적기업, 소셜벤처, 스타트업, 공유경제, 코하우징, 귀농, 도시농업, 슬로라이프, 인문학, 열린 인터넷, 빅데이터, 공동체…. 일을 하면서 알게 된 이런 키워드가 내 관심사와 맞물리면서 머릿속에 늘 둥둥 떠다녔다. 그즈음 사회적으로도 가치를 중심에 둔 공익적인 활동을 지속하는 방법에 관한 논의가 한창 떠오르고 있었다. 같은 공간에서 일하는 또래 동료들과 머리를 맞대고 이런 문제를 풀어보고 싶었다.

남산강학원+감이당에서 만난 신나리 디자이너와 물꼬를 텄다. 신나리는 같은 회사에 다니면서도 서로의 존재를 모르다가 공부하면서 알게 된 친구이다. 왕초보의역학을 같이 듣던 한 언니가 "내가 공부하는 대중지성 프로그램에도 네이버 직원이 있던데, 혹시 신나리라고 알아?" 하고 물었다. 같은 회사에 다니는 디자이너라니, 게다가 대중지성 과정에 있다니 어떤 사람일지 궁금했다.

다음날 사내 메신저로 슬쩍 말을 걸었다. 알고 보니 그 친구는 나보다 먼저 공부를 시작했고 디자인비평 세미나도 하는 공부쟁이였다. 우리는 공부로 단단하게 엮였다. 그 후 둘 다 대중지성을 신청하게 되어 목요일마다 퇴근 후에 함께 공부하러 다니는 사이가 되었다.

당연하게도 회사에서의 공부도 의기투합하여 같이 세미나 기획에 들어갔다. 평소 친하게 지내던 해피빈재단의 이경은 과장도 합류했다. 우리는 틈틈이 회사 식당에서 점심을 먹으며 각자 어떤 공부를 하고 싶은지 이야기를 나누며 공부의 콘셉트를 정했다.

네이버는 인터넷 기업이라 청년층이 많았다. 자연스레 주제는 또래의 관심사인 일과 결혼, 내 집 마련에 대한 고민으로 모였다. 그즈음 협동조합법 개정과 그에 따른 정부 지자체의 지원이 한창 이슈일 때라서 공부 주제를 이렇게 정했다.

'함께 일하기에 대하여: 협동조합 스터디 중심으로'.

우리는 각자 지인들에게 책을 추천받고, 인터넷에서 읽을 만한 책을 가려 뽑았다. 나는 세미나의 취지와 함께 읽을 책 목록을 적어 같이 공부할 만한 사람들에게 메일을 보냈다. 그 사람들이 주변에 전달하여 이틀 동안 11명이나 모였다. 내심 평소 알고 지내던 대학 선후배들이 합류할 거라고 생각했는데, 회신을 준 사람들은 대부분 처음 보는 동료들이었다.

첫 모임 날 우리는 퇴근 후 회의실에 모여 조금 서먹한 분위기에서 각자 자기소개를 했다. 개발자, 디자이너, 기획자, 마케터 등 다양한 업무 분야의 직원이 참여했다. 나는 공부하고 싶어 하는 사람들이 생각보다 여러 직군에 다양하게 포진해 있다는 사실이 놀랍고도 반가웠다. 우리는 개발팀의 손병대 과장을 시작으로 인사를 주고 받았다.

"친구들과 함께 '동구밭'이라는 텃밭 소셜 앱을 만들고 있어요. 이 일이 창업으로 이어질지 모르지만, 재미도 있고 의미도 있어서 좋아요. 업무가 빡빡해도 틈나는 대로 주말농장에서 농사도 짓고 있어요."

그가 만들고 있던 동구밭은 도시농부들이 텃밭이나 베란다에서 농사짓는 데 필요한 소식과 정보를 공유하는 소셜 앱이다. 그렇게 한 사람씩 자기소개를 하고 어떤 공부를 하고 싶은지 꺼내놓았다.

첫 모임이라 그저 간단하게 앞으로의 방향을 나누는 자리였는데, 어느샌가 현재의 일에 대한 고민과 사적인 이야기를 넘나들게 되었다. 점점 서먹했던 분위기는 사라지고 뭔지 모를 설렘과 기대감이 차올랐다.

우리는 일과 기업에 대한 책(『기업은 누구의 것인가』, 『나는 왜 이 일을 하는가?』, 『일의 발견』)과 협동조합 관련 책(『협동조합, 참 좋다』, 『지역을 살리는 협동조합 만들기 7단계』, 『몬드라곤의 기적』)을 함께 읽기로 했다. 야근이 많고 업무량도 만만치 않았지만, 우리는 어김없이 매주 한 번 퇴근 후 회의실에 모여 공부했다. 공부가 끝나면 다시 사무실로 돌아와 밤늦게까지 일하는 경우도 많았다. 그런 상황인데도 대부분 열성적으로 세미나에 참여했다. 회사 일로 몸은 지쳤지만 공부한 것을 나누고 떠들어대는 과정에서 우리는 생기를 되찾았다.

보통 일할 때 회사 동료들과는 감정을 잘 드러내지 않는다. 그런데 세미나에서는 기업의 불합리한 구조를 논의하다가 종종 분노를 표출하기도 하고, 어떨 때는 책에서 희망을 발견하며 들뜬 감정을 나누기도 했다. 함께 공부하면서 나는 사회와 기업의 부조리에 눈뜨게 되었다. 때로는 '이대로 좋은가?' 반문도 하면서 기업과 일 그리고 협동조합에 대한 생각을 하나씩 하나씩 정리했다.

공부는 질문을 남긴다 '나는 왜 이 일을 하는가?'

세미나 첫날, 우리는 『나는 왜 이 일을 하는가?』의 저자 사이먼 사이넥의 테드(TED) 강연 영상을 함께 보면서, 일을 찾을 때 '무엇을' '어떻게'가 아니라 '왜'라는 질문을 먼저 해야 한다는 것에 공감했다. 그는 기업의 경우 '왜'라는 질문은 곧 제품의 목적과 신념을 뜻한다면서 그 사례로 '애플'을 꼽았다. 잡스는 세계적으로 시선을 끄는 애플의 신제품 발표회에서 언제나 애플의 가치를 앞세운다. 그는 '왜' 이런 제품을 만들었는지를 먼저 이야기 한 뒤 그 가치에 기반하여 새로운 제품의 기능을 조목조목 설명한다. 이야기는 언제나 '왜'에서 시작해 '어떻게, 무엇을 만들었다'로 이어진다. 그리고 많은 사람을 애플이 내세우는 가치를 지지하는 충성스런 이용자가 되게 한다. 공부를 거듭할수록 우리는 무거운 숙제를 떠안게 되었다. 사이먼 사이넥의 질문, '왜 이 일을 하는가'에 대한 답을 정리해야 한다는.

기업의 목적은 이윤이다. 우리는 오랫동안 그렇게 배웠고 의심하지 않았다. 그렇다면 정말 이윤이 기업의 목적에 대한 근본적인 답이 될 수 있을까? 돈은 행복한 삶을 위한 수단일 뿐인데 우리는 종종 돈 자체를 목적으로 착각한다. 한 개인의 삶의 목적이 돈이 아니라면, 개인들이 모인 조직인 기업의 가치나 목적도 돈이 되어선 안된다. 우리는 이윤은 기업을 지속하기 위한 필요조건이지 그 자체가 목적이 되어서는 안된다는 데 의견을 모았다.

"왜 누구는 취업을 못해 좌절하고, 취업해도 매일 야근에 시달리며 좀비 같은 삶을 살아야 하죠? 정말 화나요. 조금 덜 일하고 여럿이 함께 일하는 게 합리적이고 좋은 것 아닌가요? 최소한의 투자로 최대의 성과를 보려는 기업의 이윤 중심주의가 결국 사람들의 삶을 갉아먹는 거죠."

야근을 밥 먹듯 하는 개발팀의 문지애 대리는 이런 말로 우리를 놀라게 했다. 평소 말도 별로 없고 차분한 사람인데 그렇게 격하게 감정을 드러내는 모습은 처음이었다. 다들 "오오!" 하고 놀라면서도 반가워했다. 이후로도 그녀는 종종 과격한 발언을 쏟아냈다.

세 번째 모임 때 우리는 신나리가 추천한 『기업은 누구의 것인가?』를 읽었다. 이 책은 '왜 기업의 사장은 노동자가 뽑으면 안 되는가?'라는 파격적인 질문을 던지며 그래도 되는 이유를 설명한다. 궁극적으로 회사는 주식을 소유한 주주가 아니라 실제로 그 안에서 몸을 쓰고 시간과 정성을 쏟으며 일하는 노동자가 뽑아야 한다고 했다.

이 책은 그동안 당연하게 생각했던 것들을 전혀 새로운 시각으로 바라보게 해 주었다. 저자는 하나의 질문을 던지고 그 질문에 대해 설득력 있는 근거를 제시하며 기업의 존재 이유를 다시 생각해 보게 했다. 그날 세미나 직전에 우리는 놀라운 사실을 접했다. 얼마 전 손병대 과장이 어느 회사에 면접을 보고 왔다고 털어놓은 것이다.

"이 책 읽으면서 깜짝 놀랐어요. 사실 얼마 전에 반차를 내고 면접을 보고 왔는데, 그때 회사 대표가 했던 질문이랑 똑같은 내용이 여기 있더라고요."

우리는 흥분한 목소리로 그곳이 어디인지 물었다. 얼마 전 한 방송에 소개되어 반향을 일으켰던 소프트웨어 기업 '제니퍼소프트'였다. 이 회사는 북유럽의 노동과 복지 시스템을 모델로 삼고 실현하는 곳이어서 직장인들 사이에 꿈의 직장으로 불린다. 아이들을 회사에 데려와도 되고 심지어 회사에 수영장도 있다. 주 노동 시간은 35시간이고 연간 20일의 휴가를 보장한다. 방송 이후 '제니퍼소프트'와 대표 '이원영'이라는 키워드가 한동안 네이버 실시간 검색에 뜨며 화제가 되기도 했다. 우리는 궁금한 것을 꼬치꼬치 캐물었다.

"사옥이 정말 그렇게 좋던가요? 대표랑 직접 인터뷰를 했나요?… "

나는 개발자 외 다른 직군은 안 뽑는지 묻기도 했다. 손병대 과장은 면접 때 받았던 질문이 무척 인상적이었다고 했다. 그러면서 대표가 회사를 '공동체'로 생각해서 놀랐다고 말했다. 그가 받았던 질문은, "회사 내에서 자유와 의무가 충돌할 때 어떻게 하겠느냐"는 것인데 제대로 답하지 못해 아쉬웠다고 했다. 그런데 이 책을 보니까 이원영 대표가 얘기했던 내용이 그대로 나와 있었다는 것이다. 우리는 그의 말을 듣고는 깜짝 놀랐다. 이 책에 따르면, 자유를 생각할 때 우리는 어디를 가고 무엇을 먹을지 입을지 등 소유와 관련하여 뭔가를 선택하는 것으로 생각하는 경우가 많다. 그러나 진짜 자유는 자신의 활동을 스스로 만들고 규정할 수 있는 능력과 권리라는 것이다. 기업에서 일하는 노동자의 자유도 활동에 근거하므로, 협업할 때 서로 주체가 된다면 자유와 의무는 대립하는 개념이 아니라는 말이다.

손병대 과장은 "한 주만 먼저 세미나를 했어도 제대로 대답할 수 있었을 텐데… "라며 몹시 아쉬워했다. 보도된 기사를 보면 이원영 대표는 기업을 '생존공동체'라고 표현하며, 제니퍼소프트에 대해 물질적인 복지가 좋은 곳이라는 내용보다는 공동체로서의 기업을 실험하는 측면을 봐달라고 한다. 우리나라에도 이런 시도를 하는 회사가 있다니… 놀랍고도 반가웠다.

기업 공부를 하면서 우리 마음은 그리 가볍지 않았다. '이건 아닌 것 같은데'라는 의심에서 시작했던 우리의 공부는 새로운 질문으로 이어졌다. 왜 누군가는 일상적인 야근에 시달리고 한쪽에서는 일자리를 구하지 못해 자살하기도 하나? 왜 회사의 주인은 직원이 아니라 한낱 종잇조각에 불과한 주식이란 말인가?

한편으로는 책에 소개된 협동조합 사례를 보며, 이미 이런 실험을 하는 곳이 있고 꽤 오랫동안 이어 오고 있다는 것을 알고는 가슴이 뛰었다. 많은 협동조합이 단단한 역사를 쌓으며 지속해 왔다는 사실이 놀라웠다. 분야도 농업이나 수산업뿐만 아니라 서비스와 금융업에 이르기까지, 협동조합의 원리로 불가능할 게 없었다. 우리가 알고 있는 게 전부가 아니었다. 새삼 그래서 공부가 필요함을 실감했다.

가장 인상적인 사례는 스페인의 몬드라곤 협동조합에서 직원들 간의 월급 격차를 제한하는 규정이다. 최고 연봉과 최저 연봉의 격차가 7배를 넘으면 안 된다는 것이다. 한 기사에 따르면 월가 상위 5대 은행에서 시이오(CEO)와 직원들의 평균 연봉은 124배에 달한다고 한다. 직원이 월 100만 원 받을 때 시이오는 월 12억원이 넘는 돈을 받는다는 것이다. 몬드라곤 협동조합은 이 격차를 최대 7배로 제한했다.

이런 규정이 가능한 이유는 협동조합이 '공동선의 원리'를 바탕으로 운영하기 때문이다. 공동선의 원리에선 한쪽을 희생해 다른 쪽의 이익을 취하는 방식은 인정하지 않는다. 수학적으로 비유하자면 공동선에서는 곱하기의 원칙이 적용되는데, 4×0은 0이 된다. 하나라도 0이 있으면 모두 0이 되는 것이다. 반면 일반기업에서는 '전체선'을 따른다. 전체선에서는 더하기의 원칙(4+0=4)이 적용되는데, 전체를 위한다면 한쪽의 희생이 가능하다.

협동조합은 한쪽을 희생해 다른 쪽이 큰 이익을 누린다면 전체로 보면 결국 마이너스가 된다는 공동선의 원칙이 명확하다. 모든 사람이 기본적인 권리를 나누어 누린다는 원칙 말이다. 나는 왜 이런 원칙을 상상할 수 없었을까. 협동조합이라는 기업 형태가 좋은 대안이 될 거라는 확신이 들었다.

덴마크의 코펜하겐 도시 벌꿀 협동조합도 인상적이었다. 양봉 일로 도시 노숙인들의 자립을 돕는 협동조합인데, 조합을 만든 사람은 올리베르 막스웰이라는 평범한 시민이다. 그는 도시환경에 도움이 되고 사회적 약자도 돕는 일이 뭐가 있을까 생각하다가 양봉을 시작했다고 한다.

"환경과 경제가 위기에 처한 지금, 경제 구조에 대해 돌이켜봐야 할 때라고 생각해요. 지금 우리 사회는 지속 가능하다고 보지 않습니다. 코펜하겐 사람들이 꿀 한 병을 샀을 때 단지 꿀만이 아니라 봄날이 담긴 꿀을 샀다는 것을 깨닫길 바랍니다. 바로 자신을 둘러싼 환경이 담긴 꿀 말이죠."

비록 글자로 만났을 뿐인데, 지구 반대편에 사는 청년의 목소리는 생생하게 내 마음을 울렸다. 나도 뭔가를 하고 싶다는 생각이 들었다. 자신의 환경에 대해 한 번 더 생각하고 자연이 주는 선물에 감사함을 느낄 수 있는 도시 양봉 사업! 나도 할 수 있지 않을까?

나는 어떤 일을 하고 싶은가?

공부 모임은 점차 무르익었다. 불합리한 상황에 대한 불만으로 시작했던 공부는 협동조합의 다양한 사례를 만나며 '다른 원리로 회사를 구성할 수 있지 않을까?' 하는 가능성으로 나아갔다. 질문은 다시 '그렇다면 나는 어떤 일을 하고 싶은가'로 이어졌다. 시작은 '이건 아닌데'였지만, '나는 이걸 하겠어'로 넘어가야 했다. 책에서 봤던 수많은 성공 혹은 실패 사례가 앞으로 우리가 어떤 일을 시작하는 데 좋은 자양분이 될 거라 믿었다. 그 사이 손병대 과장과 몇 명의 멤버들은 농사 앱 동구밭 프로젝트를 시작했다. 세미나에 참여한 계기로 신나리도 프로젝트에 합류했다.

처음 정했던 열한 번의 세미나를 마치고 우리는 성미산마을에 다녀왔다. 마을 사람들이 출자하여 만든 카페 '작은나무'와 매일 정성스런 밥상을 차리는 '성미산밥상', 대안학교 '성미산학교'를 지나 공동주택 '소행주'(소통이 있어 행복한 주택)를 둘러보았다.

소행주는 출자금을 모아 지은 5층짜리 주거건물이다. 소행주에서 가장 인상적이었던 곳은 매일 저녁 따듯한 국과 밥이 있는 공동 주방이다. 소행주 사람들은 뜻을 모아 밥 해 주는 분을 구했다. 그러니 혹여 엄마 아빠가 늦더라도 아이들 밥 걱정은 덜 수 있다. 아이들은 매일 저녁 공동 주방에서 윗집 아랫집 언니 오빠들과 아저씨 아줌마와 둘러앉아 밥을 먹는다. 밥을 먹고 나면 아이들은 2층 공동 공부방에서 과제를 하기도 한다. 퇴근하고 돌아온 이들은 종종 먹을거리 파티를 열기도 하고.

야근이 많았던 우리 회사 사람(특히 여성)들은 일과 육아를 병행하는 데 무척 힘들어했다. 거의가 맞벌이다 보니 양쪽 부모님의 도움을 받거나 늦게까지 아이들을 어린이집에 맡겼다. 하지만 맘이 그리 편해 보이지 않았다. 그런데 소행주처럼 어려움을 함께 해결하는 방식이 있었다.

세미나와 성미산마을 투어를 마치고 우리는 각자의 고민과 삶에 대한 구상을 안고 자기 자리로 돌아갔다. 즉흥적으로 조직된 게릴라 세미나였는데 석 달동안 함께 길을 찾아가는 행복한 시간이었다. 자신감도 생겼고 무엇보다, 이런 고민을 하는 게 이상한 일이 아니구나 싶어서 안도감이 들었다.

놀랍게도 그때 함께 공부했던 11명 중 9명이 그 후 이직을 하거나 전혀 다른 일로 옮겨갔다. 비영리단체로 옮겼거나 퇴직하고 협동조합을 만든 사람도 있다. 세미나 때 과격한 발언으로 모두를 놀라게 했던 문지애 대리는 도넛 가게에서 시간제 일을 하고 있었다. 도넛 가게라니, 역시나 파격적인 행보다.

어쩌면 약속이나 한 듯이 그렇게들 회사를 떠났을까? 아마도 공부하며 가졌던 '나는 왜 이 일을 하는가'라는 질문에 대한 각자의 답을 찾아 떠났을 것이다. 함께한 공부가 그런 변화의 계기가 되었을지도 모른다는 생각에 뿌듯하기도 했다.

그리고 나는, 백수가 되었다. 특별한 계획은 없었다. 처음 나를 흔들어 놓았던 그런 공부를 계속 하고 싶었다. 언젠가 돈이 떨어지면 다시 일해야겠지만 일단은 시간에 쪼들리지 않고 계속 공부하고 싶었다.

그래서 만났다

01

남산강학원 + 감이당

공동체에서 함께 공부하기

그때 함께 책읽고 밥먹고 산책하며 살던 그 사람들은 지금 어떻게 살고 있을까? 남산강학원+감이당에서 공부한 지 거의 2여 년 만에 다시 그곳을 찾았다.

지하철 충무로역에서 남산 쪽으로 올라가는 필동 언덕에는 인쇄소들이 죽 늘어서 있다. 서울 시내 한복판에서 매일 종이에 활자를 찍어내는 곳이라니, 남산강학원+감이당으로 향하는 그 골목은 전혀 다른 시공간으로 들어서는 듯했다. 여느 사람들처럼 나도 다양한 지식을 웹에서 접하고 있지만 여전히 책을 사랑하고 책 냄새를 좋아한다. 아직 옛 마을의 정취가 남아 있는 필동과 그곳에서 고전과 현대를 횡단하는 새로운 차원의 공부, 이 조합이 새삼 신기하게 와 닿았다.

남산강학원+감이당의 분위기는 공부와 밥의 공동체임을 말해 주듯 여전했다. 밥 먹는 사람들로 가득 차 있는 식당, 학인들이 공부에 열중하고 있는 공부방, 앉은뱅이책상을 앞에 놓고 삼삼오오 모여 있는 감이당 연구실. 감이당 운영을 총괄하는 매니저 장금샘(박장금, '장금샘'은 연구실에서 무겁지 않게 부르는 호칭이다)을 만났다. 그녀는 4년 전 왕초보의역학 공부 매니저를 할 때보다 얼굴빛이 한결 밝아 보였다.

장금샘은 인문학공동체에서 공부하는 삶에 대한 나의 궁금증을 찬찬히 풀어 주었다. 나도 한때 공부를 벗삼아 유유자적 사는 삶을 꿈꿨고 지금도 여전히 그런 삶을 동경한다. 그래서인지 이곳에서 공부하는 학인들 이야기는 한마디도 놓칠 수 없었다.

"공부는 평생 해야 할 수련이죠. 공동체 생활을 하면서 끊임없이 나를 돌아보게 되니까, 매 순간이 공부하는 과정이에요."

장금샘의 말을 듣다 문득 3년 전 이맘때에 비해 지금 내 표정도 달라졌을지 생각해 보았다. 나는 싫은 일을 만나면 바로 얼굴에 나타난다. 공부하러 다닐 당시 직장 생활에 엄청난 회의를 느끼고 있었으니 죽을상까지는 아니어도 우거지상 정도였겠지. 지금 회사 친구들을 만나면 내 얼굴에서 빛이 난다고 유난을 떤다. 한참 일과 삶에 대한 회의를 겪고 있을 때 내가 이곳에 오지 않았다면 여전히 뭐가 뭔지도 모른 채 무기력한 삶을 이어갔을지도 모르겠다.

삶의 기술을 배우는 공부

직장 다니면서 공부하러 다니기란 쉽지 않았다. 그때 참 힘들게 공부했던 기억이 나서 요즘도 직장인이 많이 오는지, 그 당시 나처럼 퇴근 후에 공부를 병행하며 힘들어하지나 않은지 물었다.

"물론 쉽지 않지만 퇴근하고 와서 다들 열심이에요. 작년에 『자기배려의 인문학』이라는 책을 낸 분도 은행원이에요. 대중지성 강좌가 일주일에 두 번 열리는데 직장인들이 많아요. 35명 정도 되니 수강 인원 절반 정도가 퇴근하고 공부하는 사람들이죠."

직장인들을 보면 흔히 자기계발서나 업무 관련 책을 많이 읽는다. 내 경험으로 보면 자기계발류 책들은 일회성에 지나지 않았다. 그런 책들만 접하는 지인들을 보면 내가 접한 공부의 세계를 열심히 알려 주곤 했다. 하지만 대부분이 "인문학 공부는 너무 어려워!" 하면서 시작도 하기 전에 장벽을 쳤다. 도리어 나를 보며 어려운 공부를 왜 그렇게 하는지 이해가 안 간다는 친구들도 꽤 있었다. 직장 생활로 지칠 대로 지친 경험이 있는 장금샘은 역시 나보다 한 수 위다. 그의 말은 쉽고도 설득력이 있었다.

"어려우니까 도전하는 거죠. 어려우니까 함께 읽는 거고요. 생각을 바꾸면 어떤 공부든 가볍게 시작할 수 있지 않을까요. 공부든 사랑이든 억지로 시킨다고 되는 게 아니죠. 내가 진짜 하고 싶은 게 생기면 상황이 어렵더라도 일단 해 보라고 권하고 싶네요."

삶에서 맞닥뜨린 질문이 공부의 계기가 되고, 어렵더라도 학인들과 함께 조금씩 공부의 힘을 키워가면 된다는 장금샘의 말에서 여유가 느껴졌다. 2012년 내가 대중지성 과정을 수학할 때도 수강생의 반 이상이 30대 직장인이었다. 다들 일과 삶에 대한 고민이 깊었다. 공부도 어찌나 열심히 하던지 유독 나만 쩔쩔매는 듯 보였다. 그런 나였지만 함께 공부한 덕분에 프로그램을 완주하고는 사내 협동조합 스터디까지 도모할 힘을 얻었다.

공부는 전염력도 엄청났다. 내가 해 보고 깨달음이 있으니 주변에 막 퍼뜨렸다. 여기도 공부하겠다는 사람들이 부쩍 늘었다고 한다. 먹고사는 문제를 직접적으로 해결해 주지 않는데도, 인문학 공부에 사람들이 몰려들고 있다. 지방에서 올라오는 이들도 꽤 있단다. 사람들은 왜 이 먼 데까지 와서 공부하는 걸까?

"잘 산다는 것에 대한 구체적인 상이 없어요. 그게 가장 큰 문제죠. '어떻게 살 것인가'라는 문제에 대해 총체적 무지에 빠진 게 아닐까요? 삶의 출구를 찾으려고 공부하는 것 같아요. 산다는 건 뭘까, 생명이란 뭘까에 대한 이치를 알아야 어떻게 살아갈지 길이 보일 텐데 말이죠. 대체로 학교 공부라는 게 삶과는 별개의 지식이었잖아요. 질문 자체가 허용되지 않는 수동적인 공부였죠. 그런 공부 방식에 길들여지다 보니 아무리 책을 많이 읽어도 삶과 괴리감이 생기는 거예요. 내 삶의 문제 하나 해결하지 못하는 공부가 무슨 소용 있을까요. 그러니 공부하라고 하면 대부분 머리 아프다고 호소하는 거죠."

나도 그랬다. 나를 물고 늘어지는 질문 앞에서 머리가 지근거렸다. 친구들과 사주를 보러 다닐 때 으레 했던 질문이 떠올랐다. 지금 하는 일이 나한테 맞나요, 회사를 그만두고 싶은데 그만둬도 될까요, 지금 남자 친구와 결혼을 하게 될까요?

그렇게 중요한 문제를 누군가에게 물어보기 전에 여러 관점에서 스스로 고민하고 곰곰이 따져 봐야 했다. 연애가 문제라면 인간에 대한 공부가 되어야 하고, 회사 문제라면 나라는 사람을 이해하는 일 혹은 밥벌이로서의 일에 대한 고민을 먼저 해야 했다. 자기탐색이라는 숙제를 누군가에게 떠넘긴다는 것이 합당한 일이란 말인가.

인문학 공부를 하면서 깊이 들여다보니, 나는 끈기가 부족한 사람이었다. 책을 읽어도 거기서 생기는 질문을 끝까지 밀고 나가는 힘이 부족했다. 새로운 책과 지식을 허겁지겁 먹어 치우기 바빴고, 제대로 소화도 시키지 못한 채 내보냈다. 질문을 끝까지 밀고 나가지 못하는 태도는 글을 쓸 때도 그대로 드러났다. 문제의식은 엄청나게 벌여놓고 그것을 치밀하게 정리해 나가기는 어려웠다. '나, 이만큼 알고 있어.'라고 보여 주기 위한 글쓰기를 하고 있었다. 그런 읽기와 쓰기였기에 장금샘이 말한, 이치로 사물을 꿰뚫는 힘이 잘 생기지 않았던 것일지 모르겠다.

"나는 오직 피로 쓴 책만을 사랑한다. 피로 쓰라. 그러면 그대는 알게 될 것이다. 피가 정신임을. 다른 사람의 피를 이해한다는 것은 쉬운 일이 아니다."

독서와 저술에 관한 니체의 글이다. 이 문구를 읽고 머리를 한 방 맞은 것 같았다. 나의 책 읽기는 저자들과 제대로 만나고 있었나, 저자의 피를 이해한다는 것은 어떤 느낌일까, 내 글쓰기는 내면을 깊이 파고 들어가는 치열함이 있었던가? 회의가 들었다. 그동안의 공부를 돌아보았다.

학교 다닐 때 나는 모범생이었다. 학교 지침에 어긋나는 일은 하지 않았고 선생님이 시키는 일은 꼬박꼬박 잘 했다. 비교적 착하고 공부 잘한다는 말도 듣고 자랐는데, 대중지성 과정을 수학하면서 그동안 혼자 했던 공부는 껍질에 지나지 않았다고 생각했다.

겉으로 보면 우리는 과거 어느 세대보다 똑똑하다. 인터넷으로 웬만한 정보를 손쉽게 얻을 수 있는 지식과 정보 공유의 시대에 살고 있다. 전 세계 유명한 석학들의 강의도 쉽게 접할 수 있는 시대 아닌가. 그런데 '어떻게 살아야 할 것인가' 하는, 삶에서 가장 기본적인 질문 앞에서는 왜 말문이 막혀 버리는 걸까?

이런 고민에 빠져 있다가 문득 영화 〈나이트 크롤러〉(Nightcrawler)가 떠올랐다. 주인공은 사건 현장을 담아 TV 매체에 판매하는 일을 우연히 하게 된다. 처음엔 혼자 일하다가 일이 늘어나자 직원을 고용했다. 그는 지적으로 매우 뛰어났지만, 무언가를 나누고 공유하는 삶에 대해서는 무지했다. 인터넷에서 수많은 경영학 강좌를 들으며 지식을 습득하고는, 직원에게 회사 경영과 성과 추구에 대해 일장 연설을 늘어놓는다. 하지만 그에게는 타인과 공감하는 능력이 없었다. 당연히 직원과의 관계가 삐걱거렸다. 지독하게 외로웠던 그였지만 그런 자신의 마음조차 깨닫지 못했다. 일에서나 대인관계에서 기계적으로 접근하는 그의 모습이 섬뜩하기까지 했다. 결국 그는 사업에 걸림돌이 될지도 모르는 직원을 죽이고 만다, 아무런 양심의 가책도 느끼지 않고. 살인이라는 극단적인 이야기로 몰고 가긴 했지만 속을 들여다보면 전혀 허황된 이야기만은 아니다.

이 영화를 떠올리면서 나는 왜 함께 공부해야 하는지에 대한 작은 실마리를 찾았다. 공부를 하는 이유는 자기 삶의 주인이 되기 위해서인데 혼자 공부할 때는 자신을 보기 어렵다. 그래서 삶이 빠지기 쉽다. 지식만 끊임없이 머릿속에 밀어넣는 공부의 폐해는 생각보다 심각하다. 소위 명문대 출신 일부 유명인들이 비상식적인 일을 저지르고도 창피한 줄 모를 뿐 아니라 오히려 당당하다. 그런 걸 보면 지식만 쌓고 삶은 바뀌지 않는다면 무슨 의미가 있을까 싶었다.

앞으로의 공부는 똑똑해지기 위해 지식과 정보를 섭취해 온 그동안의 방식에서 벗어나 다른 공부법을 찾아야 한다는 생각이 들었다. 그런 면에서 함께 공부하기는 적절한 대안 중 하나이다. 함께 공부하면서 서로 부대끼며 여러 문제에 맞닥뜨리다 보면, 살아 있는 공부가 삶 속에 깊이 파고들 여지가 많다. 이것이 바로 많은 이들이 공부의 길을 찾아서 남산강학원+감이당에 오는 이유일 것이다.

관계를 만드는 공부

여기서 하는 공부의 백미는 글쓰기이다. 강좌 대부분에 글쓰기가 따라붙는다. 이곳의 공부가 여느 인문학 강좌와 다른 점이라면 바로 글쓰기를 통한 관계 맺기에 있다. 글을 쓰면서 자기 생각을 정리하고, 같이 공부하는 이들의 조언을 들으며 자신을 새롭게 보는 눈을 키운다. 그 안에서 자신의 한계를 뛰어넘는 길을 찾는 것도 함께 공부하는 이들과의 부딪힘을 통해서 가능하다.

공부의 끈을 놓지 않고 있지만 나는 여전히 글쓰기에 부담을 느낀다. 글을 써야 할 상황이 오면 글쓰기를 안 하고 책 읽고 이야기 나누는 공부만 하면 안 될까 싶어서 요리조리 빠져나갈 궁리를 한다. 장금샘은 그런 생각을 나만 하는 게 아니라며 글쓰기도 하나의 수련이라고 말했다.

"공동체에서 글쓰기는 매우 중요해요. 글쓰기와 발표를 통해 평소에 드러나지 않던 자신의 상태가 드러나요. 글은 참 정직하죠. 프로그램 끝머리에 항상 에세이를 발표하는 것도 그 때문이에요. 각자 에세이를 써 오면 학인들이 서로 이야기해 주지요. 그걸 크리티컬이라고 하는데, 엄밀하게 말하면 글에 대한 지적이 아니라 글을 통해 드러난 삶을 대하는 그 사람의 태도에 대한 지적이에요. 그러자면 서로 간에 신뢰라는 바탕이 있어야 하죠. 그래서 공적으로 진행해요. 사사로운 감정으로 다른 이의 글이나 삶을 평가하지 않는 게 중요하죠. 자기 글이 까발려지는 경험도 하고, 물론 그 과정에서 상처받는 이들도 있지만, 타인을 통해 나를 들여다보고 자기 한계를 넘는 계기로 만들 수 있겠죠. 이 바쁜 세상에 자기 문제를 같이 고민하고 조언해 주는 것 자체가 얼마나 고마운 일인가요."

글쓰기에 대한 공포라면 나도 충분히 맛보았다. 대중지성 프로그램을 수학할 때 에세이 공포증이 늘 나를 따라다녔다. 읽은 책을 요약하고 꼭꼭 씹어서 소화한 다음 나의 언어로 뱉어내는 일이 쉽지 않았다. 마감 시간은 다가오는데 몸은 자꾸 인터넷 사이트를 돌아다니고 친구를 만나고 딴 짓을 했다. 결국 첫 번째 에세이를 쓰지 못했다. 그때 튜터는 나에게 두 가지 이야기를 해 주었다. 글쓰기를 피하는 것은 잘못 쓸까 봐 두렵기 때문이라고, 지금 내가 쓸 수 있는 만큼 첫 문장을 쓰기 시작하면 된다며 용기를 주었다. 다른 일에서도 그럴 때가 있었다. 완벽하게 잘할 수 없을까 봐 두려워하다가 아예 포기하는 경우가 많았다. 튜터의 조언을 듣고, 내가 할 수 있는 만큼이 나의 능력인데 더 잘하고 싶은 것도 욕심이라는 걸 깨달았다.

튜터는, 글은 머리가 아니라 엉덩이 힘으로 쓴다는 말을 덧붙였다. 일단 의자에 엉덩이를 붙이고 노트북을 꺼내서 쓰기 시작하면 어느새 한줄 한 줄 덧붙을 테니 일단 해 보라고, 생각만으로는 단 한 줄도 쓸 수 없다고 했다. 에세이 발표가 끝나고 튜터가 나에게 물었다. 에세이 안 쓴 죄를 어떻게 달게 받겠느냐고. 나는 매주 발제를 해가겠다고 했고 그 약속을 지켰다. 발제하면서 글쓰기의 두려움도 서서히 극복했다. 무엇보다 매주 해냈다는 성취감이 나를 더 단단하게 만들었다. 두 번째 에세이데이 때는 피하지 않고 글을 써 냈다. 글에 대한 크리틱을 듣는 건 부끄럽고 떨리는 일이었지만, 에세이 한 편을 완성했다는 사실만으로도 다음 단계를 이어갈 자신감을 얻었다. 튜터의 조언에 따라 위기를 배움의 기회로 만들고, 그 과정을 수행으로 삼아 하나씩 이루다 보니 모든 게 다 공부가 되었다.

왕초보의역학을 공부할 때 참 재미있었다. 공부가 재미있을 수도 있구나 싶어서 의아했다. 그 후 대중지성 과정을 거치면서 그건 바로 삶과 연결된 공부라서 가능했다는 것을 깨달았다. 뜬구름 잡는 학문이 아니라 공부가 개인의 삶을 비추는 역할을 한 덕에 그나마 자기객관화에 가까이 갈 수 있었다. 나와 공부를 단단하게 엮어 준 왕초보의역학은 지금 감이당의 기본 공부 프로그램이 되었다.('시즌1. 사주명리학' 기초 강좌가 끝나면 '시즌2. 동의보감' 강좌로 이어진다.) 자신의 몸을 먼저 이해하고 받아들여야 자기 안에 쌓인 실제적인 문제들을 들여다볼 수 있기 때문이다.

"우리 몸과 마음은 따로 떨어진 게 아니라 하나예요. 그러니 몸이 아프면 마음이 아프고, 반대로 마음이 아프면 몸이 아플 수밖에 없는 거죠. 몸은 구체적인 신체기관이에요. 반복이라는 게 없어요. 계속 차이를 만들어 내죠. 밥을 먹고 소화를 시키고 활동을 만들고 배설을 하고, 그 과정이 반복적인 거 같지만, 똑같지는 않아요. 동의보감에서는 생명의 토대를 이루는 걸 '정기신(精氣神)'이라고 해요. 좀 어렵게 들릴 수도 있는데, 이를테면 에너지가 물질을 만든다는 이야기에요. 생각의 패턴이 습관을 만드는데 그것이 제대로 길을 찾지 못하면 병이 날 수도 있죠. 사주명리학은 내 리듬을 보는 공부예요. 한편에선 그것이 사회적인 욕망을 충족하는 방식으로 유통되는데 우리는 인문학적으로 만나고 있어요."
장금샘은 동의보감과 사주명리학을 오가며 쉽고도 명료하게 설명했다.

나는 가끔 알 수 없는 무기력과 우울감에 빠질 때 요가 수련을 하거나 땀 흘리며 달리곤 했다. 그러고 나면 무력감이 씻은 듯 사라졌다. 세포 하나 하나가 살아나는 듯 마음도 한결 가벼워졌다. 내 경험에 비추어 보니 남산강학원+감이당에서 왜 그토록 몸 공부를 강조하는지 알 것 같았다. 몸 공부를 강조하는 데 그치지 않고 그들은 날마다 함께 요가를 하고 남산 자락을 산책한다. 함께 먹고 자고 산책하며 공부하는 공동체 생활, 그 자체가 몸과 삶을 바꾸는 공부일 것이다. 공동체의 학인들은 공부를 계기로 새로운 삶을 선택했다. 매끼 소박한 밥상과 소비를 최소화하는 삶 그리고 함께 사는 삶을.
이 모두가 수행의 과정이다.

자기 밥벌이를 해야 삶의 주도권을 가질 수 있다

남산강학원+감이당에는 청년 백수 모임인 '나는 백수다'라는 팀이 있다. 경제적으로 자립하는 모델을 실험하기 위해 모인 2030 백수 혹은 백수 예정자들의 모임이다. 이들도 삶을 바꾸고자 함께 공부하고 운동하며 규칙적으로 생활한다. 혹여 꽉 짜인 일상이 답답하지 않을까 궁금했다.
"생활리듬을 함께 만드는 거죠. 감이당에서는 '삶을 청정하게 한다'고 해요. 그렇지 않으면 공부 자체도 산만하게 된다고 보죠. 10년 동안 피자가게에서 배달 일을 하던 친구가 있어요. 밤늦게까지 게임을 하고 오후가 돼서야 일어나다 보니 만성피로에 시달렸대요. 나는 백수다 팀에 들어와 함께 지내면서 건강을 되찾았어요. 혼자서는 잘못된 습관과 생각을 바꾸기 힘들어요."
팀 매니저인 류시성은 공동체 생활 뿐 아니라 함께하는 공부에 익숙해지는 시간이 필요하다며 개인적인 경험을 덧붙였다.

"2008년에 왕초보의역학 수업을 들으면서 사주명리학 공부를 시작했어요. 그 공부가 인연이 되어 감이당 연구원으로 활동하게 되었죠. 이런 삶이 좋아요. 경제적으로 넉넉하진 않아도 밥벌이는 하고 있어요. 자기 밥벌이를 해야 삶의 주도권을 가질 수 있다고 생각해요. 그래야 안정감이 생기고 공부도 주도적으로 하게 되니까요."

나는 백수다 팀의 모든 멤버는 한 달 동안의 수입과 지출 내역이 담긴 표를 공개해야 한다. 처음에는 다들 반감이 컸는데, 차츰 자신의 살림 규모를 알게 되면서 돈을 허투루 쓰는 일이 줄었다. 류시성의 지출내역표를 보니 한 달 생활비가 60만 원이다. 장금샘도 매달 60만 원으로 부족하지 않게 생활하고 있다는데, 나로선 놀라울 따름이다. 류시성은 감이당 살림지기와 강사 활동비, 그리고 약간의 인세로 월 160만 원 정도 번다. 그 중 100만 원을 저축하고 나머지 60만원으로 한 달을 산다. 그는 자신이 자립해 왔던 방식을 공유하며 나는 백수다 팀에서 다양한 실험을 하면서 함께 자립 모델을 만들고 싶단다.

그는 여러 활동으로 분주하지만 공부의 끈은 늦추지 않고 있었다. 지난 2011년에는 사주명리학을 공부하며 만난 손영달과 함께 사주명리학 입문자를 위한 책 『갑자서당』을 지었고, 2014년에는 『낭송 논어/맹자 동청룡 02』를 엮었고, 강의도 한다. 그 외에도 감이당 연구원들과 함께 써 낸 책도 몇 권 있다. 공부가 공동체와의 인연으로, 공부를 바탕으로 책을 펴내는 순환의 과정이 물 흐르듯 이어지고 있다.

공부는 나에게 어떤 의미일까? 왕초보의역학에 인연이 닿아 시작한 공부는 대중지성 프로그램을 통해 다양한 철학자와의 만남으로 가지를 뻗어갔다. 그러다 운명처럼 스피노자를 만났다.

"정신은 자기 자신 및 자신의 활동 능력을 고찰할 때, 기쁨을 느낀다."

처음 이 글을 접했을 때 말로 설명할 수 없는 특별한 감정을 느꼈다. 내 삶을 이보다 더 잘 보여 주는 말은 없었다. 두껍고 어렵게만 느껴지던 『에티카』에서 구원과도 같은 한 문장을 만난 것이다. 언젠가부터 왜 자꾸 알 수 없는 무력감에 빠져 점점 지쳐갔는지, 더 이상 사는 게 기쁘지 않았는지… 고스란히 말해 주었다. 그저 익숙하다는 이유로 회사에 내 삶을 내맡긴 채 수동적으로 끌려다니고 있었다. 내가 원하는 삶을 살지 못하니 뭘 해도 만족감 없이 공허했다.

어떻게 해야 기쁨으로 가득한 삶을 살 수 있을까? 스피노자는 이미 정해진 방식대로 존재하는 수동적인 삶이 아닌, 자신이 스스로 선택하고 행동하는 자유로운 삶을 강조한다. 그리고 오직 자유로운 사람만이 서로에게 진실로 유익하며 즐거운 우정의 관계를 맺을 수 있다고 한다. 그의 말은 지금 나의 삶과 사람들과의 관계를 찬찬히 돌아보게 했고 현재의 삶이 얼마나 소중한지 깨우쳐 주었다. 운명처럼 만난 그의 글들은 내 삶의 지침이 되었다. 제대로 이해한 건지 잘은 몰랐지만 계속 공부해나가고 싶었다.
생각해 보면 나의 삶은 항상 '미래'에 있었다. 성공적인 미래를 준비하는 삶 말이다. 대학에 가고 취직하기 위해, 노년의 안정된 삶을 위해, 나의 현재는 미래를 위해 항상 양보해 왔다. 하지만 세상에 현재가 아닌 미래를 사는 사람이 어디 있는가? 나는 스피노자에게서 '지금'을 긍정하는 힘, 현재를 위해 무언가를 하게 하는 힘을 얻었다.

그들의
실 험

공부가 밥벌이다

함께 밥 먹고 함께 사는 실험

공부에 집중하려면 돈에 눈독 들이지 않아야 한다. 먼저 생활비를 줄여야 한다. 연구실에서 함께 밥 먹고 공동생활을 하면서 비용을 절약한다. 함께 밥 먹는 것은 수유+너머 시절부터 해오던 관행이다. 한 끼 2,000원으로 질 좋은 집밥을 먹을 수 있다.

이곳에서 지내려면 누구나 주방에서 밥 짓는 당번을 해야 한다. 강좌 수강생까지 매일 100여 명분의 식사를 책임지는 주방지기는 무척 중요한 임무이다. 주방지기는 메뉴를 짜고 장을 보는 등, 매일 주방이 굴러가게끔 주방 당번을 조직하는 일을 한다. 주방지기를 하면 월 70만 원의 활동비가 나온다. 그 외에도 보조 주방지기에게 20만 원, 강좌의 살림을 챙기는 강좌 반장에게 10만 원의 활동비가 나온다. 공간 청소나 블로그 운영 등에 참여해도 활동비가 나온다. 이렇게 남산강학원+감이당에서 중간 정도의 자립기를 거친다.

남산강학원+감이당에서는 기숙사를 운영한다. 풀집(여자기숙사)과 곰집(남자기숙사)이다. 3년 전 처음 더불어 살기를 시작했는데, 풀집이라는 이름은 '사람들이 풀(full)로 차게 산다', '풀처럼 딱 붙어서 살아라', '풀로 차면 나가라 등의 뜻을 담아 고미숙 선생이 지어 주었다. 이름처럼 서로 딱 붙어서 살고 있다.

풀집은 보증금 4천만 원에 월세 80만 원인데, 보증금은 연구실에서 지원하고 월세는 함께 사는 4명이 20만 원씩 나눠서 낸다. 집세 20만 원, 밥값은 한 달로 치면 10만 원 정도 든다. 강좌와 세미나 비용으로 매월 20만 원이 든다고 치면 아무리 많아도 월 50만 원으로 생활이 가능하다. 소비 지향적인 삶과 다르게 살고 있으니 적게 벌고 적게 쓰는 삶이 가능하고, 연구실 바깥 일을 하지 않으면서도 공부할 수 있는 비결이다.

각자의 공부 네트워크 만들기

백수들은 공부와 강의를 통해 자기 삶의 비전을 찾고 있다. 감이당의 대중지성 프로그램에선 3학년이 되면 누구나 강의를 맡아야 한다. 강의하는 일에 동의한 사람만 3학년에 올라갈 수 있기 때문이다. 감이당 3년 공부를 한다는 의미는 곧, 스스로 공부 네트워크를 구성하는 신체가 된다는 뜻이다. 그렇게 되면 공부가 밥이 된다. 하지만 공부한다고 해서 누구나 바로 강의할 수 있는 것도 아니고, 책을 내서 인세로 큰 수익을 올리기도 어렵다. 그렇게 되기까지 공부를 닦는 과정이 필요하다. 학인들은 공동체에서 여러 활동을 하며 그 과정을 겪는다.

남산강학원에서 6년째 공부해 온 손영달은 초등학생을 대상으로 '갑자서당'이라는 서당을 열어 직접 강의를 했다. 갑자서당에서는 음양오행에 해당하는 60갑자 한자를 가르치며 요가와 목공예 수업을 했다. 6주 강의하면 약 300만 원의 수강료가 생기니 자립하기에 모자라지 않은 금액이다. 꼭 어려운 인문·철학 공부가 아니라도, 공부 기간이 그리 오래되지 않아도, 각자 할 수 있는 만큼 공부 네트워크를 만들고 자립의 길을 낼 수 있다. 공부가 곧 밥벌이가 된다.

공부하면서 아르바이트도 한다

생활비가 더 필요할 때는 아르바이트를 한다. 과외, 편의점, 장애인활동보조 등의 일을 하고 있다. 장애인활동보조란 전적으로 장애인의 입장에서 그들의 활동을 보조하는 국가지원제도다(여기서는 줄여서 '활보'로 통한다). 활보는 공부하지 않는 시간에 언제든 할 수 있고 시급도 비교적 높은 편이다. 아르바이트로 시작한 활동인데 오히려 그 일이 더 큰 공부가 된다. 장애인과 호흡을 맞춰야 해서 상대방의 처지가 되지 않으면 할 수 없는 일이기 때문이다. 온종일 밀착해서 살다 보니 그 자체가 수행이다. 처음엔 용돈벌이로 시작했지만 활동이 곧 공부가 되고 또 사회적으로 필요한 일이기도 해서 훌륭한 수행거리가 되고 있다.

남산 자락의 필동 구석구석에 퍼져있는 남산강학원+감이당 거점 지도. 먹고 산책하고 공부하는 학인들의 청정한 삶이 이곳에서 이루어진다.

공부하는 백수들 '나는 백수다' 팀의 화기애애한 저녁 세미나

공부 내공이 깊어지면 책을 집필할 수 있다. 함께라면 더욱 쉽다! 학인이 펴낸 책들

읽고 떠들고 낭송하라! 제1회 고전 낭송Q 페스티벌 '낭댄스' 현장. 이제 머리가 아니라 몸으로 공부한다. 함께 낭송하며 박자와 리듬을 맞추는 과정이 곧 소통하는 훈련이다.

강의와 세미나가 이뤄지는 '티지스쿨(TG School)', 청년학사 1호 베어하우스

동청룡·남주작·서백호·북현무 편까지 모두 4편 28권으로 이루어진 낭송Q 시리즈.

우리는 공부하는 백수다. '나는 백수다' 팀의 아지트, 티지스쿨 앞 담벼락에서.

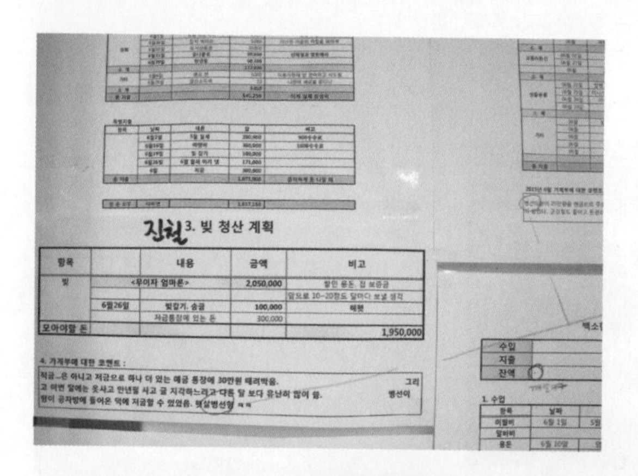

진철 3. 빚 청산 계획

항목		내용	금액	비고
빚	<무이자 엄마론>		2,050,000	받인 용돈, 집 보증금
				앞으로 10~20정도 달마다 보낼 생각
	6월26일	빚갚기, 송금	100,000	해헷
		저금통장에 있는 돈	300,000	
모아야할 돈				1,950,000

4. 가계부에 대한 코멘트 :

적금...은 아니고 저금으로 하나 더 있는 예금 통장에 30만원 때려박음. 그리고 이번 달에는 옷사고 안년필 사고 글 지각하느라고 다른 달 보다 유난히 많이 씀. 병선이 형이 공자방에 들어온 덕에 저금할 수 있었음. 햇살병선형 ㅋㅋ

수입	
지출	
잔액	

1. 수입

항목	날짜
이월비	6월 1일
알바비	
용돈	6월 10일

'나는 백수다' 팀의 모든 멤버는 매월 수입지출 내역을 공개해야 한다. 자신의 살림 규모를 알게 되면서 돈을 허투루 쓰는 일이 줄었다. 한 멤버의 빚 청산 계획 항목이 인상적이다.

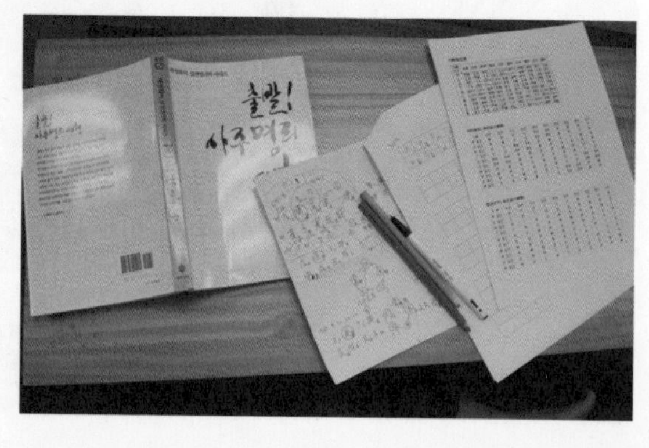

감이당의 기본 공부 프로그램 '사주명리학' 공부는 나를 이해하는 프레임이자, 앎을 삶의 변화로 이끄는 길잡이다.

식당 한 쪽에 든든하게 자리 잡은 쌀포대. 음식은 남김없이 먹고, 다 먹은 후에 식빵으로 그릇을 닦아 먹는 철저한 빈 그릇 운동을 실천한다. 설거지도 각자 한다.

함께 공부하는 이들을 위해 밥을 짓는 것은 공동체 생활을 하는 이들의 의무. 매일 매끼 식사를 준비하는 주방 당번을 채우는 것도 공동체의 힘이다.

매일 아침 점심 저녁 볼 수 있는, 공동체 서식자들의 식사 시간. 공부가 정말 밥이 되고 있는 현장.

이 사람

강렬한 자극을 원한다면 공부와 만나라

박장금(감이당 총괄 매니저)

남산강학원+감이당과는 어떤 인연인가?

2006년 금요인문강좌라는 프로그램으로 수유+너머를 만났다. 처음 공부할 때 채운 선생(당시 수유+너머 연구원)이 "금요일을 무조건 공부하는 날로 만드세요."라는 말을 했다. 그때 그 말을 붙잡고 싶었다. 당시 멀쩡한 이빨 9개가 흔들릴 정도로 회사에서 받은 스트레스가 컸다. 이렇게 살다 죽겠다 싶어서 2008년에 회사를 나왔다. 그러고 나서 한동안은 일도 안 하고 놀았는데 '논다'는 것에 죄책감이 들어 많이 괴로웠다. 돈 되는 일을 해야 가치 있는 삶이라는 생각을 하고 있었던 거다. 삶을 구성하는 모든 활동이 소중한데 돈을 기준으로 유용과 무용의 경계를 가르고 있었다. 내 안의 분별심과 싸우는 것이 바로 마음을 내려놓는 방법이다.

몇몇이 함께 살고 있다. 같이 살면서 생기는 문제는 어떻게 해결하나?

함께 사는 일은 쉽지 않다. 당연히 갈등도 생기는데 그것을 풀어 가는 과정 자체가 공부가 된다. '양말을 왜 그렇게 벗어 두느냐' '샤워기 좀 제자리에 꽂아 놔라'… 같이 살면 이런 소소한 불만이 생기기 마련이다. 그래서 한 해에 두 번 푸닥거리를 한다. 사소하고 유치한 문제도 끄집어내게 하고 문제를 보는 각자의 마음을 까발린다. 이런 자리를 공식적으로 진행한다. 안 좋은 이야기를 들을 때 순간적으로 아프지만, 자기 객관화의 중요한 단서가 된다. 감정을 걷어내고 문제 되는 것을 서로 서슴없이 이야기해 주는 공동체, 그런 관계에서 사람들은 자기 한계를 넘는다. 그것이 도반이다.

공부를 오래 하다 보면 자기 한계를 만나는 지점이 있을 텐데, 그럴 때 어떻게 극복하나?

고전 낭송시리즈 책을 쓸 때, 몹시 어렵고 힘들었다. 원고 교정지를 받았는데 빨간 줄이 쫙쫙 그어진 것을 보니 무섭고 창피해서 사라지고 싶었다. 연구실 생활 7년 차인 내가 이 정도밖에 안 되는구나 싶어서. 그런데 갈 데가 없더라. 그때 처음으로 갈 곳이 없다는 게 구원이라는 것을 알았다. 한계에 부딪히니 여태껏 해온 공부에서 새로운 시야가 열렸다고 할까. 내 공부가 어느 지점에 와 있는지 볼 수 있었다. 다행인 것은 내 한계를 넘을 수 있게 도와줄 스승과 도반이 있었다는 거다. 전적으로 주변의 도움으로 한계를 넘었고, 공부란 함께해야 한다고 깨닫게 된 소중한 기회였다. 공동체를 진하게 만났다고 감히 말할 수 있다. 강렬한 자극을 원한다면 공부와 만나라고 격하게 말하고 싶다!

누구나 잘 살고 싶어 한다. 진정으로 잘 산다는 의미는 뭘까?

계속해서 비워야 한다. 가진 게 많으면 소통이 잘 안 되기 때문이다. 부족한 것 없이 커봤자 자기만 잘난 줄 안다. 가진 것 없이 소통할 수 있어야 그게 진짜 능력이다. 어떤 광고에 보면 잘산다(buy)와 잘 살고 있다(live)가 같다고 한다. 교묘한 말장난으로 진실을 덮는 광고라고 생각한다. 생명에 대한 이치를 모르면 사회가 주입한 욕망이 내 욕망이라고 착각하여 그렇게 생각하게 된다. 공부하지 않으면 어떻게 세계가 움직이는지 제대로 보겠나. 현실의 삶을 못 보니까 이미지 게임처럼 쉽사리 망상에 빠지게 되고, 그 순간은 편한 것 같으니까. 몸에 대한 공부가 그래서 중요하다. 몸을 공부하면 내 몸과 바깥이 자연스레 순환하면서 어떻게 살아야겠다는 이치를 저절로 깨닫게 된다.

결국 공부가 도달해야 하는 지점은 어디일까?

극심한 빈부차가 있긴 하지만 기술이 발전하면서 세상은 물질적으로 조금씩 풍족해지고 있다. 그렇다면 이제 "영적인 탐구 외에 우리가 할 수 있는 게 무엇이 있을까?"라는 질문을 하곤 한다. 생로병사의 비밀을 탐구하는 것이야말로 삶에서 가장 멋진 일이라는 것을 공부를 통해 알게 되었다.

남산강학원+감이당 감이당 인문의역학연구소 남산강학원

'공부와 밥과 우정의 공동체'를 표방하는 인문학공동체. 서울 중구 필동에 있으며 동서양을 횡단하는 고전과 철학, 의역학 등 다양한 강좌와 세미나가 열린다. 세대불문, 직업불문으로 함께 공부하는 이들 누구에게나 든든한 벗이 되어주는 곳이다. 남산강학원은 '글쓰기강학원'이라는 대중지성 과정 · 자연학 세미나 · 고전읽기 등 기획 세미나, 주역 · 사기 등 동양 고전강독 세미나를 진행한다. 감이당은 인문의역학을 중심으로 3년 과정의 대중지성(의역학 입문, 독송교실, 글쓰기 기초 과정으로 구성) 프로그램을 운영하고 있으며, 인문학캠프와 낭송 로드스쿨을 비롯하여 사주명리학과 동의보감을 한데 묶어 공부하는 '왕초보의역학' 강좌를 몇 년째 이어오고 있다. 공부를 통한 자립을 꿈꾸는 이들이 함께 사는 청년학사도 운영한다.

남산강학원 www.kungfus.net **감이당** gamidang.com

그 래 서
만 났 다

롤링다이스

02

공부 모임이 맺어 준 인연

"롤다 멤버 몇 명이 스피노자의 『에티카』를 읽는대. 같이 가볼까?"

퇴사하고 한가로운 나날을 보내던 어느 날 신나리에게서 반가운 연락이 왔다. 신나리는 한 공부 모임에서 여는 스피노자 세미나 소식을 듣고 내가 생각났다고 했다. 남산강학원+감이당에서 공부할 때 내 삶을 전면적으로 돌아보게 했던 스피노자! 언젠가 다시 한 번 진하게 만나고 싶었다.

이제 막 백수가 된 나는 '능동적으로 기쁨을 만들어 내는 삶'에 대한 고민을 이어가고 싶었다. 망설일 이유가 없었다. 2013년 초여름의 일이다. 나는 신나리와 몇 명의 롤다 멤버들과 함께 『에티카』를 읽기로 했다.

롤링다이스(멤버들은 '롤다'라고 부른다)는 전자책출판공동체이다. 롤다 멤버들은 한 공부 모임에서 처음 만났다고 한다. 그때 직장인이 대부분이어서인지 모임에서 읽은 책은 자연히 '일'과 '사람'에 관한 인문·철학 책 중심이었다. 공부를 하며 그들 사이에 공통의 질문이 생겼다. "일이 즐거울 수 없을까?" 하는 .

'롤다'라는 새로운 일하기 실험은 그 결실이다. 그 당시 나는 직장을 그만두고 백수로 새로운 삶을 맞고 있었지만, 롤다 멤버들은 대부분 직장에 다니면서 공부하는 것도 모자라 다른 일까지 벌인 것이다. 겉으론 달라 보이는 선택일 수 있지만 나와 그들의 바람은 다르지 않았다. 가슴 뛰는 일을 해 보고 싶다는 바람.

『에티카』를 함께 읽던 시절 롤다의 멤버들은 시간을 쪼개서 같이 책을 읽고, 책 모임이 끝나면 회의를 했다. 책 모임에 참석하기 전 내가 상상했던 그들은 이 일 하다 저 일 하다 허둥지둥하는 모습이었다. 그런데 모임 전후로 만났던 멤버들의 얼굴은 여유와 활기가 넘쳤다. 그건 아마도 멤버들이 함께 정한 원칙 덕분인 듯했다. '우리가 선택해서 하는 즐거운 일이어야 한다'는. 그래서인지 노는 건지 일하는 건지 구분이 안 될 정도로 일이 느긋하게 진행되었다. 멤버들에게 롤다는 일이 아니라 취미이자 놀이였던 셈이다.

신나리는 회사를 그만두고 디자이너로 롤다에 합류하면서 기존 멤버들처럼 공부와 일을 병행하게 되었다. 출판에는 별 관심 없었던 나는 한창 '십년후연구소'라는 협동조합을 만들기 위해 선배들과 작당 모의를 하고 있었다. 『에티카』 세미나가 끝난 뒤에도 종종 롤다의 책 읽기 모임 소식을 들었지만 다른 인문학 세미나에 참여하고 있어서 한동안 롤다를 잊고 지냈다.

그로부터 2년 남짓 시간이 흘렀다. 롤다는 그새 훌쩍 자라 이런저런 멋진 일을 해내고 있었다. 매년 '롤링펀나이트'를 열어 '사회적경제와 협동조합', '청년노동과 협동조합', '출판과 협동조합'이라는 주제로 롤다와 비슷한 고민을 하는 이들과 꾸준히 만나고 있었다.

롤다의 대표인 제현주는 그 와중에 『내리막 세상에서 일하는 노마드를 위한 안내서』라는 책도 냈다. 내 관심 분야인 우리 세대의 일하기에 관한 이야기다. 이 책에는 온통 내리막길로 내몰리는 불안한 시대에 자신의 욕구를 이해하고 행복하게 일하려면 어떻게 해야 하는가에 대한 성찰의 목소리가 담겨 있다.

제현주가 롤다의 코디네이터와 번역가, 거기에다 경영 컨설턴트와 저자의 이력까지 지평을 넓혀 오는 동안 롤다는 어떤 변화를 맞고 있을까? 그들이 던진 주사위는 어디로 굴러가고 있을까? 여전히 예측할 수 없는 상황을 즐기며 가슴 뛰는 일을 하고 있을까?

함께 공부하기에서 함께 일하기로

롤다 멤버들은 2009년 한 철학책 읽기 모임에서 만났다. 그 어려운 철학서를 매주 읽는 것도 만만치 않았을 텐데, 어느 날 갑자기 왜 함께 일하기로 마음을 모았을까?

"언제부턴가 책 읽기 모임의 동력이 서서히 빠지는 게 느껴지는 거예요. 그래서 함께 책 읽던 에너지로 일을 한번 해 보자 했죠. 그냥 미친 척한 거죠. 3년 동안 같이 공부해 온 모임이 아까웠거든요. 말은 안 했지만 다들 갈증이 있었나 봐요."

어느 정도 반대를 예상했지만, 제현주의 제안에 당시 멤버 아홉 명 모두 기다렸다는 듯이 찬성했다고 한다. 그렇게 과감히 주사위를 던졌다.

"모두가 즐거운 일을 하자고 했죠. 하나같이 책을 좋아했고, 다수의 멤버가 출판사에서 일하거나 출판 관련 분야에 몸담고 있었어요. 그래서 출판을 하기로 했어요. 일단 100만 원씩 모아서 이 돈 떨어질 때까지 재미있는 걸 해 보자고 했죠."

나로선 뜻밖이었다. 롤다가 그들이 일상으로 하고 있는 일에 맞닿아 있었기 때문이다. 일의 한계치에서 즐거운 일을 하자고 했는데 어째서 다시 익숙한 분야였을까? 새로운 일을 해 보자는 거 아니었나?

"우리끼리 재미있는 방식으로 책을 만들고 싶었어요. 회사에서는 '너 이거 몇 쇄 찍을 수 있어?'라는 말 한마디에 기획안을 접어야 하거든요. 900만 원으로 종이책은 어려울 것 같고, 그럼 판매에 연연하지 말고 일단 전자책을 하자, 그렇게 된 거죠. 출자금을 모을 때 '돈이 떨어질 때까지 죽이 되든 밥이 되든 우리가 하고 싶은 거를 다 해 보자'고 했고, 딱 2년을 시한부로 잡았죠. 어차피 안 돼도 잃는 것은 100만 원과 시간인데, 이런 실험 한번 해 보는 것도 괜찮을 거 같았어요."

3년이 지난 지금 롤다의 상황은 어떨까? 돈이 떨어지기는커녕 도리어 통장 잔액이 쌓이고 있다. 롤다의 경우를 보면 즐거운 도전은 사람을 모으고 또 다른 즐거움을 만들어 내는 힘이 있는 것 같다.

그들의 이야기를 들으며 회사 다닐 때 동료들과 함께했던 협동조합 스터디를 떠올렸다. 롤다는 3년 동안 함께한 공부의 힘으로 새로운 일을 만들었는데, 왜 우리는 세미나가 끝나고 각자의 자리로 흩어졌던 걸까. 인터넷 서비스를 만든다는 공통의 경험이 있었고 비슷한 사회적 가치를 공유하고 있었는데… 무언가를 만들어 내기에는 3개월의 시간이 턱없이 부족했나. 뒤늦게 아쉬운 생각이 들었다.

왜 협동조합일까?

롤다 앞에는 '전자책출판 협동조합'이라는 수식어가 따라붙는다. 그냥 가볍게 시작할 수도 있었을 텐데 설립 과정이 꽤 복잡한 협동조합을 만든 이유를 물었다.

"그 무렵 읽던 책들이 『협동조합으로 기업하라』 『가슴 뛰는 회사』 이런 종류였어요. '아 이렇게도 일할 수 있구나!' 하고 다들 막 흥분하며 공부했죠."

처음엔 협동조합 기본법 시행 전이라 동업 계약서를 쓰고 개인사업자로 신고했다.(하지만 그때도 법적 형태에 상관없이 협동조합 방식으로 운영했다.) 그러고는 2012년 12월에 기본법이 시행된 후 협동조합으로 전환했다고 한다. 그러고 보니 십년후연구소에서 협동조합을 만들 궁리를 할 때, 제현주에게서 롤다의 협동조합 정관을 구해 참고했던 기억이 났다. 재미있는 인연이다.

그들이 함께 읽었다는 책들은 나에게도 익숙했다. 회사에서 스터디 멤버들과 함께 읽으며 열띤 토론을 벌인 책이었다. 미국의 작은 건축회사 사우스 마운틴 이야기를 담은 『가슴 뛰는 회사』는 양적인 성장이 아닌 질적인 성장을 척도로 삼는 이야기라서 그 여운이 아직도 남아 있다.

나도 이 책에 나온 다른 방식의 기업 운영에 대한 가능성을 보며 즐거워했다. 한 사람 한 사람이 같은 책임과 권한을 갖는 협동조합의 원리가 매력적이고, 모두가 주인이라면 모두의 행복을 위해 고민하는 방식으로 일을 만들어갈 수 있을 거라고 생각했다. 그렇다면 롤다 멤버들에게 협동조합이란 어떤 의미일까?

"'사우스 마운틴' 회사의 합의제를 보고 우리도 만장일치 방식으로 의사결정을 하기로 했어요. 소수의 입장에서 다수결은 폭력일 수 있잖아요. 만장일치제 때문에 불편한 적은 없었어요. 자신이 반대하면 정말 하고 싶어 하는 사람들을 막는 거니까 아주 신중해요. 한 사람의 반대가 그만큼 무게감을 가지는 거죠. 신규 조합원을 받아들이는 과정도 기존 조합원이 추천하고 조합원 전원이 동의해야 가능해요."

국제협동조합연맹에서는 협동조합의 7가지 일반 원칙 중 하나로 '교육'을 꼽는다. 협동조합은 구성원들의 합의로 모든 것을 결정하는 조직이다. 더디더라도 조합원 모두 조직의 가치를 공유하고 합의에 이르는 과정에서 교육은 선택이 아니라 필수다. 그러니 오랜 공부 모임에서 시작한 롤다가 협동조합을 만든 건 당연한 순서였을지도 모른다.

그동안 롤다는 만장일치라는 의사 결정 방식을 취하면서도 어렵지 않게 일을 해나갈 수 있었다. 그것은 아마 토론으로 이견을 조율하면서 구축해 온 공통의 가치관 때문일 것이다. 3년이라는 적지 않은 기간 동안 함께 공부해 온 시간은 롤다의 큰 자산이 되었다.

개인과 공동체 그 사이 어딘가

롤다 멤버들은 공부 모임에서 협동조합 설립에 이르기까지 적지 않은 시간을 함께 해왔다. 그 동안 부딪힌 일은 없었을까?

"크게 두드러진 갈등은 없었어요. 우리 멤버들이 대체로 내향적이고 개인주의적이고 실용주의적인 성향이에요. 일반적인 공동체와 분위기부터 다르죠. 나는 개인의 욕구가 중요하다고 생각해요. 개인이 자발적으로 즐거움을 찾아야 일하면서도 재미를 느낄 수 있죠."

롤다 멤버들은 함께하면 좋은 일, 혼자서는 할 수 없는 일을 같이하고 그러면서 각자 자기만의 삶도 잘 꾸려가야 한다고 생각한다.

"각자의 삶을 중요하게 여기는 개인주의적인 성향은 좋고 나쁘고를 떠나서 롤다만의 색깔이에요. 별로 안 친해서 그럴 수도 있죠."

표정과 태도에 배려심이 배어 있는 제현주의 입에서 별로 안 친하다는 말이 툭 튀어나오니, 의외였다. 친하지 않은데 어떻게 재미있게 오랫동안 같이 일을 할 수 있을까.

"제가 원래 잘 안 놀기도 하고 놀 때는 혼자 놀아요. 롤다 멤버인 오랜 친구가 그런 말을 해요. '너를 보려면 같이 일을 해야 한다'고. 또 한 멤버는 '여기 사람들이랑 술 마시고 노는 건 포기했다'고 하더라고요."

같이 일하는 사람들끼리는 술도 자주 마시고 개인적인 고민도 나누고 해야 일도 잘 된다는 아주 한국적인 사고방식을 가진 나로서는 잘 이해되지 않았다. 사적으로 친해져야 같이 일하는 것도 즐겁고 그래야 일도 더 잘 되는 거 아닌가.

"별로 친하지 않다고 생각하는데, 책 읽는 모임을 하는 중에 가끔 인생의 전환이 될 만한 큰 결정이나 고민을 서로 꺼내 놓는 거예요. 그 점이 흥미로웠죠."

사생활은 거의 모른 채 공부만 해왔다니, 그러면서도 삶의 고민을 떡하니 꺼내놓을 수 있었다는 게 신기했다. 제현주는 "사적인 친밀감이 있는 관계는 아니지만, 가치관이 공명한다고 느껴질 때 관계에서 신뢰가 생기는 것 같아요."라는 말을 덧붙였다. 그런데 언제부턴가 그녀도 조금씩 성향이 바뀌기 시작했다고 한다.

"롤다를 하면서 개개인들에게 더 관심을 기울이기 시작했죠. 내가 일이 진행되도록 돕는 코디네이터 역할을 하는데, 각자 어느 정도 시간을 쓸 수 있는지를 알아야 일의 흐름을 예측할 수 있으니까. 그러다 보니 예전보다 좀 더 가까워지긴 했지요. 그래도 단둘이 있으면 어색한 친구도 있어요."

자신의 성격을 솔직하게 말하는 모습이 보기 좋았다. 그녀만의 독특한 스타일인 듯했다. 그것이 롤다의 스타일이기도 하고.

수많은 우연과 즐겁게 만나자

"함께 일한다고 모든 걸 다 알아야 하는 건 아니죠. 가족 안에서도 개인성이 존중되어야 하고. 그런데 우리나라는 공동체 모델이 가족밖에 없어서인지 서로 다 아는 걸 당연하게 여겨요. 마을공동체만 해도 옆집에 수저가 몇 개인지 안다고 하죠. 우리는 개인의 공간이 존중되는 개인들의 공동체를 원해요. 요즘 사회는 우리 같은 사람이 더 많지 않을까요?"

그녀와 달리 나는 숟가락 개수까지는 아니더라도 생활 전반을 공유하고 밀도 있게 관계 맺는 곳을 원했다. 하지만 그녀의 말을 듣다 보니 각자 원하는 관계의 거리와 밀도는 다를 수 있겠다는 생각이 들었다.

'개인들의 공동체'란 말도 신선하게 와 닿았다. 내 친구만 해도 인문학 공동체에서 공부한다는 내 말에, 그냥 혼자 책 읽으면 되는데 공동체라니 피곤하지 않냐는 반응을 보였다. 왜 공동체가 주는 스트레스와 부담을 받으면서 사느냐고. 친구의 말처럼 공동체가 주는 부담도 적지 않지만 나는 공동체가 주는 안정감에 더 큰 의미를 두는 듯하다.

"하나의 공동체에서 모든 문제를 다 해결하려는 건 욕심이죠. 같이 일하는 공동체가 있고, 같이 술 마시는 공동체도 있고. 하나의 관계 안에서 모든 걸 다 해결하려 하면 도리어 어려워지죠. 교차하고 중복되는 여러 관계망에서 유연하고 적절하게 관계 맺는 방식이 건강하다고 봐요."

제현주의 말에 나도 모르게 고개를 끄덕였다. 내 오랜 고민과 맞닿는 지점이기도 하니까. 십년후연구소에서 일을 꾸리고 지금 세미나를 하는 곳에서 공부하며 양쪽을 바쁘게 오가다 보면, 회의가 들 때가 있다. 두 마리 토끼를 다 잡으려고 아등바등하는 건 아닌지 말이다. 공부와 일을 한 곳에서 해 보려고 고민하기도 했지만, 그러기엔 각각의 조건과 원하는 바가 너무도 달랐다. 그렇게 두 곳을 저울질하다 머릿속이 더 복잡해지곤 했다.

나는 왜 하나의 공동체에서 공부와 일을 다 해결하려 했을까. 제현주의 말을 들으며 내가 할 수 있는 만큼 하는 게 지금으로선 제일 나은 선택이라는 걸 깨달았다. 그동안의 생각이 전환되면서 마음이 가벼워졌다. 다양한 관계망에서 교차하는 모델, 그 안에서 능동적으로 횡단하는 힘을 기르면 되지 않을까!

올해 초 민간 싱크탱크인 '희망제작소'는 조직개편을 단행했다. 이원재 소장은 '혁신한다면 파티처럼'이라는 칼럼에서 희망제작소가 지향하는 조직의 모습을 소개했다. 요지는 이렇다.

"우연히 만나 공통점을 발견한 사람들 사이의 모임이 많아지고 있습니다. 이들이 결정적 순간에 취업이든 이직이든 거래든, 과거에는 학교 선배나

고향 친구가 하던 역할을 해주는 일이 늘어나고 있는 것이지요.… 가벼운 만남의 중요성, 즉 '느슨한 연대의 힘'(Strength of Weak Tie)이 종종 목격됩니다."

이원재 소장은 과거의 조직이 사적 친밀감과 의무가 중요한 회식 같은 모습이었다면 이제는 스스로 권한과 책임을 지는 파티와 같은 방식이어야 한다고 말한다. 그런 조직 혁신을 통해 자유롭지만 실력 있는, 묵직하지만 혁신적인, 안정적이고 유연한 싱크탱크 조직을 만들겠다고 한다.

개인적인 친밀감을 중요하게 생각하는 나로서는 느슨한 연대의 힘을 당장은 상상하기 어렵다. 그런데 롤다는 희망제작소가 지향하는 조직의 실험을 이미 3년 전부터 실행해 왔던 게 아닐까 생각했다.

롤다와 혁신, 둘의 조합에 다다르자 이름이 롤다인 것도 의미심장하게 다가왔다. '롤링다이스'(rolling dice)는 단어 그대로 '구르는 주사위'라는 뜻이다. 주사위가 손에서 떠나는 순간 어떤 숫자가 나올지 아무도 예측할 수 없다. 1부터 6까지 운명 같은 숫자를 만나면 그만큼의 길로 나아갈 수 있다. 주사위를 던지고 굴러가는 그 짧은 순간의 긴장감. 원하는 숫자가 나올 수도 있고 그렇지 않을 수도 있다. 계획대로 흘러가지 않는 게 인생과 주사위 놀이의 묘미가 아닐까. 롤다는 그들의 정체성을 이렇게 소개한다.

"세상에 펼쳐진 수많은 우연을 두려워하지 않는다."

"내게 있어 너는 신성한 우연을 위한 무도장이며 신성한 주사위 놀이를 하는 자를 위한 신의 탁자이다."라는 니체의 말을 빌려 온 것도, 그 길에서 만나는 수많은 예측할 수 없는 상황을 즐기며 나아가겠다는 약속처럼 들렸다. 주사위를 던질 뿐 그들에게는 애초부터 도달해야 하는 숫자 같은 건 없었다. 그때그때의 에너지로 굴러갈 뿐.

2년 전 그들과 함께한 스피노자 세미나가 끝나갈 무렵 『불량헬스』가 세상에 나왔다. 같이 공부해 온 우정도 있고 책 내용도 궁금해서 전자책 사이트에서 책을 내려받아 봤다. 강렬한 초콜릿 복근 이미지의 표지를 보고 롤다에서 왜 헬스책을 냈는지 의아했지만, 의문은 금세 풀렸다. 『불량헬스』라는 제목답게 건강과 무관하게 그저 몸짱 만들기에 치중하는 기존의 헬스 산업에 문제를 제기하며, 건강한 방식의 근력운동법을 제공하는 내용이었다. 비판적인 시선이 들어 있되 실용적인 정보를 놓치지 않는 롤다의 색깔이 담긴 책이었다. 『불량헬스』는 전자책 분야에서 베스트셀러 1위에 오를 정도로 큰 반향을 일으켰고 종이책으로도 출간되었다.

이처럼 시선을 끈 책이 나왔지만 롤다의 흐름이 갑자기 빨라지거나 하진 않았다. 본업이 따로 있는 멤버들이 다수다 보니 각자 가능한 만큼 일에 결합하면서 만들고 싶은 책을 만드는 형태는 처음 그대로이다. 그렇게 해서 17권의 책이 나왔다. 3년이라는 시간과 인원에 비하면 그리 많은 수는 아니다. 출판 일로만 따지면 오히려 느린 걸음이다 싶을 정도로 천천히 왔는데, 그 외의 영역에서는 매우 활발하게 지형을 넓히고 있었다.
최근에는 팟캐스트를 통해 콘텐츠를 유통하는 일도 시작했고, 사회적경제와 출판을 연계한 실험을 다각도로 진행하고 있다. 롤다는 지금 어떤 지점에 서 있을까?

새로운 일을 꾸리다 롤다 2.0

최근 롤다에는 큰 변화가 생겼다. 사회적경제 분야 컨설팅 작업이 롤다의 한 분야로 자리 잡게 된 것이다. 이들은 전자출판 외에 연구 및 비즈니스 컨설팅으로도 업무 분야를 확장하고 싶어한다. 돈 되는 일보다 의미 있는 일을 하고 싶기 때문이다.

사업 분야가 확장되면서 최근 한 명이 상근하기 시작했다. 사무실도 없이 각자의 자리가 곧 사무 공간이었는데 '서울혁신파크' 내에 공간도 마련했다. 서울혁신파크는 사회문제 해결을 위해 일하는 혁신가들을 위한 공유 공간으로 일종의 사회혁신 플랫폼이다. 이전에 나도 몇 번 그곳을 방문한 적이 있는 익숙한 곳이다.

오랜만에 찾은 서울혁신파크에는 청년들이 부쩍 눈에 띄게 늘었다. 1층 청년허브(청년 정책연구, 청년 활동을 지원하기 위한 서울시 기관) 한가운데 자리 잡은 '창문카페'에는 회의하는 청년들로 북적였다. 벽을 따라 뱅 둘러 오밀조밀 들어선 사무실. 위즈돔(사람도서관 콘셉트의 강연 플랫폼), 수手산업(손작업하며 느끼는 즐거움을 공유하는 그룹), 민달팽이 유니온(청년주거권 보장, 비영리 주거모델 마련을 위해 활동하는 단체) 등 낯익은 기업의 이름들이 눈에 들어왔다.

덴마크의 코펜하겐에는 '크리스티아니아'(Christiania)라는 자치구가 있다. 1917년에 버려진 군사시설 건물을 주민들이 점거하면서 그곳은 약 12만 평의 면적에 1,000명 넘는 사람들의 공동체가 되었다. 한 친구가 그곳에 다녀오더니 시의 개입 없이 자치적인 방식으로 운영되고 있어서 실로 놀라웠다며 감탄한 적이 있다. 크리스티아니아는 전원 합의제로 의사 결정을 하고, 독립적인 화폐와 깃발을 사용하는 자유도시이다.

청년허브가 마치 크리스티아니아 같은 그들만의 자치구처럼 느껴졌다. 비록 시의 지원으로 운영되고 있지만, 청년들이 경쟁이 아닌 공유와 연대의 방식으로 사회적 가치를 실험하고 있어서일 것이다. 롤다의 활동이 이곳에서 어떠한 상승작용을 일으킬지 무척 기대되었다.

"작년에 '협동조합, 내일의 책을 품다'라는 주제로 롤링펀나이트라는 행사를 개최했어요. 출판계에서는 10년째 불황이라는데, 과거 90년대 성공

모델 방식과 크게 달라진 게 없어요. 다른 방식의 지속 가능한 출판 모델을 고민해 보자며 이야기를 던졌죠. 이런 문제의식을 롤다 바깥에서 사업으로 풀어보려고 해요. 전자책 출판은 다른 멤버들이 중심이 되어 진행하고 있고, 저는 사회적경제 분야의 연구와 컨설팅 사업으로 확장하는 데 힘쓰고 있어요."

그들은 '책의 실험 - 챕터제로'라는 6주짜리 출판 관련 라운드테이블을 준비하고 있었다. 작은 출판사들을 한데 모아 지속 가능한 출판 모델을 고민하는 자리가 될 거라고 한다.

"출판의 다양성을 어떻게 유지하느냐가 곧 작은 출판사들의 지속 가능성과 직결된다고 생각해요. 작은 출판사들의 고민은 대부분 책을 소개할 곳이 없다는 거예요. 이런 출판사를 묶어 네트워크를 공유하고, 독자와 지속해서 만나는 채널을 만들고 싶어요. 이번 '책의 실험 - 챕터 제로'를 기점으로 작은 출판사들의 연합 모델을 실험해 보려고 해요."

그들은 출판사 연합이 구성되면 협동조합 방식으로 운영하고 싶다고 했다. 그렇게 작은 출판사들의 시장성을 만들어가고 싶단다.

제현주가 『내리막 세상에서 일하는 노마드를 위한 안내서』에서 풀어낸 불황기를 맞는 우리 세대의 일하기에 관한 주제와도 통하는 듯했다. 내리막 세상의 징후가 가장 빠르고 뚜렷하게 나타나는 출판업에서 어떻게 나름의 지속 가능성을 만들어 내느냐, 어떻게 즐겁고 행복하게 오래도록 할 수 있겠느냐에 관한 그들의 탐색이 시작된 것이다. 롤다에서 나아가 출판계 전체의 지속 가능 모델로 일을 확장하는 그들의 행보가 대단해 보였다.

잘 팔리는 책을 만들고 싶은 이유

출판계의 지속성을 고민하는 바깥 활동과 맞물려 롤다 내부에도 자연스럽게 전환의 시기가 찾아왔다.

"예전에는 일종의 취미이자 부업공동체로 일했어요. 이제는 본업으로 하는 사람이 생길 만큼 일의 비중이 커졌죠. 그동안 롤다의 성과가 기대한 것보다 좋았거든요. 롤다가 우리의 마지막 직장이 될 수도 있겠다고 생각하는 사람이 생긴 거죠. '그 방향으로 가기를 원하느냐, 그렇다면 얼마만큼 일을 할 수 있느냐?' 이런 얘기를 나누고 있어요. 방향과 여건이 서로 맞아야 하잖아요. 좀 더 본격적인 사업체로서의 고민이 시작된 거예요."

자신들의 실험을 지속하고 싶다는 진지한 바람이 느껴지는 대목이다.

"재미로 시작한 출판 일을 지속하기 위해, 잘 팔리는 책의 시장성을 전보다는 더 많이 고민하게 됐어요. 그렇다고 우리의 가치와 상반된 책을 내지는 않아요. 자연스럽게 우리끼리 통하는 기준이 있어요."

생각지도 않던 길에서 가능성을 발견한 그들. 나뿐만 아니라 롤다의 변화를 긍정적인 시선으로 바라보고 응원하는 이들이 많을 듯했다. 주사위가 예측할 수 없는 곳으로 굴러가는 것처럼 롤다와 개개인의 삶도 어떻게 바뀔지 아무도 모른다. 그래서 더 재미있는 것 아닐까.

"멤버들이 점차 나이 들면서 롤다의 모습도 함께 변화하는 것 같아요. 개인과 조직이 자연스럽게 공명하니까. 그런 흐름 속에서 변화가 찾아왔다는 게 긍정적인 거죠."

제현주의 입에서 두 번째로 '공명'이라는 단어가 흘러나왔다. 이제야 롤다 멤버들의 알 듯 말 듯했던 관계의 비밀이 풀리는 듯했다. 시시콜콜 일상을 나누지는 않아도 중요한 순간에 곁에서 힘이 되어줄 수 있었던 비결도 바로 이 공명이라는 말에 녹아 있었다. 그랬기에 지금껏 흩어지지 않고 함께할 수 있었을 것이다. 변화의 순간마다 같이 가려는 생각에 흔들림이 없었던 것도, 삶의 고민을 공부로 풀어내며 서로 간에 두터운 신뢰를 쌓아온 시간이 있었기에 가능했다.

아, 나도 공명하고 싶다. 함께하는 이들과 함께.

무엇보다 롤다의 일이 멈추지 않고 이렇게 흘러올 수 있었던 동력은 『불량헬스』의 공이 컸다. 『불량헬스』가 첫 번째 변곡점이었다면 출판과 협동조합의 새로운 모델을 구축하는 일이 아마 그들의 두 번째 변곡점일 것이다.

자신들만의 출판을 넘어 출판계의 지속 가능한 모델을 고민하는 롤다. 철학세미나에서 전자책 출판으로 그리고 사회적경제 분야의 컨설팅에 이르기까지, 롤다는 새로운 상황에 맞추어 계속 새로운 모습으로 변신하고 있다.

"멤버들은 왜 롤다를 하고, 나는 왜 하는 걸까? 생각해 보면 나도 잘 모르겠더라고요. 지금은 그걸 알아서 뭘 하겠나 싶기도 해요."

왜 하는지 알아서 뭘 하겠느냐는 그녀의 말은, 이미 손을 떠난 주사위처럼 예측할 수 없지만 앞으로도 매 순간 즐기겠다는 의미로 전해졌다. 새로운 일이든 새로운 관계든 말이다.

"무리하지 않으면서 할 수 있는 만큼만 할 거예요. 경제적인 면이나 사람 사이의 관계, 일이나 투자나 사업도 균형을 유지하는 게 중요하죠. 스스로 물어요. '내가 무리하고 있나, 롤다가 무리하고 있는 건 아닌가?'"

내리막 세상에서 불안을 뛰어넘는 법

롤다의 시작은 가벼웠다. 모은 돈이 떨어질 때까지 해 보자고 했는데 지금은 지속 가능성을 논하고 있다. 이에 대한 롤다의 기준을 물었다.

"현재 상태로 1년 동안 계속할 수 있느냐가 지속 가능성을 판단하는 척도라고 생각해요. 경제적인 면 뿐 아니라 다른 모든 면에서."

그녀는 질문 속에 답을 두었다. 일반적으로 지속 가능성을 이야기할 때는 이런 추세로 성장했을 때 미래에도 지속할 수 있을지, 미래에 방점을 두는 데 반해 롤다의 지속 가능성은 현재에 두는 거라고. 지금 상태로 계속 해나갈 수 있느냐 하는 것이 롤다의 기준이다. 미래가 아니라 바로 현재를 지탱하는 힘이 있는지를 바라보는 것이다.

"미래를 위해 오늘을 유보하고 싶진 않아요. 언제 어떻게 될지도 모르는데요. 사람마다 성격도 다르고 일할 수 있는 분량도 달라요. 많이 하고 싶은 사람은 많이 하면 되고, 가능한 만큼 하면 돼요."

균형 감각을 유지하는 게 말처럼 쉬운 일인가. 그런데 롤다는 그 줄타기를 잘 하는 것처럼 보인다. 새로운 일을 확장하고 잘 해 보고 싶다는 말과 무리하지 않겠다는 말이 서로 상충할 법도 한데, 그들이라면 적당한 속도로 일과 사람 사이를 조화롭게 이루어갈 수 있을 것 같았다.

예전에 협동조합 세미나를 하면서 협동조합의 성공 요인은 '버티기'라는 말을 들었다. 살아남는 유일한 방법이 살아남기라는 역설이다. 그들은 할 수 있는 정도를 명확히 파악하고, 개인의 상황을 조율해가면서 오래도록 함께 가는 것을 살아남는 방편으로 삼았다. 그것이 롤다의 가장 중요한 화두라고 한다.

"돈을 얼마나 벌 수 있나 보다, 어떻게 해야 잘 버틸 수 있을까를 함께 고민하면서 불안을 헤쳐나가는 게 핵심이죠. 내리막 세상이라는 가장 큰 징후는 불안감이에요. 더 많은 돈이 불안을 해결해 줄 거라고 생각하기 쉽지만 쳇바퀴 같은 지루한 일상이 반복될 뿐이죠. 그럴 때 일과 직장이 어떤 의미를 줄 수 있을까요? 불안감을 없애는 방법으로 적게 벌어도 굶지 않고 잘 사는 삶의 다양한 유형들이 나와야 해요. 많은 이들이 그런 삶을 공유해야죠. 그래야 함께 뭐라도 할 수 있어요."

나도 회사를 그만두기 전에 그만두면 어떻게 먹고살지에 대한 막연한 불안이 있었다. 아니, 회사에 다닐 때도 그랬다. 평생 이 일을 못 할 것 같은데 뭐라도 배워야 하는 것 아닌가, 기술을 익혀야 하지 않을까? 이런 불안이 늘 따라다녔다. 회사에 다녀도 다니지 않아도 늘 불안했다.

제현주는 그런 불안을 각자 고민하지 말고 같이 해결해 나가는 출판 모델을 만들고 싶다고 했다. 많은 사람이 비슷한 어려움을 겪고 있다. 혼자 각개격파 각자도생 할 게 아니라 그것을 나누는 것만으로도 심리적인 안정감을 가질 수 있으니 말이다.

공동의 문제의식을 공유한 이들이 함께 문제를 해결하며 각자 만들고 싶은 책과 삶을 만들어 가는 일. 롤다는 보다 큰 그림을 그리고 있었다.

그들의 실험

자유로운 실험을 오래 지속시키는 비결

고정비용 줄이기로 망하지 않는 게 중요해

3년 차가 되어 비로소 사무실을 구했다. 상근직 인건비, 사무실 임대료 등 고정비가 나가는 구조로 바꾸려면 최소한 2년 치 고정비 지출만큼의 자본금이 쌓여야 한다. 이전까지 회의는 카페에서, 컨설팅 프로젝트를 할 때는 세미나 룸을 빌려서 했다. '사무실을 먹여 살린다'는 표현을 쓰곤 하는데 우리는 꼬박꼬박 나가는 임대료 같은 고정비를 최대한 줄여서 비용을 아꼈다. 리스크를 관리할 땐 사업 규모를 키우는 것보다 지출을 줄이는 방향으로 운영해야 한다. 특히 사회적기업이나 협동조합 같은 가치 중심의 일을 할 때는 일의 성격상 수익 창출이 쉽지 않기 때문에 비용을 줄이는게 더 중요하다.

함께 만드는 공통의 부: 미래를 위한 공통의 기반 만들기

롤다는 프로젝트 단위로 돌아가는 일과 상시적으로 진행되는 일로 나뉘어 움직인다. 프로젝트 단위의 일이 진행되면 상근직에 준하는 강도로 일하는 사람이 있다. 그런 경우, 일을 담당한 사람이 일정 비율의 금액을 인건비로 가져가고 조합비로 일정 비율을 적립한다. 적절한 비율은 논의를 통해 언제든지 조정할 수 있다.
수익은 기본적으로 각 조합원 계좌로 나눠서 적립한다. 그동안 적립한 비중이 적지 않은데, 3년 동안 개인 계좌에 쌓인 출자금을 그때그때 배당하지 않았기 때문이다. 배당금을 조금씩 나누면 다 없어질 돈이니까, 얼마가 될 때까지는 계속 쌓자고 결의했다. 그 시점이 된 후에도 지금처럼 계속 적립할지는 다시 논의할 문제다. 적립된 자본금은 멤버 각자의 자산이긴 하지만 크게는 롤다의 공유 자산이다. 금액이 커지면 그 돈으로 새로운 일을 모색할 수도 있다. 롤다에게 미래의 선택지가 더 많아지는 것이다.

직장에서 롤다로 조금씩 무게중심을 옮기기

10명 중 한 명이 상근으로 갈아탔고 일이 많아지면 좀 더 많은 사람이 상근직으로 일할 수도 있다. 그렇게 하고 싶은 사람은 자기가 주도적으로 일을 만들고 열심히 하면 된다. 롤다를 마지막 직장으로 삼고 싶은 사람이 있다면 자신의 욕망과 일을 알아서 일치시키면 된다. 그렇다고 우리 모두가 롤다의 상근직이 되는 모델을 그리는 건 아니다. 각자 원하는 대로 롤다로 갈아타거나 원하는 형태로 일하는 모델을 지금도 찾고 있다.

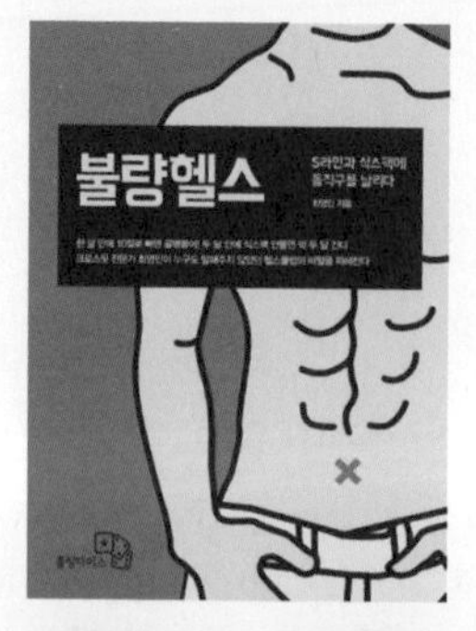

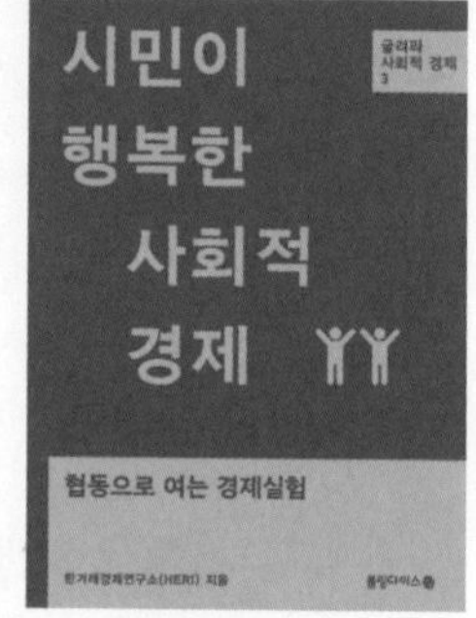

롤다에서 출간한 대표적인 전자책들. 그동안 총 17종을 출간했다.

우리 책이 잘 나왔나? 이번엔 어떤 책을 낼까? 롤다 멤버들에겐 회의도 즐거운 놀이.

일도 놀이 같이, 노는 듯 일하는 롤다 멤버들. 롤다를 결성할 때 그들은 "우리가 선택해서 하는 즐거운 일이어야 한다"는 원칙을 세웠다.

롤다가 자리잡은 '서울혁신파크', 청년들이 바글바글 모여 있다. 그들의 꿈을 풀어 내는 곳.

혁신파크1층 청년허브 게시판에는 청년들을 위한
다양한 소식이 들고 난다.

안팎으로 연대하는 일에도 열심인 롤다. 매년 '롤링펀나이트'를 통해 새로운 일하기 실험을 도모한다. '사회적경제와 협동조합', '청년노동과 협동조합', '출판과 협동조합'이라는 주제로 롤다와 비슷한 고민을 하는 이들과 꾸준히 만나고 있다.

롤다는 '작은 출판사들의 지속 가능한 구조를 만들고 싶다'는 바람으로 '책의 실험-챕터제로'라는 6주짜리 출판 관련 라운드테이블 행사를 열었다. 작은 출판사들의 네트워크를 만들고, 독자와 지속해서 만나는 채널을 만들 계획이다.

이 사람

일, 휴식, 관계에서 적절한 균형을 유지하는 비결

제현주(롤링다이스 대표)

다양한 조건의 멤버에게 일을 배분하는 기준은 무엇인가?

개인적으로는 롤다를 하면서 자신을 많이 돌아보게 되었다. 일하다 보면 내 뜻대로 안 되는 경우가 많으니까. 롤다는 일반 회사처럼 의무적으로 달성해야 할 목표가 없다. 할 일에 대한 기준이 다 다르다. 그런 과정에서 일에 욕심이 있던 나는 마음이 부대꼈다. 그럴 때마다 내가 적절한 기대를 하고 있는가, 내가 바라는 것이 정당한가를 점검했다. 그러고는 깨달았다. 내가 무언가를 하고 싶다면 그건 나의 욕망일 뿐이고, 사람들의 욕망이 다 똑같지 않다는 것을. 그러니 각자 하고 싶은 만큼 하면 된다고. 자기 욕망에 충실하면서 자발성을 갖고 즐겁게 일하는 분위기를 만들려고 한다. 롤다를 꾸려나가는 가장 큰 동력이 바로 자발성이다.

일을 좋아한다고 했는데, 일과 휴식은 어떻게 균형을 이루나?

내가 노는 것처럼 일한다고 하지만, 논다는 의미가 사람마다 다르지 않나. 여유 있게 일한다고 해서 다 노는 것처럼 일하는 건 아니듯이 말이다. 나는 원래 '놀자'하고 맘먹고 놀지 않는 편이다. 예전에는 나는 왜 이렇게 일 생각을 많이 하는지를 고민했는데 그냥 내가 이렇게 생겨 먹어서 그런 거다. 여유 있어야 한다고 주문을 외우는 것도 부질없는 일이지 싶다. 마음을 비워야 한다는 생각으로 꽉 차 있다면 그것도 일종의 강박이라고 생각한다. 나는 일할 때는 한꺼번에 몰아서 하고 한 달이나 두 달을 아예 아무 일도 안 하면서 쉬는 리듬을 좋아한다. 올해 초부터 나는 출판 일에서 발을 좀 빼고, 다른 멤버들이 주축이 되어 출판 사업을 운영하고 있다. 과부하가 걸린 일을 정리하고 출판에서 빠지면서 내가 할 수 있는 새로운 일을 만들고 있다. 일이 좀 더 재미있어졌다.

일이 많아지면 현실적으로 세미나 유지가 쉽지 않을 텐데 공부를 계속할 수 있는 힘은 무엇이라고 생각하나?

2009년부터 함께 공부한 경험이 공통의 감각을 만들어주는 데 큰 역할을 했다. 지금은 잠시 롤다 오픈 세미나를 쉬고 있지만, 곧 다시 열 계획이다. 그래야 할 텐데…. 오픈 세미나에서 새로운 사람들과 나누는 이야기 자체가 텍스트가 된다. 그것이 자극이 되고 현실을 인식하는 데 도움이 된다. 롤다의 출판, 오픈 세미나, 그리고 출판업계의 지속 가능한 모델을 만드는 것, 그리고 내 개인적인 책 쓰기 작업 모두 내리막 세상에서 잘 살아남기 위한 나름의 모색이라는 공통점이 있다.

놀이처럼 시작한 롤다의 활동이 회사 일처럼 되고 있지는 않나? 일이 계속 즐거울 수 있을까?

회사를 그만두고 뉴질랜드로 석 달 정도 여행을 떠났다. 아무것도 하지 않고 실컷 놀고 싶었다. 막상 뉴질랜드에서 놀면서 지내니까 심심하고 무엇보다 외로웠다. 사람들과 함께 일을 하고 결과물을 만드는 게 생각보다 중요하다는 사실을 깨달은 시기였다.

사람들과 같이 자율적이고 민주적으로 일한다는 것은 당연히 어려운 구석이 있다. 하지만 그때마다 뉴질랜드에서의 기억을 떠올리곤 한다. 어떤 면에서는 이런 식으로 일하는 것이 보통 회사에서 일하는 것보다 더 힘들기도 하다. 규율과 강제에는 당연히 달콤한 면이 있기 때문이다.

생각해 보면 놀이 역시 언제나 즐겁고 신나기만 한 것은 아니다. 조기축구회에서 축구를 하는 사람에게 물어도 축구가 언제나 재미있지만은 않을 것이다. 누가 시켜서 하는 일도 아니고, 내가 선택해서 하는 일이다. 스스로 의미 있다고 믿으며, 상황에 따라 시간과 일을 조절할 권리가 나에게 있다. 역설적으로는 내일이라도 언제고 그만둘 수 있다는 점이 이 일을 사랑하는 가장 큰 이유다. 적어도 이 일에서는 누구도 탓할 게 없다. 결국은 내 선택이니까. 그것이 롤다 일을 하면서 누리는 가장 큰 행운이라고 생각한다.

롤링다이스 지식나눔 협동조합

롤링다이스

전자책을 출판하고, 사회적경제 조직 연구 및 컨설팅 사업을 한다. 철학세미나 멤버들이 공부에 머무르지 않고 하고 싶은 일을 즐겁게 하자는 모토로, 2012년 6월에 전자책출판공동체를 만들었다. '구르는 주사위'라는 롤다의 뜻처럼 세상에 펼쳐진 수많은 우연을 두려워하지 않으며 그때그때의 즐거운 에너지로 굴러간다. 현재까지 17권의 전자책을 출간했고 매년 롤링펀나이트를 열어 동시대의 고민을 공유하며 함께 협력할 방향을 모색하고 있다. 얼마 전부터 출판계의 지속 가능한 모델을 탐색하는 '책의 실험–챕터 제로'를 진행 하고 있다. 개인들의 공간이 존중되는 개인들의 공동체를 지향한다.

홈페이지 www.rollingdice.co.kr

친구가 밥 먹여 주나?

Chapter 02

나는 어떤 일을 하고 싶은가

10년 동안의 직장 생활을 정리하면서 나는 '하고 싶다'와 '아무것도 하고 싶지 않다' 사이에서 헷갈리는 경험을 했다. 회사 다니느라 미뤄 두었던 일이 많았지만, 막상 백수 생활을 계획하면서는 한동안 아무것도 하지 않겠다고 마음먹었다. 그때 가장 하고 싶었던 일은 아무것도 하지 않는 것이었으니까.

백수 생활이 4월의 봄과 함께 시작되었기에 나는 한껏 여유를 만끽하며 지냈다. 매일 아침 창을 열면 들어오는 햇살과 바람이며 봄볕에 금세 마르는 빨래, 하루가 다르게 돋아나는 초록 이파리들, 삼삼오오 다니며 꽃을 심는 공공 근로 할아버지 할머니의 주름진 손길에서조차 봄이 느껴졌다.

매일 집에서 뒹굴뒹굴하며 멍 때리기나 시체놀이 하기 혹은 하릴없이 산책하기… 그렇게 세월아 네월아 보낸 시간은 꿈만 같았다. 그러고 보면 10년은 내게 꽤 긴 시간이었나 보다. 여유가 주는 감동은 생각보다 컸다. 내 주변의 모든 것이 아름답게 느껴졌고 하루하루 감사했다. 삶을 대하는 마음이 이렇게 달라질 수 있다니 참으로 신기했다.

두 달 정도 지났던가, 몸이 슬슬 근질근질해졌다. 끊임없이 뭔가를 해오던 습관 때문인지 사람 만나는 걸 좋아하기 때문인지, 뭔가 재밌는 일을 벌이고 싶었다. 그러던 중 마침 친하게 지내던 선배들이 협동조합을 궁리하고 있다는 소식을 들었다.

'십년후연구소'는 홍대 언저리에서 문화기획을 하던 친구 셋이, 앞으로 뭘 하며 먹고살지 논의해 온 모임에서 출발했다. 문화기획자인 조윤석(홍대 희망시장을 만든 이, 전 황신혜밴드 베이시스트)과 송성희(도시형 농부시장 마르쉐@을 만든 이) 그리고 이광준(도시 공공미술 큐레이터). 이들은 평소 생태적인 삶을 고민하면서 그런 삶을 지속할 수 있는 방법을 나누어 온 사이다.

2005년 새해 첫날 머리를 맞댄 자리에서 이들은 늘 하던 대로 돌아가며 신년 계획과 꿈을 말했다. 매년 다르지 않은 그 꿈들을 확인하며, 이대로는 우리 삶이 달라지지 않을 테니 뭐라도 해 보자는 데 뜻을 모았다. 그 자리에서 맨 처음 한 일은 '십년후연구소'라는 이름을 짓고 10년 후의 삶을 같이 준비해 보자고 결의한 것이다.

10년 후 어떻게 행복하게 살 수 있을지를 함께 궁리하는 모임. 딱히 어떤 활동을 하지는 않았지만 "우리는 십년후연구소야."라고 말할 수 있는 소속을 만들고 나니 혼자 일할 때도 매우 든든했단다.

그렇게 한동안 유대 관계에 머물던 십년후연구소 멤버들은 예전처럼 개별적으로 활동해 오다가, '혼자 일하는 것, 더는 힘들어서 못 하겠다'는 절박한 심정으로 함께 일할 방법을 찾기로 했다. 그리고 생각 끝에 협동조합을 결성하기로 했다.

나는 이들의 특별한 계획에 함께하자는 제안을 받았다. 귀가 솔깃했다. 협동조합에 대해 파고들면서, 앞으로 어떤 조직에 들어간다면 그것이 협동조합의 형태라면 좋겠다고 막연히 생각하던 터였다. 선배들과 인연이 맞았던지 나는 함께 일해 보자는 제안을 받아들여 덥석 합류하게 되었다. 직장 생활의 묵은 때를 벗고 뭔가 창의적이고 재미난 일을 하겠다고 마음먹은 그때 나의 전략은, 경험 많은 선배들에게 묻어가기.

2013년 봄, 나의 10년 후 계획이 새롭게 시작되었다.

협동조합을 꿈꾸다 :
십년후연구소

첫 모임 첫 질문 '나는 어떻게 살고 싶은가?'

햇볕이 산뜻하게 내리쬐던 초여름, 우리는 서교동에 있는 한 카페에서 첫 모임을 가졌다. 홍대 터줏대감 혹은 홍대 토박이로 불리는 세 친구와 나, 독일에서 지속가능학을 공부하고 돌아와 일거리를 찾고 있던 이미루가 모였다. 다섯 중 송성희와 조윤석은 전부터 잘 알던 선배였고, 나머지 두 명은 초면이었다.

십년후연구소 협동조합을 준비하는 다섯 명의 멤버, 어색할 법도 한데 몇 년을 알고 지낸 사이처럼 우리는 금세 친해졌다. 어디서든 윤활유 역할을 하는 송성희 덕분이기도 했지만 무엇보다 같이할 생각에 들떠 있었다. 평소 고민하고 꿈꿔 오던 일들이 꿈에 머물지 않고 이루어질 날이 우리를 기다리고 있었다.

우리의 첫 질문은 '나는 앞으로 무엇을 하며 어떻게 살고 싶은가' 였다. 오랫동안 마땅히 해야 하는 일을 하며 살아온 나는, 내가 하고 싶은 일을 꺼내기가 어려웠다.

"하고 싶은 게 뭐야?"

앞다투어 이야기를 쏟아내는 선배들과 달리 나는 마땅히 할 말이 떠오르지 않았다. 막연히 재밌는 일을 해 보겠다는 생각 뿐이었다.

"하고 싶은 게 뭔지 잘 모르겠어요."

그게 내 대답이었다. 그래도 선배들은 채근하지 않았다. 나도 조급하지 않았다. 하루아침에 찾을 수 있는 거라면 고민이라고 할 수도 없겠지. 어떤 삶을 꿈꿀지 먼저 생각하고 그것을 일이나 활동으로 자연스레 연결하고 싶었다. 지금의 과정이 내가 하고 싶은 일을 탐색하는 과정이라고 생각하며, 그 일을 찾을 때까지 선배들의 작업에 어울리고 싶었다.

나는 선배들의 이야기를 잘 들었다. 그들을 믿었기에 무엇이든 같이 시작해 보겠다고 말했다. 선배들 이야기를 듣다 보니 이것도 재미있을 것 같고 저것도 재미있을 것 같았지만, 정작 딱 이거다 싶을 만큼 내 맘을 사로잡는 건 없었다. 재미있는 아이템을 조금씩 구체적인 일로 만들며 직접 해 보는 수밖에 없었다.

함께 무언가 꿈꾸는 일, 즐겁다!

2013년 7월 1일. 제주에서 2박 3일간의 워크숍을 하면서 십년후연구소의 역사적인 공식 일정이 시작되었다. 이광준은 제주에 집을 구해 틈틈이 오갈 정도로 제주를 좋아했는데, 그곳을 베이스캠프로 제공했다. 제주에 베이스캠프라니 시작부터 뭔가 근사했다. 십년후연구소에 대한 기대감이 막 피어올랐다.

낮에는 제주의 골목길을 산책하고 맛집에 다니며 한가로이 보내다 저녁이면 베이스캠프로 돌아와 워크숍을 진행했다. 지난 첫 모임의 논의에 이어 앞으로 하고 싶은 일들을 각자 꺼냈다. 대학원에서 생태미학을 공부한 이광준이 먼저 생태공동체 투어 사업을 제안하며 입을 열었다.

"세계 곳곳 아니 국내에도 생태공동체를 꾸려서 살아가는 사람들이 생각보다 많아. 도시에서 대안적인 삶을 고민하는 사람들과 투어를 해 보는 건 어떨까? 프랑스의 명상공동체인 플럼 빌리지(Plum Village)나 스코틀랜드의 생태마을 핀드혼(Findhorn) 같은 곳으로 여행을 가면 우리도 배울 게 많을 거고, 여행한 사람들과도 새로운 궁리를 할 수 있지 않을까?"

가만히 듣고 있던 송성희가 자분자분 말을 이었다.

"한살림이나 생협에서도 선택받지 못한 못난이 채소나 과일을 유통하면 좋겠어. 땅에서 나는 것들은 물과 땅과 햇빛과 바람의 선물인데, 여기에 농부의 노고도 들어 있고. 못생겼다고 버려지는 아이들을 보면 마음이 짠했어. 그 아이들도 잘 쓰일 수 있도록 살길을 열어주는 일이 자연의 선물과 농부의 노고를 헛되게 하지 않는 일이라고 생각해. 무엇보다 농산물을 값싸게 유통할 수 있어서 좋을 것 같아."

이에 질세라 조윤석이 송성희의 말을 이어받아 좀 더 굵직한 아이템을 제안했다.

"생태건축학교를 만들어 함께 집을 짓고, 또 집 짓는 과정을 교육 프로그램으로 운영하면 어떨까?"

자신이 진행하는 영광 생명평화마을 건축 프로젝트를 십년후연구소에서 함께 해 보자는 얘기였다. 그는 아이디어가 넘쳤다.

"수명이 다한 자동차 배터리를 모아 재충전해서 되파는 사업도 재밌지 않을까?"

밤부터 시작된 워크숍을 꼬박 아침까지 이어가며 우리는 수많은 아이템을 쏟아냈다. 이야기는 꼬리에 꼬리를 물고 이어져 끝날 줄을 몰랐다. 평소 '이런 건 어떨까' 했지만 생각에 그쳤던 것을 함께 나누다 보니 다른 아이디어가 덧붙여졌다. 사업으로 가능하겠다는 생각이 들었다. 사업이 되지 않더라도 같이 해 보고 싶다는 마음이 모이기도 했다.

나는 이광준이 제안한 생태공동체 투어에 마음이 끌렸다. 나처럼 직장을 그만두고 새로운 삶을 준비하는 사람들을 위한 전환학교 개념의 공동체 투어. 계획에서 실행까지 함께한다면 실제 삶의 변화로 이어질 수 있지 않을까 생각하자 가슴이 뛰었다.

그때 우리는 모든 것이 가능하다고 생각했다.

먹고 입고 사랑하며 함께 살기! 어떻게?

우리는 하고 싶은 일뿐만 아니라 앞으로 십년후연구소의 일은 어땠으면 좋겠는지에 대한 이야기도 나누었다. 우리는 '관계'와 '공동체'라는 단어에 공감했다. 외롭고 불안한 수많은 개인이 서로 손잡을 수 있으면 좋겠다고 생각했다. 이광준은 이것을 '관계적 개인의 복원과 공동체적 자아의 회복'이란 말로 표현했다.('관계적 개인'이란, 사람들은 누구나 관계를 맺고 싶어 한다는 우리의 생각이 담긴 말이다.) 우린 그런 일을 만들고 싶었다. 다섯 명 모두 일을 정할 때의 방향과 원칙에 대한 생각이 비슷했다.

첫째, 우리 스스로 재미있고 사회적으로도 의미 있는 일이어야 한다는 것. 둘째, 가급적 많은 친구와 같이할 수 있는 일을 만들자는 것. 셋째, 그것이 우리의 지속 가능한 삶의 조건이 되어야 한다는 것. 마땅히 생계를 유지할 수단이 되어야 한다.

그런 원칙 아래 사업 아이템은 우리가 매일 먹고 입고 사는 곳에서부터 시작하기로 했다. 지속할 수 있는 의식주에 대해 고민하고 그 이야기를 만들어 제품이나 프로젝트를 기획하기. 더불어 우리 조직이 돈을 얼마나 벌면 좋겠는지(연간 10억 매출이 당시의 허황된 목표였다)에 대한 생각을 나누고 나서, 각자 한 달에 필요한 돈은 얼마인지도 물었다. "100만 원". 나는 별 고민 없이 대답했다. 자신의 차를 소유한 조윤석은 200만 원은 있어야 한다고 했다. 그는 나보다 더 많은 돈이 필요했다.

'규칙과 문화는 어떻게 만들어 갈까'라는 논의에도 크게 이견이 없었다. 그렇게 우리가 만들고 싶은 미래에 대한 이야기는 고구마 넝쿨처럼 술술 이어졌다. 지금 생각해 보면 참 추상적인 사업 계획 회의였다. 결국 딱 이거다 하는 사업 아이템은 정하지 못했다. 어쩌면 우리는 어떻게 일을 하고 돈을 벌지 보다는 함께 할 친구를 만들고 싶었던 건지 모르겠다.

마음 맞는 이들이 만나서인지 모임은 생기가 넘쳤다. 서로 할 말도 많고 같이해 보고 싶은 일도 많았다. 제주에서의 밤샘 워크숍과 몇 번의 회의 끝에 2013년 7월 28일, 첫 모임 이후 한 달여 만에 드디어 창립총회를 열게 되었다. 본격적으로 즐거운 작당이 시작된 것이다. 짧은 기간에 다섯 명이 모여 서로의 마음을 확인하는 일은 매우 즐거웠다. 서로 닮은꼴들이 모여 일과 삶의 가치를 공유하는 우정의 장을 만들 수 있었던 건 분명 행운이었다. 그동안 수동적인 삶을 살다가 이들과 함께 비소로 능동적인 삶이 시작되었다는 기쁨에 나의 에너지도 한층 고양되었다.

함께 무언가를 만들어 내는 일, 만만치 않더라

본격적인 사업 논의의 출발점은 하고 싶은 일을 하면서도 적당한 수입을 만들어 내는 일이었다. 그건 누구나 꿈꾸는 일일 것이다.

앞서 정한 방향성 아래 실제로 어떤 일을 먼저 진행할지, 본격적인 실무 논의가 이어졌다. 아이디어를 꺼내놓으며 여러 사업을 검토했다가 폐기하는 등 우여곡절을 겪었다. 각자 하고 싶은 일이 조금씩 달랐다. 무엇을 우선순위로 할 것인가가 첫 번째 합의해야 할 사항이었다.

그런 논의 중에 조윤석이 서울디자인재단에서 주관하는 '디디피 시민소통 프로그램' 공모 사업을 들고 왔다. 과거 동대문운동장이 있던 자리에 새로 들어설 동대문디자인플라자(이하 '디디피')의 개관을 앞두고 공모하는 사업이었다. 내용은 시민들이 디디피라는 공간에 적극적으로 참여할 만한 콘텐츠를 개발하는 일이었다.

2012년에도 송성희와 조윤석은 비슷한 사업을 기획하고 시범 운영한 적이 있었다. 그때 디디피 앞 공터에서 시민참여형 장터라는 콘셉트로 실험적인 장터를 열었다. 그 장터 이름이 '동대문봄장'이다. 동대문봄장에는 여행자들의 물건이나 여행 정보를 나누는 '여행장', 돈 말고 다른 것(현물이나 재능)으로 거래하는 '노머니장', 마르쉐@의 전신이 된 먹거리 장터 '맛장' 등 엉뚱하고도 재미난 장이 열렸다.

"디디피는 디자인 서울을 부르짖던 오세훈 전 시장의 대표적인 전시 행정이잖아. 시민사회의 비판도 끊임없이 제기되고 있고. 시민과의 연결고리를 만들고 시민의 공간을 구성하는 게 사업의 목적인 만큼 우리가 하면 좋지 않을까? 이건 동대문의 평화를 위해서도 필요한 일이야."

조윤석은 이 일을 제안하며 함께하면 좋겠다고 했다. 공모 사업을 통한 수익은 이후 다른 사업의 발판이 될 수 있을 거라는 말도 덧붙였다. 반면에 이광준의 생각은 달랐다. 그는 동대문봄장이 시민들의 공간을 만드는 새로운 장터라는 데는 동의했다. 그렇지만 용역 사업은 사업을 발주한 곳의 요구에 맞춰야 하는 일이라서 우리만의 방식이나 내용을 만드는 데 한계가 있다고 했다.

사회적으로 가치 있는 일이고 지금 당장 돈을 벌면서 사업으로 이어질 확률이 높다는 의견과, 우리의 첫 프로젝트는 비록 돈이 안 되더라도 모두가 하고 싶어 하는 재미있는 일을 하자는 의견이 팽팽하게 맞섰다. 이광준의 말대로 용역 사업은 우리가 원하는 바를 원하는 방식대로 진행하기 어려울지도 몰랐다. 그의 반론도 타당했다. 십년후연구소의 앞날이 걸린 문제라 둘 다 쉽게 양보하지 못했다.

우리는 협동조합 설립을 논의하며 의사 결정 방식은 당연히 만장일치로 하자는 데 합의했다. 다섯 명밖에 안 되는데 최대한 의견을 맞추겠다는 우리의 의지와 그만큼 마음이 잘 맞을 거라는 믿음에서였다. 하지만 첫 사업부터 삐걱거렸다. 모두 좋다고 생각하는 일을 해야 하고 그것으로 수익이 보장되어야 한다는 원칙은 그대로였지만, 서로 다른 생각을 맞추기란 쉽지 않았다.

공모 사업 제안서를 넣어야 할 시간은 다가오고 이견은 좁혀지지 않았다. 결국 조윤석이 제안한 공모 사업에 신청하기로 했다. 다만 사업은 진행하되 용역 사업에 반대하던 이광준은 이 프로젝트에서 빠지기로 했다. 또 이 일은 협동조합의 공식 사업이 아닌 것으로 했다. 협동조합을 하자고 모였던 우리의 첫 사업이 협동조합 사업이 아니라니, 참으로 이상한 모양새였다. 제주까지 날아가 열띤 토론을 벌였고, 창립총회까지 진행하는 등 모든 준비를 마친 협동조합 설립도 잠시 미루게 되었다.

첫 프로젝트 : 동대문봄장

우여곡절 끝에 십년후연구소의 첫 번째 프로젝트로 디디피 시민소통 프로그램 '동대문봄장'이 정해졌다.

2008년 서울시는 한국 야구 역사의 성지라 불리는 동대문야구장을 허물고, 디자인의 메카로 키우겠다며 그 자리에 디디피를 새로 지었다. 동대문야구장은 야구를 즐기는 시민들의 향수가 깃든 장소다. 더 이상 그곳이 야구장으로 쓰이지 않게 되면서 안에는 옛 물건을 파는 풍물시장이 열렸고, 주변으로는 야시장이 불을 밝히며 그곳만의 독특한 분위기를 형성했다. 그래서인지 많은 이들이 동대문운동장의 철거를 안타까워했다.

당시 디디피는 시민들의 반대와 우려에도 불구하고 전 서울시장이 많은 예산을 들여 추진한 사업이어서 시민들의 외면을 받고 있었다. 그곳을 다시 시민의 공간으로 만들기 위한 시도가 필요했다. 동대문봄장은 디디피 개관을 앞두고 전문가와 시민이 함께 참여하여 주변 노점상들을 위한 새로운 문화상품 콘텐츠를 개발하는 프로그램이었다. 2012년 동대문봄장이 실제 시민참여형 장터를 열었던 것과는 달리, 2013년 동대문봄장은 동대문에서 판매하면 좋을 만한 문화상품 콘텐츠를 개발하고 그 결과를 전시하는 형태였다.

우리는 수많은 관광객이 드나드는 동대문의 공간을 생각하며 그곳에 어울리는 시장 콘텐츠를 개발하기 위해 다양한 아이디어를 냈다. 금강산도 식후경이라고 장터에서 먹거리가 빠질 수 없는 법. 우리는 요리를 좋아하는 청년들의 요리 대회 '청년푸드디자이너 음식열전'을 기획했다. 또 디디피와 한데 어우러지는 이색 노점 거리를 상상하며, 건축가들과 '동대문 가가街家'라는 길거리 가게를 실제에 가까운 형태로 제작하여 전시했다. 그리고 가장 중요한 과제, '동대문 혹은 서울에서 어떤 것들을 판매하면 좋을까'를 고민하다가 '한글'과 '옷'을 결합하기로 했다. 동대문에는 중국인과 일본인 등 외국인 관광객이 많다는 점, 동대문이 패션·의류의 메카라는 점, 또 한국의 가장 우수한 문화 콘텐츠는 한글이라는 점에 착안하여 작가 100명과 함께 한글그래픽으로 티셔츠를 만드는 '입는한글 프로젝트'를 진행했다.

한글은 세끼 밥처럼 우리에게 익숙한데도 우리는 한글이 박힌 옷은 즐겨 입지 않는다. 그에 반해 영문 알파벳 옷을 입고 다니는 모습은 어디서나 흔하게 본다. 그런데 외국인 중에는 의외로 한글이 멋지다고 생각하는 이들이 많았다. 한글은 낱글자로 이루어진 영어와 달리 자음과 모음을 다양하게 조합한 글자이다. 우리는 한글의 조형적인 아름다움에 주목하여 '한글은 안 예쁘다'라는 생각을 뒤집을 만한 한글그래픽 티셔츠를 만들기로 했다. 매일 쓰지만 그 의미와 아름다움을 잘 알지 못하는 문화 콘텐츠, 한글을 누구나 입고 싶게끔 멋지게 디자인해서 동대문봄장에 불러들이기로 한 것이다. 티셔츠에 한글을 입히기로 한 건 일단 티셔츠 가격이 저렴하고 남녀노소 누구나 즐겨 입는 기본적인 패션 아이템이기 때문이었다. 한때 이태원에서 '외국인' '관광객' 등 큼직한 한글 글자 자수가 들어간 챙 모자가 잘 팔렸던 것처럼, 기발한 메시지를 담아 멋진 디자인으로 만들면 분명히 먹힐 거라는 확신이 있었다.

며칠 동안 인맥을 총동원하여 작업에 참여할 작가들을 소개받았다. 급히 작가를 섭외하고 구구절절 프로젝트의 취지를 소개하는 등 우여곡절 끝에 작가 100명이 모이는 놀라운 일이 벌어졌다. 일주일 만에 작가 네트워크가 만들어진 것이다. 그래픽, 순수 회화, 만화, 그라피티, 캘리그래피 등 다양한 작업을 하는 작가들이 모였다. 그 과정에서 여러 힘든 일도 있었지만 작가들이 거대한 톱니바퀴처럼 하나로 움직이며 작업에 손발을 맞추었다는 사실은 무척 감동적이었다. 작품을 모집하여 수정하고 제작하는 과정을 거쳐 100종의 한글그래픽 티셔츠 3,000장을 무사히 찍었다.

그렇게 새로 탄생한 작품으로 2014년 2월 7일과 8일 이틀 동안 디디피에서 '입는한글' 전시회를 열었다. 나는 평소 자기만의 작업을 하는 예술가들을 막연히 동경했다. 그래서인지 작가들과의 작업이 기대되면서 한편 두렵기도 했다. 큰돈도 안 되는데 하려고 할지 걱정했다. 그런데 뜻밖에도 대부분 작가들이 선뜻 참여 의사를 밝혔다. 흔치 않은 기획이라며 반색하거나 의미 있는 그룹전에 참여하게 해 줘서 고맙다는 인사와 함께. 그런 반응을 보며 비록 내가 직접 창작 활동을 한 건 아니었지만, 작가들이 새로운 작업을 할 수 있게 플랫폼 역할을 했다는 생각에 이 일이 매우 의미 있게 느껴졌다.

잠시 멈춤…
더욱 단단해지기 위해
공부를 택하다

첫 번째 사업은 성공적으로 마무리되었다. 멋진 작가들과의 작업도, 십년후연구소 멤버들 간의 협업도 즐거웠다. 그런데 나는 프로젝트를 마치고 휴직을 선언했다. 그렇게 결정한 몇 가지 이유가 있었는데, 무엇보다 너무 열심히 일하는 것에 대한 회의가 들었기 때문이다. 프로젝트를 하면서 지나치게 열심히 일하는 나를 발견했다. 막상 일을 시작하면 그럴 수밖에 없겠다는 사실도 깨달았다. 나에겐 좀 더 쉼이 필요했다.

일 때문에 미뤄둔 공부를 더 하고 싶었다. 일이라면 또 언제든 할 수 있지만 공부는 지금 때를 놓치면 안될 것 같았다. 지금까지의 내 삶을 정리하면서 앞으로 어떻게 살아갈 것인가를 묻고 답을 찾아가는 근본적인 공부를 하고 싶었다. 한편으론 첫 사업을 정할 때 좀처럼 좁힐 수 없었던 갈등과 그로 인한 실망감도 어느 정도 작용했다. 함께 기쁨을 만드는 공동체를 이루고 싶었지만 시작하기도 전에 갈등을 겪으며 심리적인 좌절감에 부딪혔다. 그런 상황을 지혜롭게 해결하지 못하고 어쩔 줄 몰라 하던 내 모습을 보며 공부가 부족하다고 생각했다. 어쩌면 공부를 이유로 도피하고 싶었는지도 모르겠다. 미안함을 무릅쓰고 휴직 얘기를 꺼냈다. 속내를 털어놓으니 멤버들은 아쉬워하면서도 나의 선택을 존중해 주었다. 그 와중에도 송성희는 재치있는 말로 겸연쩍어하는 나를 보듬었다.

"현재 프로젝트에 합류해서 실무를 함께하는 사람을 '노른자위 그룹'으로 하고, 잠시 활동을 쉬지만 멤버십을 유지하는 사람을 '흰자위 그룹'이라 하는 거 어때?"

"좋아요. 그럼 난 당분간 흰자위네요?"

"공부하다가 심심하면 언제든 노른자위 그룹으로 들어와."

"고마워요!"

노른자와 흰자라니, 참 그녀다운 발상이다. 한 번 잡은 손은 좀체 놓지 않는 송성희의 진심 어린 배려가 느껴졌다. 함께 나아가기를 원했을 텐데 한 프로젝트를 마치자마자 덜렁 빠지겠다고 했으니 무척 서운했을 것이다. 그런데도 공부 열심히 하고 빨리 돌아오라며 등을 두드려 주었다. 이후에도 좋은 공연이나 행사가 있을 때마다 불러주고 좋은 사람들과 만날 수 있게 해 주었다. 그녀는 그런 사람이다.

우리는 호기롭게 시작했지만 첫 프로젝트를 정하면서 큰 의견 차이를 보였다. 거의 모든 일이 그렇듯 우리도 갈등을 피할 수는 없었다. 문제는 생각보다 일찍 위기가 찾아왔다는 데 있었다. 당시 우리에게는 두 가지 숙제가 주어졌다. 첫째, 먹고사는 것과 하고 싶은 일을 병행하는 문제. 하고 싶은 일만 하려면 사업이 자리 잡을 때까지 각자 아르바이트를 해야 한다. 그렇지 않으면 '하고 싶은 일+용역 사업'이라는 형태를 반복하여 수익을 유지해야 한다. 먹고살기에 일하기도 버거운 세상에, 하고 싶은 일을 하면서 먹고살자는 야무진 꿈을 실현해야 하는 과제가 우리 앞에 놓여 있었다. 둘째, 서로 의견이 다를 때 의사 결정을 어떻게 할지의 문제. 한쪽은 적극적으로 사업을 만들어 나가며 십년후연구소가 얼른 자리 잡기를 원했고, 다른 한쪽은 천천히 한 발짝씩 맞춰 나가고 싶어 했다. 함께 일한다는 건 어찌되었든 하나의 결론을 내야 하는 것. 창립총회 때 우리는 무조건 만장일치로 의사 결정을 한다며 의기양양하게 합의했는데, 그 원칙은 첫 사업을 정할 때부터 벽에 부딪혔다. 이런 갈등 상황에서 서로의 감정을 다치지않게 하며 문제를 풀어야 했다.

출발선에서 우리는 공통점이 많다고 생각했지만, 막상 달리기를 시작해 보니 서로 너무나 다른 것을 알게 되었다. 일에 대한 서로의 기대치나 그동안의 업무 경험, 시간 관념과 개인의 경제적 사정 등 모든 상황이 다른 다섯 명이 만난 것이다. 단지 가치를 공유한다고 해서 비슷할 거라는 기대나 착각이 나를 더 당황스럽게 했는지도 모르겠다. 차이를 보이는 게 당연한 일인데 그때는 왜 그것을 문제라고 여겼는지 모르겠다. 같아서 함께하는 게 아니라, 서로 다른 생각을 나누고 맞추는 과정이 즐거운 것 아닐까. 서로의 차이를 좁혀가며 조금씩 '함께'를 경험하는 것이 바로 협동조합의 일하기 방식일 테니 말이다.

내가 휴직한 이후 십년후연구소는 조금 유연한 구조로 바뀌었다. 노른자위와 흰자위가 프로젝트별로 결합하는 형태다. 입는한글 프로젝트는 첫 전시에 참여한 작가들과 약속한 대로 일회성 행사로 그치지 않고 계속 작업을 이어가고 있다.

그래서 만났다

03

십년후연구소

십년후연구소가 세상과 소통하는 여러 갈래 길

2015년 아직 겨울 추위가 가시지 않았던 3월의 어느 봄날, 오랜만에 송성희와 조윤석을 만났다. 그때만 해도 십년후연구소에서 나와 휜자위로 잠시 휴식기를 갖던 때라, 드문드문 들려오는 프로젝트 소식이 내심 궁금했다. 그동안 송성희의 초대로 두 번째 입는한글 전시회도 다녀왔고, 개인적으로 안부를 주고받기는 했지만 일은 접고 있었다. 한창 공부의 맛에 빠져 있던 나는 새로 인연이 닿은 한 인문학공동체에서 하는 일로 꽤 분주했다.

"진선, 공부는 잘돼 가? 일만 하면 소처럼 사는 거지만 공부만 하면 귀신이 되는데…."

오랜만에 만난 조윤석은 장난스레 나의 안부를 물었다. 공부한다며 십년후연구소 활동을 쉬는 내 선택에 약간의 서운함이 묻어난 말이라는 걸 나도 모르지 않았다. 사실 내가 하는 공부가 '어떻게 살아야 잘 사는 것일까'에 대한 탐색인 것처럼, 십년후연구소의 활동도 함께 잘 살기 위한 일하기 모색이다. 둘은 공부와 일이라는 다른 모양새지만 결국 같은 곳을 보고 있다. 그런데 나는 왜 다르다고 생각하고 떠났던 걸까.

회사를 나와 무위도식하고 있을 때 십년후연구소와 인연이 닿았다. 그때 그들을 만나지 않았다면 나의 백수 생활은 어땠을까? 나는 왜 십년후연구소와 함께 하고 싶었을까? 이곳에서 재미있는 일을 만들며 정말 밥벌이도 할 수 있을까? 문득 이런저런 질문이 생겼다. 그에게 새삼스레 다시 묻고 싶었다. 십년후연구소가 어떻게 시작되었는지를.

"2005년 당시 나도 친구들도 대부분 홍대 근처에 살았는데, 오래된 친구들이랑 같이 놀면서도 일은 각자의 영역이었어. 누구랄 것 없이 현실은 불안정했고 미래도 장담할 수 없는 상황이었지. 이대로는 나도 내 친구들의 삶도 건강하게 나아갈 수 없겠다고 생각했어. 그래서 친구들이랑 같이 일을 도모하고 실험하고 대안을 만들고 싶었던 거야."

예전에 조윤석에게서 자주 듣던 '친구, 미래, 지속, 실험, 대안…' 이런 단어 들이 새삼 무게감을 안고 다가왔다. 나 또한 공부를 하면서도 밥벌이로서의 일과 잘 사는 삶에 대한 고민을 늘 하고 있었기 때문인지도 모른다. 홍대 토박이인 조윤석은 예술가의 자급자족하는 삶을 고민하다 홍대 앞에 '희망시장'을 만들었다. 예술가 친구들을 불러 모아 홍대 앞 놀이터에서 핸드메이드 수공예 시장을 연 것이다. 2002년의 일이다. 이후 희망시장은 대안장터 문화의 효시가 되었다.

몇 해 전 송성희와 함께 귀농했던 일도 자연이야말로 지속 가능한 자원이라 생각했기 때문이다.(두 사람은 부부다.) 특히 생태건축에 대한 생각은 영광 생명평화마을 건축으로 이어졌다.

인디밴드에서 베이시스트로 활동했고 마포구 구의원에 출마했던 경험까지 퍽 다채로운 이력의 소유자가 된 것도 혼자 즐겁자고 벌인 일이 아니었다. 어쩌면 그로서는 모양새만 바뀌었을 뿐, 함께 지속 가능한 경제를 만들겠다는 뜻을 실행하는 자연스러운 흐름이었을 것이다. 십년후연구소라는 존재가 다시금 소중하게 느껴졌다. 그런 삶을 추구하는 선배들이 참 고마웠다.

그동안 십년후연구소는 동대문봄장, 입는한글, 서울그라픽스 공간 운영, 화이트루프 쿨시티 캠페인, 영광 생명평화마을 건축 등 여러 갈래 일로 세상과 소통해 왔다. 꽤 다양한 범주의 일을 넘나들며 지금에 이른 것이다. 사업들은 하나같이 우리가 초창기에 이야기한 대로, 각자가 재미를 느끼고 사회적으로 의미 있는 일이었다.

이야기를 듣다 보니 화이트루프 쿨시티(White Roof Cool City, 이하 '화이트루프') 캠페인이 상당히 흥미롭게 다가왔다. 관심을 보이는 나에게 송성희가 선뜻 손을 내밀어 주었다.

"돌아와서 할 수 있는 만큼 조금씩 일해 봐."

그 말이 참 반가웠다. 2015년 5월, 나는 흰자위에서 노른자위로 돌아와 멤버들(조윤석, 송성희, 김규완, 하연선, 정동훈, 서예슬, 김효석)과 함께 십년후 연구소의 2막을 여는 데 동참하게 되었다.

도시를 시원하게 하는 방법, 화이트루프 쿨시티

"생태적인 삶을 지속하기 위해선 에너지 문제를 지나칠 수 없어. 그래서 화이트루프를 시작하게 됐어. 에너지 문제를 우리의 방식으로 즐겁게 해결하는 일이 될 거야."

언제나 그랬듯이 조윤석은 가치를 우선순위에 두었다. '왜 이 일을 하는가'라는.

화이트루프 캠페인은 여름철 전기 사용을 줄이는 데 도움을 주는 홍보 활동이다. 흰색이 태양광선을 최대 85%나 반사한다는 점에 착안하여 옥상이나 지붕에 흰색 페인트를 칠하는 것이다. 흰색 칠만으로 여름철 열반사율을 높여 전기 에너지를 절감할 수 있다. 작은 행동 하나로 에너지를 절약한다니 얼마나 매력적인가.

나도 예전부터 에너지 문제에 관심이 많았다. 2011년 도쿄대지진과 후쿠시마 방사능 유출 사고가 났을 때 일본 도쿄에 있었는데 그때의 공포는 잊을 수 없다. 이후 핵발전이나 전기 등 에너지 문제에 더 민감해졌다. 우리 나라는 전 세계를 통틀어 핵발전소 밀집도가 가장 높다. 조윤석과 송성희에게서 화이트루프 캠페인에 관한 이야기를 듣자니, 이 캠페인이 핵발전소를 줄이는 실천이 되겠다는 생각이 들었다.

"화이트루프 캠페인은 뉴욕에서 처음 시작했어. 몇 해 전 미국에서 폭염 때문에 많은 저소득층 노인이 사망한 적이 있는데, 그 문제를 해결하려고 자원봉사자들이 노인들이 사는 집 옥상을 흰색 페인트로 칠해 주었대. 이를 계기로 캠페인이 시작되었지. 미국이나 유럽 대도시에서는 이미 활발하게 진행하고 있어. 특히 미국에서는 오바마 정부 차원에서 적극 지원하고 있고. 우리나라는 이제 걸음마 수준인 거지."

조윤석이 사뭇 진지한 어조로 말했다. 이 캠페인은 여름이면 폭염에 숨이 턱턱 막혀도 딱히 피할 방법이 없는 에너지 빈곤층을 돕는다는 의미가 있다. 또 도심의 건물 온도를 낮춤으로써 에어컨 같은 냉방기기 사용을 줄여 도시열섬(urban heat island)을 완화시키는 역할을 기대할 수 있다. 이런 의미 있는 캠페인을 십년후연구소가 처음 시작한 것이다.

"지난해 서울그라픽스 전시공간(가로수길 베이직하우스 플래그십 스토어 3층) 공사를 하면서 건물 옥상 방수를 해야 했는데, 그때 윤석 씨가 화이트루프 실험을 해 보자고 했어. 뉴욕의 화이트루프 캠페인을 보고 우리도 해보면 좋겠다고 생각하고 있었거든. 캠페인을 준비하던 중에 다른 일로 서울시 에너지시민협력과 담당자를 만난 적이 있어. 그때 화이트루프 캠페인 얘기를 하니까 관심을 보이더라고. 서울시에서 원전하나줄이기 캠페인을 하고 있잖아. 그때 얘기가 잘 돼서 서울시와 '옥상흰빛 캠페인'이라는 이름으로 함께하게 된 거야."

십년후연구소는 2014년 8월에 첫 화이트루프 캠페인을 진행했다. 서울시는 옥상흰빛이라는 이름에 걸맞게 홍보대사로 인디밴드 '옥상달빛'을 섭외했다. 참석한 사람들이 직접 페인트 칠을 하고, 옥상달빛은 공연도 하고, 태양광 조리기로 구워낸 즉석 피자로 새참 파티도 열었다. 그때 페인트를 지원한 노루페인트와 행사를 후원한 베이직하우스는 지금도 옥상을 하얗게 바꾸는 일에 함께하고 있다.

"옥상달빛 멤버들도 페인트 칠하는 데 동참했거든. 얼마나 즐거워했는지 몰라. 크게 힘들이지 않고, 즐겁게 놀다 보면 에너지 절약에 동참하게 되잖아. 에너지 절약이라고 하면 거창하게 생각하는데 그렇지도 않아."

송성희의 말을 들으며 내 마음도 따듯해졌다. 참 좋다 이런 일, 이런 사람들! 화이트루프의 장점은 옥상 녹화보다 비용이 적게 들고 무엇보다 하기 쉽다는 점이다. 옥상 녹화에 관심이 많은 나는 그 얘기를 좀 더 듣고 싶었다.

"옥상 녹화니 태양광 발전기 설치니 다 좋은 활동이야. 문제는 시공하고 유지하는 데 품이 많이 들고 비싸다는 거야. 화이트루프는 한 번 칠하면 몇 년 동안 큰 효과를 볼 수 있어. 돈 없는 사람들도 손쉽게 할 수 있지. 시공하고 나서 온도가 떨어지는 효과를 측정했는데 흰색 페인트를 칠한 곳과 녹색 페인트를 칠한 곳의 표면 온도가 20도 정도 차이가 났어. 실내 온도는 5도 정도 차이였고."

건축을 전공한 조윤석은 예전부터 손쉬운 생활건축과 자연친화적인 생태건축에 관심을 갖고 실천해 왔다. 송성희와 함께 귀농했을 때도 손수 집을 짓고 톳밥 변기로 인분 퇴비를 만들어 농사에 사용했고, 길어온 물을 생활용수로 사용하며 생태적인 삶을 살았다. 그런 그에게 화이트루프 캠페인은 생태적인 삶의 도시 버전인 셈이다.

품앗이 옥상연대
함께해서 좋은 일

십년후연구소가 화이트루프 캠페인을 '굿바이, 나의 더위'라는 슬로건으로 본격 가동하면서 나도 프로젝트에 결합했다. '굿바이, 나의 더위'는 옥탑방에 사는 청년에게 무료로 화이트루프 시공을 해 주는 캠페인이다. 오랫동안 옥탑에서 살았던 조윤석은 자신의 경험을 캠페인에 담았다.

"여름엔 완전 찜통이야 찜통. 그래서 가난한 옥탑 청년들의 옥상부터 칠해 주고 싶어. 옥탑에 사는 청년들이 자기 친구들을 모아 품앗이로 서로의 옥탑 지붕을 칠해 주는 거야. 공사하면서 어울려 새참도 먹고 막걸리도 마시고 친구도 만나고 그렇게 연애도 하고, 엄청 재밌겠지? 옥상 문화 운동으로 만들면 무척 신날 거야. 우린 그걸 도와주는 거지."

화이트루프 캠페인 매니저 하연선도 한때 옥탑에 살았다. 그녀는 캠페인을 진행하면서, 여전히 열악한 옥탑방에 거주하는 사람이 생각보다 많다는 사실에 놀랐다고 한다. 그뿐만 아니라 이상 기후 때문에 점점 살기 어려워지고 있다는 걸 피부로 실감한다고 했다. 그녀는 자신이 화이트루프 캠페인을 하는 이유를 이렇게 말했다.

"개개인이 조금은 쾌적한 환경에서 자존감을 잃지 않고 살아갔으면 좋겠어."

서울 용산구에 있는 해방촌 한 옥탑방에서, '아무스튜디오'라는 작업실을 운영하는 건축가 홍윤주도 화이트루프 캠페인에 참여했다. 그녀는 이 캠페인이 손쉽게 할 수 있는 생활건축이면서 서로의 공간을 만나게 하는 의미 있는 활동이라고 했다. 시공 후 며칠 지나지 않아 홍윤주가 반가운 소식을 안고 왔다. 전보다 온도가 확연히 떨어졌다고 얼마나 좋아하던지, 그 모습을 보고 우리는 누가 먼저랄 것도 없이 감동에 찬 눈빛을 주고받았다. 이 일 하길 참 잘 했다면서.

지난 2015년 6월 무더위가 한창일 때, 우리는 동대문 신발도매상가 B동에 있는 동대문 옥상낙원(Dongdaemun Roof Paradise, 이하 '옥상낙원')에서 여섯 번째 화이트루프 캠페인을 진행했다. 옥상낙원은 서울시 청년허브의 지원을 받은 청년혁신 활동가들이 옥상에 터를 잡고 다양한 활동을 만들어 내는 청년들의 아지트이다.

동대문을 다니며 신발도매상가를 지나간 적은 있지만 옥상에 올라가 본

건 처음이었다. 낡은 건물 옥상으로 올라가면서 마치 동대문의 과거로 들어온 듯한 느낌이 들었다. 낡고 어두침침한 복도를 지나 계단을 올라가니 탁 트인 옥상이 나왔다. 고작 6층 높이일 뿐인데 주변 상가들과 창신동에 빼곡하게 들어선 집들이 한눈에 들어왔다. 시야가 열리면서 답답함도 사라졌다.

청년들이 직접 가꾼 정원에는 지렁이가 살고 있었고 한쪽엔 양봉도 하고 있었다. 왜 이곳을 옥상낙원이라 부르는지 알 것 같았다. 다행히 날씨도 화창했다. 페인트가 완전히 마르려면 캠페인 당일은 물론이고 하루 정도 더 해가 쨍쨍해야 안심이어서, 화창한 날씨는 우리에게 선물과도 같았다.

그날 행사는 화이트루프 캠페인을 소개하는 워크숍을 시작으로, 페인트칠 시공 후 맛있는 음식을 나누는 옥상파티로 이어질 예정이었다. 그나마 뜨거운 햇살이 조금 고개를 숙인 오후 5시경 본격적인 페인트 칠하기에 들어갔다. 모두 마스크와 장갑을 챙겨 쓰고는 모서리부터 차곡차곡 페인트 칠을 해나갔다. 여럿이 힘을 보탠 덕분에 공사는 금세 마무리되었다. 어느새 하얗게 변한 옥상을 보자 날아갈듯 기분이 좋았다.

화이트루프 시공을 마치고 벌인 옥상파티. 해 질 녘, 노동을 마친 청년들이 모여 앉아 맛있는 음식을 나누고 친구가 되는 광경을 보니 낙원이 따로 없었다. 사람들은 밤늦게까지 남아 서로의 삶을 나누었다. 옥상낙원 청년들은 이곳에서 자신들이 하는 일을 들려주었다. 흥미로운 물건들을 경매하기도 하고 발 한 짝을 바닥에 붙이고 춤을 추는(층간 소음이 없도록) '찰싹파티'를 열기도 한단다. 그들은 옥상에서 도시의 숨구멍을 찾고 있었다. 여기서 활동하는 이지연은 그들의 아지트 동대문의 특별함에 대해 이렇게 말했다.

"시간도 공간도 빈틈이 없어요. 두 세 평 단위로 상점이 다닥다닥 붙어 있고, 도매시장 끝나면 소매시장이 열리고 그 사이 야시장이 들어와요. 엄청나게 효율적인 공간이죠. 이런 동대문에서 빈 공간을 찾고 싶었고 옥상이란 공간에 주목하게 되었어요. 옥상은 개방적이면서도 고립된 섬 같은 곳이라 작당하기엔 안성맞춤이죠."

상가가 밀집한 이 지역이야말로 빈 공간, 빈 시간을 허용하지 않고 효율을 추구하는 도시의 극단적인 모습이 아닐까? 그런 빽빽한 곳을 비집고 작은 숨구멍을 만들어가는 청년들의 활동을 보며 해방감이 차올랐다. 화이트루프 캠페인이 그런 즐거움을 만드는 자리라는 게 참 뿌듯했다. 나는 그들의 활동을 보며 그동안 답답하다고만 여겼던 도시 공간의 가능성을 보았다. 청년들의 옥탑에서 태어난 새로운 옥상문화!

아름다운가게에서 일할 때 『생태도시 아바나의 탄생』이라는 책으로 세미나를 한 적이 있다. 쿠바의 수도 아바나 사람들은 도시 곳곳에 텃밭을 만들어 경작했다. 그들은 콘크리트로 뒤덮인 도시의 아주 작은 공간도 농사지을 땅으로 되살렸고, 에너지 절감과 건강한 먹거리라는 일석이조의 활동으로 활력이 넘쳤다.

나는 사람들이 이 좋은 걸 왜 하지 않을까 안타까워하며, 함께 공부한 이들과 옥상 한쪽에 토마토와 가지를 심어 수확했다. 꽃봉오리에서 작고 동그란 열매가 열렸을 때 얼마나 기쁘던지, 초록 토마토가 조금씩 자라 빨갛게 변해갈 때는 어찌나 사랑스럽던지…. 몇 천 원 주고 손쉽게 사 먹을 때는 자세히 들여다본 적조차 없이 그냥 입에 넣기 바빴다. 토마토 한 알이 주는 생명은 새로 발견한 기쁨이었다. 지금은 도시텃밭을 일구는 사람들이 곳곳에서 생겨나고 있으니 얼마나 반가운 일인가.

한글과의 만남은 계속된다 '여행갈때 입는한글'

지난해 가을 잠시 십년후연구소를 떠나 있을 때 입는한글 두 번째 전시회 오프닝 행사에 참석했다. 입는한글 첫 전시를 연지 일 년도 채 지나지 않은 2014년 11월, 나는 첫 전시 때의 기억을 오롯이 간직한 채 전시장에 들어섰다. 전시명은 〈스물여덟〉. 스물여덟은 한글의 자음과 모음을 합한 숫자를 뜻하는데, 한글 자모를 통한 창작자들의 무한한 가능성을 보여 줄 전시가 될 거라고 했다.

내가 숨을 고르는 동안 십년후연구소는 한글로 또 다른 즐거움을 퍼뜨리고 있었다. 전시장에 들어서자, 그래픽디자인 전문 계간지 〈GRAPHIC〉을 발행하는 프로파간다 출판사의 '1950-1985 한글 레터링'이 눈에 들어왔다. 50년대부터 80년대 중반까지 인쇄 매체와 방송 매체 등 광고에 쓰인 작품들이었다. 그들의 자료는 어마어마했다. 너무 흔해서 별거 아니라고 생각했는데, 방대한 한글 레터링(lettering, 글자 디자인) 작업물을 보자 프로파간다 출판사가 참 멋지다고 생각했다. 그들은 한글의 멋을 제대로 볼 줄 아는 눈을 가진 집단이었다.

전시장 안으로 들어가자 유독 집 모양의 구조물이 시선을 사로잡았는데, 그 안에는 다른 나라 친구들의 이름과 해당 국가 이미지가 표현된 한글 티셔츠가 전시되어 있었다. '러시아의 가르갑축안나' '이란의 고르버니어 그볼르그어테페' '멕시코의 글로리아 잇첼 카사스 나바레테' '카자흐스탄의 김 류드밀라' 등 이름이 생소해서 하나하나 소리 내어 읽는 재미가 있었다.

그 티셔츠는 세계 곳곳의 세종학당(세계 여러 나라에서 외국인의 한국어 교육을 지원하는 곳)에서 한글을 공부하는 외국인 125명의 이름과 국적을 나타낸 것이었다. 첫 번째 전시 때와는 다른 방식으로 한글을 디자인한 작업물이 신선하게 다가왔다. 송성희는 평소에도 세종학당과 함께 뭘 해 보면 좋겠다는 생각이 있었는데, 마침 한글날에 맞춰 한글 우수 학습자들이 방문한다는 소식을 들었다고 한다.

"이 친구들한테 입는한글 티셔츠를 선물하자는 아이디어가 떠올랐어. 한글원정대라는 이름으로 디자이너들을 모아 그들이 작업한 각기 다른 한글 티셔츠 125개를 전시하고 외국 친구들에게 선물도 했어. 티셔츠를 받고 이 친구들이 얼마나 기뻐했는지 몰라."

세상에 하나뿐인 한글그래픽 티셔츠는 외국인들에게 정말 특별한 선물이었을 것 같다. 예전에 나도 입는한글 티셔츠를 외국인과 결혼한 선배에게 커플 세트로 선물한 적이 있다. 한글 티셔츠를 받은 그들의 반응이 아주 뜨거웠던 기억이 떠올랐다.

"이 캠페인도 한글 티셔츠를 커뮤니케이션 도구로 이용한다는 데 착안해서 진행한 거였어."

송성희의 말을 들으며 입는한글 티셔츠가 외국인과의 소통의 도구로 쓰였다는 점에서 올해 십년후연구소가 만든 '여행갈때 입는한글' 티셔츠의 전 단계가 아니었을까 하는 생각이 들었다. 한글을 매개로 세계인과 친구가 될 수 있는 가능성이 담겨 있다는 점에서 말이다.

올해는 '여행갈때 입는한글' 캠페인을 진행하느라 다들 여념이 없었다. 말 그대로 해외 여행 갈 때 한글 티셔츠를 입게 하자는 캠페인이다. 여행갈때 입는한글 티셔츠에는 '천리 길도 한 걸음부터' '금강산도 식후경' '가는 날이 장날' 등 길 떠날 때 자주 썼던 우리 속담을 한글그래픽으로 작업했다. 티셔츠 하단에는 속담을 여덟 나라의 언어로 적어 외국 친구들과 우리 속담 이야기를 나눌 수 있도록 했다. 티셔츠가 만남의 매개가 되는 셈이다.

"한글은 우리에겐 모국어지만 외국인에게 낯선 언어잖아. 그래서 더 재미

있어 하고 궁금해하는 거 같아."

조윤석의 말은 내가 늘 생각하던 바와 같았다. 우리에겐 익숙한 한글을 낯설게 보는 시도가 필요하다.

"그래서 박철희의 한글 작품이 놀라운 거야. 한글을 조합형 모듈로 만들어낼 생각을 하다니. 새로운 한글의 세계가 열린 거지. 모듈 방식의 한글이라니, 기막히지 않아? 박철희는 완전 천재야 천재. 안상수 선생 이후 가장 새로운 한글 작업을 해낸 작가야."

박철희는 '여행갈때 입는한글' 프로젝트에 참여한 작가로 햇빛스튜디오라는 그래픽 작업실을 운영한다. 그가 디자인한 모듈 방식의 한글 레터링은 자음과 모음을 조합이 가능한 형태 모듈로 나눈 뒤 그것을 조합해 글자를 써 나가는 시스템이다. 기존에 없던 새로운 방식의 레터링 작업으로 한글이 계속 새롭게 태어나고 있는 것이다. 입는한글 프로젝트를 맡고 있는 김규완은 한글을 새롭게 보고 만드는 작업이 재미있다며 앞으로 여러 시도를 해 보고 싶단다.

"티셔츠 말고도 생활 속에서 사용하는 물건들에 한글을 입혀보고 싶어요. 이번 박철희의 작품도 티셔츠 뿐 아니라 문구나 시계 같은 다양한 생활용품에 적용하면 또 재미있는 작업들이 나올 것 같은데, 천천히 해나가야죠."

그의 말을 들으며 얼마 전 다녀온 중국 윈난성(雲南省) 거리를 떠올렸다. 가게 간판은 멋스러운 한자가 즐비했다. 한자 서체들이 무척이나 다양했고 하나하나가 멋지고 힘이 있었다. 십년후연구소가 한글 프로젝트를 이어나가면 한글을 멋진 글자로 바라보는 사람들이 많아질 거라는 기대를 해 보았다. 앞으로도 재미있고 의미 있는 작업들이 한글 프로젝트와 함께 이어질 것이다. 한글은 생각보다 멋있고 쿨하다.

"이런 의미 있는 일을 지속하려면 작가들에겐 자신의 작품을 알리고 판매하는 채널이 필요해. 물론 백화점이나 갤러리에서 물건을 고르는 것과는 다른 방식이어야 하지. 물건만 판매한다고 작가 문제가 해결되는 건 아니거든. 그들의 작업을 알리고 그 과정을 함께할 수 있는 프로그램을 만들어야 해. 그런 직접적인 교류가 가능할 때 작가의 작업에 대한 관심이 생겨나고, 그게 곧 구매로 연결되니까. 작업에 몰입하다 보면 아무래도 작가들은 이런 현실적인 부분(작업을 일로 만드는)에 취약할 수밖에 없지."

조윤석은 작가들의 작업을 돕는 것이 입는한글의 또 다른 목적이라고 말했다. 십년후연구소가 작가들의 플랫폼을 자처하는 것도, 바로 작업 자체가 우정을 쌓는 과정이 되기를 바라기 때문이다. 그렇다면 작가들에게도 밥이 되고 십년후연구소에도 밥이 되는 일을 어떻게 해야 잘 꾸려갈 수 있을까?

사실상 작가들과 협업해서 진행한 여러 프로젝트의 수익은 미미해서 앞으로 어떻게 지속할 수 있을지 고민이다. 동대문봄장이라는 첫 프로젝트를 정할 때도 사업의 가능성 여부가 주요한 화두였다. 재미와 의미로 시작한 작업을 어떻게 사업으로 만들고 지속할 수 있을까? 이런 질문은 이후에도 쭉 챙겨야 할 숙제이다.

절망의 시대를 건너는 법: 친구와 함께

일본의 사상가 우치다 타츠루는 그의 책 『절망의 시대를 건너는 법』에서 '인성'의 중요성을 이야기한다. 경제가 어려워지고 사회가 불안할수록 우리는 서로 도우며 함께 살 수밖에 없다. 부자들이야 담을 높이 쌓고 문을 단단히 걸어 잠그면 되지만 대다수 돈 없는 이들은 서로 도우며 살아야 한다. 그러기 위해서는 서로에 대한 믿음이 중요하다. 관계망을 구축하고 신용을 쌓는 일에는 왕도가 따로 없으니 일상적으로 사람들과 좋은 관계를 쌓는 것, 그럴 수 있는 인성이 우리가 사는 세상에서는 가장 중요한 능력일 거라고 저자는 이야기한다. 인디언 사회에서도 사람들과의 관계망이 넓은 사람이 높은 지위를 차지했다는데, 다섯 명에게 받아서 다섯 명에게 나누어 주는 사람보다는 백 명에게 받아서 백 명에게 나누어 주는 사람이 인정받았다고 한다.

십년후연구소는 경쟁이 아닌 '함께'라는 지향을 공유하는 사람들이 이끌고 있다. 그래서 사업적인 구조를 갖춘 기업이라기보다 개인이나 작가에게 디딤돌이 돼 주는 활동에 가깝다.

누구나 혼자 살기 어렵다. 또 누구나 도움을 필요로 한다. 그런데 우리는 왜 도와달라고 말하는 걸 부끄러워하고 주저할까. 함께 조화롭게 사는 법을 배우기보다 은연중 자립하는 능력을 성숙한 삶의 조건으로 강요받았던 건 아닐까? 사실 자립은 서로 도움을 주고받는 관계에서만 가능하다고 생각한다. 혼자 자립하는 게 아니라 함께 자립하는 것. 십년후연구소는 기꺼이 사람과 사람을, 사람과 활동을 잇는 중개자가 되려 한다.

"저기… 나, 한 마리만 그려줘"

생텍쥐페리의 『어린 왕자』에서 어린 왕자는 순진한 눈빛으로 처음 만난 비행사 아저씨에게 요청한다. 보아뱀 그림때문에 상처 받은 적이 있던 비행사는 거듭 거절한다. 하지만 어린 왕자는 몇 번이나 그림을 그려달라고 조른다.

나는 누군가에게 뭔가를 해달라고 조르거나 빌려달라는 말을 잘 못한다. 누군가는 그런 내 성격을 두고 양반이라는 말로 표현했다. 그래서인지 몇 번의 거절에도 계속 "나 양 한 마리만 그려줘."라고 조르는 어린 왕자가 매우 인상적이었다. 누군가에게 스스럼없이 뭔가를 요구할 수 있다는 것은, 뒤집어 보면 누군가의 요구에도 기꺼이 응하겠다는 것과 다르지 않다.

그런 요청과 응답을 통해 비로소 관계가 생긴다. 몇 번의 요청에 비행사는 할 수 없이 양을 그려 준다. 몇 번의 퇴짜 끝에(순진하게 그림을 그려 달라고 하던 어린 왕자는 비행사의 그림에 대해 병든 양, 뿔이 달렸기에 양이 아닌 양, 늙은 양이라며 세 번 퇴짜를 놓는다) 상자 속의 양을 그려주고 어린 왕자는 그 그림을 보고 매우 기뻐한다. 그렇게 그들의 '관계'가 시작된다. 나에게 같이 뭘 해 보자며 먼저 손 내밀어 주는 사람, 그런 친구들이 있어서 참 고맙다.

우리는 처음 협동조합 설립을 준비하면서 십년후연구소를 이렇게 정의했다. '새로운 삶의 양식을 디자인하고 연구하며 개인의 관계를 복원하고 새로운 라이프스타일을 공유하는 공동체적인 삶, 우정의 공동체를 만드는 협동조합'이라고. 조합원 자격은 '관계적 개인으로 성장하면서 적당한 프로젝트를 같이할 수 있는 사람'으로 정했다. 관계 속에 있다는 것을 인식하면서 삶을 같이 모색하자는 게 첫 번째 약속이었다.

그로부터 2년이 지났고, 우리는 다시금 미뤄둔 협동조합 정관을 꺼내들었다. 그 사이 새로운 멤버도 합류하여 구성원은 7명으로 늘었다. 이제는 본격적으로 협동조합 논의를 꺼내야 할 때라는 생각이 들었다.

재미있는 일을 밥벌이로 만드는 비결

현재는 그때그때 일들을 만들어가는 것이 비즈니스 모델이다

아직 명확한 수익 모델을 말할 단계는 아니다. 주요 테마가 있고 거기 맞는 프로젝트를 해나가고 있다. 그러면서 해당 프로젝트를 사업화할 장기적인 계획이 있다. 고정된 사업보다 고정된 테마가 있다고 말하는 게 정확한 표현일 것이다. 물론 앞으로 하나하나의 사업을 어떻게 꾸려갈 지가 숙제겠지만. 적게 벌고 많이 누리는 방식을 계속 고민하고 있다.

지금 있는 사람들과 지금 할 수 있는 일을 함께하기

큰 뜻을 가지고 대단한 계획을 세워서 일을 만들어 가는 것은 아니다. 그렇게 일하기가 힘들다. 가까운 친구들과 뭔가를 궁리하는 것이 우리가 일을 만들어가는 방식이다. 그저 바로 옆에 있는 친구들과 함께하고 싶은 것으로 시작해서, 그 친구가 다른 친구를 데려오고 또 데려오고 그렇게 점점 외형이 커지는 방식으로 일한다. 우리 곁엔 좋은 친구들이 있고, 함께여서 즐겁다.

서로 필요할 때 찾을 수 있는 친구 되기

느슨한 연대, 친구들을 동원하기! 자꾸 써먹으면 안 좋지만 서로 필요할 때 도울 수 있는 게 친구다. 얼마 전 한 법무법인에서 회계 일을 하는 20대 후반의 친구가 십년후연구소 같은 조직에 관심이 있고 매력을 느낀다며, 우리를 도와주겠다고 나섰다. 처음 만나 5시간 동안 내리 수다를 떨었다. 그 친구도 "어떻게 살아야 할까. 지금 조직에서 영원히 장부만 만들면서 살고 싶지 않다"며 고민을 털어놓았다. 한참 얘기를 나누고 나서 책을 몇 권 권했다. 십년후연구소에서 같이 읽었던 미국의 건축회사 사우스 마운틴 이야기 『가슴 뛰는 회사』, 미국의 아웃도어 용품 회사 파타고니아 이야기 『파도가 칠 때는 서핑을』이다. 그렇게 사람들을 만나고 서로가 필요한 것을 나누며 사는 게 중요하다고 생각한다.

ddp
서울디자인재단
DDP 시민소통프로그램
동대문봄장
내가 디자인하고
내가 만드는
한글티셔츠

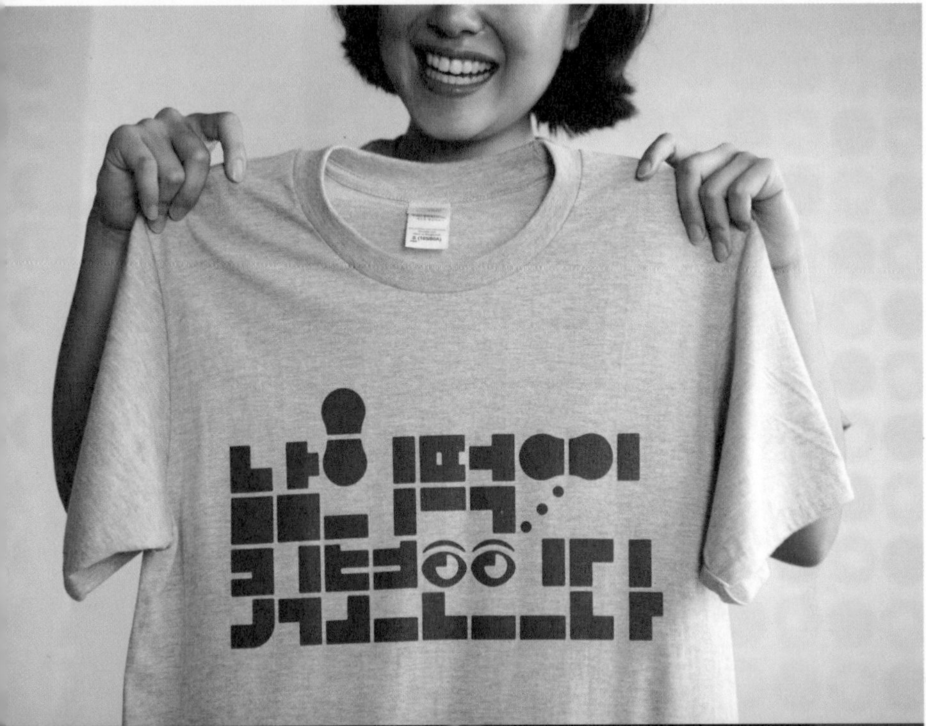

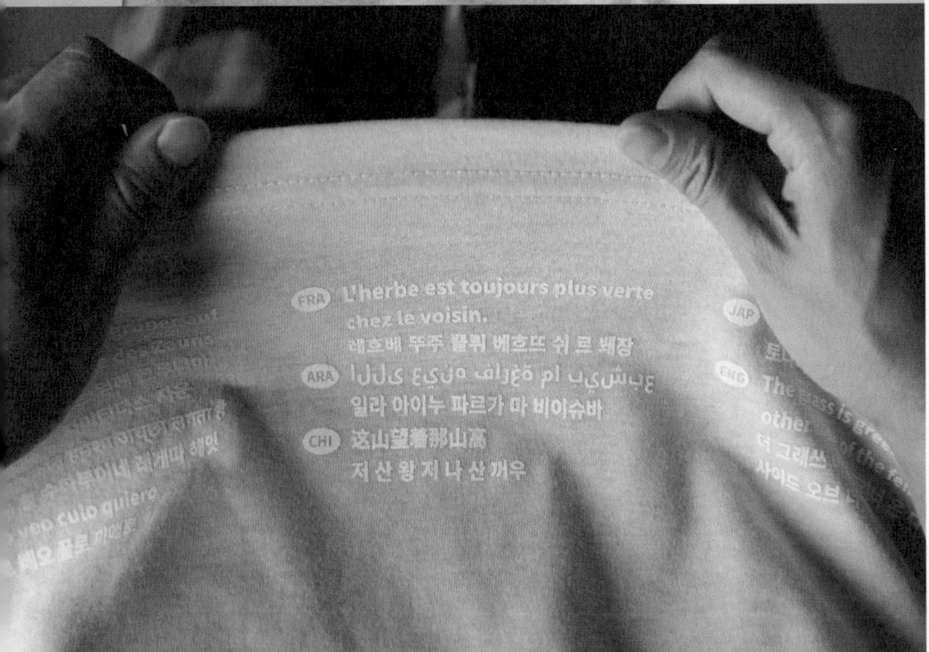

FRA
L'herbe est toujours plus verte
chez le voisin.
레흐베 뚜주 쁠뤼 베흐뜨 쉬 르 봐장
ARA
일라 아이누 파르가 마 비이슈바
CHI
这山望着那山高
저 산 왕 지 나 산 까우
JAP
ENG

십년후연구소의 네 번째 한글 프로젝트 '여행갈때 입는한글'. 여섯가지 속담을 한글그래픽으로 나타냈다. 티셔츠 하단에는 같은 문구를 여덟 나라의 언어로 번역해 앉혔다. 한글 레터링은 '햇빛스튜디오' 박철희의 작품.

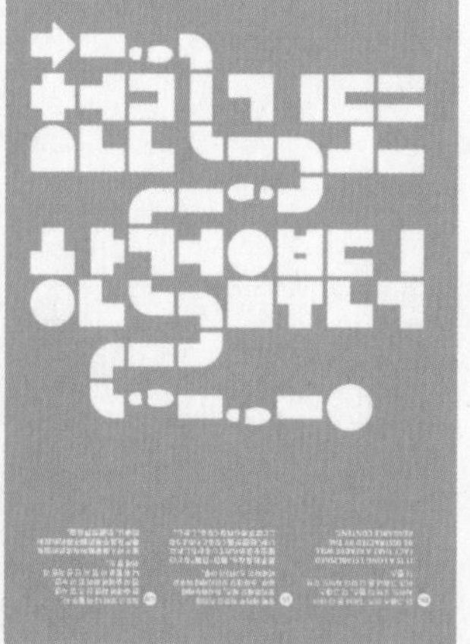

십년후연구소의 첫 번째 한글 프로젝트 '작가 100명의 입는한글'. 2014년 2월 디디피 '동대문 봄장'에서 다양한 작가 그룹의 한글티셔츠 작품을 전시했다.

십년후연구소의 두 번째 한글 프로젝트 '세계가 입는한글' 글로벌 공모전 〈Get Your 한글 On〉

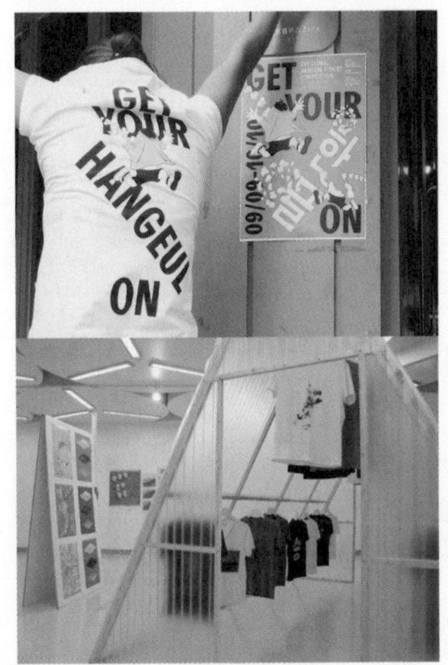

조윤석이 만든 재활용 명함집

해방촌 옥탑방 '아무스튜디오'에서 진행한 '굿바이 나의 더위'(화이트루프 서울 3호)

인디밴드 '옥상달빛'이 참여했던 '옥상흰빛 캠페인'(화이트루프 서울 1호)

동대문 신발도매상가 B동 옥상에서 진행된 '굿바이 나의 더위'.(화이트루프 서울 6호) 옥상낙원에 올라가면 동대문 주변상가들과 창신동의 빼곡하게 들어선 집들이 한 눈에 들어온다. 시공 후엔 품앗이 에 참여한 청년들의 옥상파티가 이어졌다.

품앗이 참여자들에게 선물하는 화이트루프 캠페인 배지와 화이트루프 효과를 체감할 수 있게 옥상 표면 온도 차이를 알아보는 시험용 패널. 시공 전후 표면 온도 차이가 20°C 난다는 놀라운 사실!

시공 전에 열린 화이트루프 워크숍. 캠페인에 대한 궁금증을 해결하는 자리가 되었다.

이 사람

되살려야 할 삶의 기술, 바로 적당~기술

조윤석(십년후연구소 소장, 건축가)

잘 살기 위해선 적당기술이 필요하다고 종종 이야기하는데, 적당기술과 적정기술은 다른 건가?

전기가 안 들어오는 오지에 보내는 '태양광 전지 램프', 아프리카에서 바로 물을 걸러서 마실 수 있도록 돕는 '정수 빨대(Life Straw)', 요즘 이런 것들이 많이 개발되고 있다. 빈곤이나 생태문제를 해결하는 이런 대안기술을 적정기술(Appropriate Technology)이라고 부르는 거다. 그런데 우리는 전문기관이 개발하고 일괄적으로 보급하는 적정기술이 아니라, 현지에서 감으로 현지의 재료로 직접 만들어 사용하는 '적당~한 기술'을 찾아야 한다고 생각한다. 일상적으로 '적당히'라는 말을 많이 쓰지 않나. 그래서 '적당기술'이라는 말을 만들었다. 적당~히. 느낌이 오지 않나?

적당기술이라는, 삶의 기술을 깨우기에는 다들 바쁘지 않나? 그런 실천이 누구나 가능할까?

불과 몇십 년 전만 해도 웬만한 건 스스로 해결했다. 우리 할머니 세대만 올라가도 직접 옷 지어 입고 명절이면 마당에서 떡 짓고 묵이나 두부 만드는 건 일도 아니었다. 벽에 간단한 시멘트를 바르거나 깨진 창문 유리를 가는 것도 우리 아버지들이 다 했다. 기술자는 아니지만 적당한 수준까지는 직접 작업이 가능했던 거다. 우리도 어렸을 때 동전을 비닐로 돌돌 말아 제기도 만들었는데, 요즘은 문방구에서 산다고 한다.

돈을 주고 필요한 물건을 사는 게 일상화되면서 제 손으로 직접 만들거나 용도를 바꿔 쓰는 감을 잃어버렸다. 필요할 때마다 사는 대신, 하나의 물건에 다양한 쓰임새를 부여하는 능력이야말로 되살려야 할 삶의 기술 혹은 감각이라고 생각한다. 커피로스터기 없이 냄비에 커피를 볶는 사람들이 있는데 이런 것도 적당기술이다. 우리 모두 적당기술자가 될 수 있다고 생각한다. 적당기술을 한마디로 표현하면 이렇다. 귀에 걸면 귀걸이 코에 걸면 코걸이, 어떻게 센스 있게 잘 거느냐가 관건이다.

화이트루프 캠페인이 십년후연구소에서 중요한 실험이 된 이유는?

화이트루프 쿨시티는 한편으로 에너지 문제에 관해 도시에 말을 거는 우리만의 방식이기도 하다. 우리는 매일 밥을 짓고 음악을 듣고 노트북으로 일을 한다. 화력발전이나 핵발전으로 만들어진 전기를 누구나 쓰고 있다. 핵발전이 위험하다고 전기를 쓰지 말라고 혹은 절약하라고 하면 해결이 되나?

전기를 덜 쓰는 쉬운 방법부터 찾아야 한다. 화이트루프는 그런 이야기를 할 수 있는 물꼬가 될 수 있다. 마음 맞는 사람들이 모여 옥상에 흰색 페인트 칠을 하고 간단히 옥상파티도 즐기고. 그러면서 자연스럽게 에너지 문제를 꺼낼 수 있는 거다. 처음부터 신시하게 십근하면 삶이 피곤한 사람들은 듣고 싶어 하지 않는다. 나와 가까운 문제라고 느낄 접점이나 계기를 만들어야 한다. 그런 점에서 화이트루프는 무척 의미 있고 중요한 실험이다.

핵발전소가 있는 영광에 왜 굳이 생태마을을 만드나?

전남 영광에서 『야생초 편지』의 황대권 선생이 준비하는 생명평화마을 조성 기획을 총괄하고 있다. 현재는 생명평화마을 첫 건축 프로젝트인 커뮤니티센터를 짓고 있는데, 핵발전소가 자리한 영광에 생태마을을 짓는 아이러니한 프로젝트다.

독일의 프라이부르크라는 도시에서 핵발전소가 유치될 예정이었는데 주민들의 거센 반대로 설립이 무산된 적이 있다. 그로 인해 대안에너지 개발 운동이 적극적으로 시작되었다. 현재 프라이부르크는 세계적인 생태도시 중 하나로 손꼽히는 곳이다. 이미 발생한 문제를 다른 활동의 계기로 전환한 것이다. 부정의 힘을 창조의 힘으로 물길을 돌리는 게 필요하다. 영광 커뮤니티센터는 아직 기초공사만 끝난 상태지만 이곳에서 어떤 생태적인 실천과 실험, 대안적인 삶의 모색이 이루어질지 10년 후의 영광 생명평화마을이 기대된다.

십년후연구소 십년후연구소

십년후연구소는 7명의 문화기획자들 그룹이다. 옥상 흰색 방수페인팅을 통해 에너지 절감을 꾀하는 '화이트루프 쿨시티', 한글그래픽 티셔츠를 상품화하는 '입는한글' 프로젝트, 영광 생명평화마을 건축 프로젝트를 진행하고 있다. 실험적인 프로젝트와 사업적인 프로젝트를 동시에 운영하며 즐거우면서 돈 되는 일하기를 모색하고 있다. 활동 중 멤버(노른자위 그룹)와 휴식 중 멤버(흰자위 그룹)가 공존하는 열린 구조로 조직을 운영하고 있다.

페이스북 www.facebook.com/tenyearsafter10

입는한글 홈페이지 www.hangeult.com

화이트루프 쿨시티 블로그 blog.naver.com/coolrufseoul

그래서 만났다

04

마르쉐 친구들

맛있고 건강한 장터의 시작

"맛있는 거 파는 시장 열리니까 꼭 놀러 와."

2012년 가을, 송성희의 연락을 받고 대학로 마로니에공원으로 나들이를 갔다. 그날은 10월인데도 제법 쌀쌀했다. 지금은 마로니에공원 일대와 예술가의 집 외부 공간에서 열리고 있지만, 초기 마르쉐@혜화는 대학로 아르코미술관 안쪽 일부와 그 앞 통로에서 열렸다. 그 당시 마로니에공원 공사가 한창이었기 때문에 한쪽 벽은 공사 펜스로, 다른 쪽 벽은 예술회관 건물 벽을 사이에 두고 좁은 통로에서 복작복작 시장이 열린 것이다.

어떻게들 알고 왔는지 쌀쌀한 날씨에도 많은 사람이 이리저리 둘러보고 있었다. 색다른 장터 구경에 나선 이들은 하나같이 들떠 있었다. 무언가를 팔기엔 공간도 좁고 열악했지만 손님을 맞는 이들의 표정에서는 설렘이 느껴졌다.

동네 시장에서 흔히 볼 수 없는 친환경 음식 재료들과 갓 따온 과일들, 천일염 등 탐나는 농산물이 눈길을 끌었다. 참가한 생산자들이 소소하게 짓는 농사라서 농산물의 양은 적지만 제법 종류가 다양했다. 그 옆으로 여러 종류의 빵과 잼, 김이 모락모락 나는 어묵 꼬치와 즉석 파스타 등 판매자들이 준비한 음식이 먹음직스러워 보였다. 향초와 꽃다발, 손뜨개 등 작가들의 수공예품도 자리하고 있었다.

마르쉐@혜화를 둘러보며 마치 인디언 사회의 포틀래치에 참여한 것 같은 느낌을 받았다. '포틀래치'란 '식사를 제공한다' 혹은 '소비한다'는 뜻으로, 고대 북서부 아메리카 인디언 사회 때부터 음식과 각종 재물을 나누는 의례를 말한다. 그 시절 사람들은 포틀래치를 통해 사람들에게 자기의 재물을 베풀거나 누군가의 재물을 선물받았는데, 이는 함께 살아가는 사람들의 의무였다. 우리나라의 돌잔치나 결혼식과 장례식 같은 행사 때 음식을 푸짐하게 차려서 손님들에게 대접하며 환대하는 문화도 비슷한 의례일 것이다.

처음 마르쉐@혜화를 접하고는 나도 마르쉐@의 열렬한 단골이 되었다. 가까운 거리가 아닌데도 마르쉐@이 열리는 매달 두 번째 일요일이면 종종 대학로에 나들이 겸 장을 보러 나가곤 했다. 벌써 3년째 매월 새로운 주제로 열리는 마르쉐@혜화. 이 소담한 장터를 기획한 송성희의 이야기는 10년 전으로 거슬러 올라간다.

당시 송성희를 비롯한 몇몇 작가와 기획자 그리고 예술가들은 홍대 앞 서교동 365번지에 작업실을 구해 일을 벌였다. 그런데 홍대 앞이 점차 상업화되면서 가난한 예술가들의 작업과 주거 공간이 위협받게 되었다. 서교 365를 아지트 삼아 지냈던 사람들은 그 공간을 지킬 방법을 모색하는 과정에서 농사를 지어야겠다고 생각했단다. “여기, 우리가 살고 있다. 이곳은 우리가 먹고 자고 작업하는 공간이다.”라는 목소리를 내고 싶었다고 한다. 메시지를 어떻게 전달할까 고민하다가 농사를 생각한 것이다. 그런 문제의식에서 출발해서 1년 6개월 동안 해온 논의와 활동이 ‘서교 365번지, 나는 이 건물이 아름답다고 생각한다’라는 전시로 이어졌다. 하지만 공간을 지키고자 하는 여러 시도에도 불구하고 치솟는 월세를 막지 못했다. 결국 사람들은 하나둘 좀 더 싼 곳을 찾아 떠났다.

아마 그때가 홍대 앞 젠트리피케이션(Gentrification, 가난한 예술가들이 사는 지역에 예술 문화적인 분위기가 생기자, 상업시설이 유입되어 임대료가 올라 기존에 살던 사람들, 특히 예술가들이 밀려나는 현상)의 시발점이었을 것이다.

생명을 더 값지게 지속할 수 있는 일

그 일을 계기로 작업실 친구들과 소소하게 짓던 텃밭농사에서 도시농업으로 관심이 확대되었고, '이왕 농사짓는 거 제대로 해 보자'며 조윤석과 함께 전국귀농운동본부의 귀농학교에 다니게 되었다. 평소 건강한 먹거리에 관심이 많던 송성희는 그렇게 농사를 만나게 되었다.

"도시에서 쭉 살아왔지만 도시적인 삶에서 벗어나고 싶다는 욕구가 컸거든. 그러다 귀농학교에서 귀농인의 삶을 구체적으로 그릴 수 있었어. 그 무렵 귀농운동본부에서 발행하는 계간지 〈귀농통문〉 편집장 활동도 하게 되었고. 그 뒤로 이삼 년 동안 귀농해서 집 짓고 농사도 지었는데, 참 잘 지냈던 거 같아. 본래 농사일에 애정이 많았어. 무엇보다 갓 수확한 싱싱한 농산물을 맘껏 먹을 수 있어서 좋았어."

홍대 앞 인디문화1세대라 불리는 조윤석은 자신이 먹을 것을 직접 수확하는 농사야말로 진짜 인디적인 삶이라고 받아들였고, '포스트 홍대앞은 바로 농사'라며 시골에서 손수 집을 짓고 농사지으며 귀농생활을 즐겼다. 그 얘기는 지금도 종종 조윤석의 입을 통해 듣고 있다.

"그렇게 살게 한 책이 한 권 있어, 『아름다운 삶, 사랑 그리고 마무리』라는. 거대한 세상에 노예처럼 종속되어 있었다는 생각 때문에 세상과 나 자신과의 관계가 쪼개진 시기가 있었는데, 이 책이 내 삶에 쑥 들어왔어. 그래, 이렇게 살아야 해. 억지로 뭔가를 만들기 위해 애쓰지 말고 자연스럽게 살자고 생각하게 됐어."

그 책의 저자인 니어링 부부와의 만남은 송성희에게 삶의 전환점이 되었다. 비록 일 때문에 다시 서울에 올라왔지만 농사와 먹거리 그리고 소박한 삶은 여전히 그녀가 중요하게 생각하는 삶의 테마이다.

"가끔 사람들이 먹는다는 게 뭐라고 생각하는지 묻곤 해. 먹는 행위 그 자체를 의미하는 건 아니야. 강아지 버둥이 얘긴 한 적 있지? 버둥이랑 살면서 생전 처음 세상에 인간만 존재하는 게 아니라는 걸 깨달았어. 풀도 밟지 않으려고 살피면서 걷게 되었고. 비로소 관계와 생명에 눈 뜨게 되었지. 우리가 먹는 것도 모두 생명이잖아. 이 생명들에 기대어 내가 살아가는 거니까 더 잘 살아야겠구나, 그러면서 무언가를 먹는 일에 더 감사하게 되었어."

송성희는 그런 생각을 나누고 싶었단다. 그래서 농사꾼 친구들이 짓는 좋은 먹거리를 만날 수 있는 장터를 열면 좋겠다고 생각하게 되었다. 그녀가 동대문봄장에서 손수 만든 먹거리를 사고파는 '맛장'을 기획한 것도 생명과 먹거리에 대한 고민에서 시작한 일이다. 농사꾼 친구들에게는 판로를 열어 주고, 도시인들에게는 건강한 먹거리를 만나게 하고 싶어서 기획한 맛장은 새로운 일로 이어졌다. 맛장을 운영하며 비슷한 관심을 가진 몇몇과 좀 더 본격적인 음식 시장을 마련하자는데 뜻을 모았다. 바로 마르쉐@ 장터를 함께 만든 김수향과 이보은이다.

그들은 진심으로 안심이 되는 시장, 일상의 소소한 먹거리를 귀하게 여길 줄 아는 사람들의 시장, 생산자와 소비자가 직접 얼굴을 보고 삶을 교류하는 시장을 만들고 싶었다고 한다. 김수향과 이보은도 송성희만큼이나 농사와 먹거리에 대한 관심이 대단했다.

여성환경연대 사무처장을 지낸 이보은은 영등포 '문래텃밭'과 '홍대텃밭다리'와 같은 도시텃밭을 만드는 데 주도적인 역할을 했다. 그녀는 도심 텃밭에서 남아도는 농작물을 고민하다 시장의 필요성을 느끼게 되었다. 슬로푸드 카페 '수카라'를 운영하는 김수향은 생산자 직거래를 시도하고 있다. 언젠가 수카라에 갔을 때 기억이 났다. 메뉴판에는 재미있게도 농부와 생산자의 이야기가 양념처럼 곁들여 있었다.

"수향은 후쿠시마 원전사태가 터졌을 때 일본에 있었대. 지진이 나고 불과 일주일 사이에 시장에서 농작물이 사라지는 걸 보고 큰 충격을 받았나 봐. 물과 공기와 흙이 오염되니까 안심하고 먹을 수 있는 음식의 소중함이 절실하게 다가왔다고 했어. 본래 친환경 농산물에 관심이 있었는데 원전 사태가 로컬푸드와 로컬마켓에 대한 관심에 불을 붙였다고 하더라고. 에너지를 최소한으로 쓰고 가까이서 신선한 채소를 구하려고 알아보다 문래텃밭 프로젝트를 진행하던 이보은을 만나게 된 거지."

세 사람은 각자의 활동 기반에서 일해 오다, '슬로라이프·음식·장터·농부'를 엮어서 의미 있고 재미있는 일을 꾸리게 되었다. '우리가 원하는 게 없다면 직접 만들어 보자!' 하는 그들의 실행력이 바로 마르쉐@ 장터를 만들었다.

이벤트가 아닌 일상으로 자리매김하다

세 사람의 만남으로 논의는 급물살을 탔고 일사천리로 진행되었다. 그들은 자신들의 인맥을 한껏 활용했다. "이런 장터를 열려고 하는데 같이 참여하면 좋겠다"며 주변의 농부와 요리사, 수공예 작가와 디자이너를 불러 모았다. 개최 장소를 물색하던 중 때마침 대학로 아르코미술관 옆 예술가의 집에 입사한 동네 친구가 "그런 행사라면 우리 공간은 어떠냐"며 제안해 주었다.

예술가의 집은 일제강점기에 경성제국대학 본관으로 사용된 건물로, 지금은 예술가의 창작과 소통을 지원하는 매개 공간으로 운영하고 있다. 마로니에공원 일대는 아름드리나무와 유서 깊은 건축물이 조화를 이루고 있어서 대화와 만남을 유도하는 시장의 공간으로 최적이라고 생각했다. 일은 순조롭게 진행되었고 장터에 함께할 사람을 만나는 일도, 장터의 꼴을 갖추는 과정도 재미있었다. 그런데 시장 이름을 지으면서 고민이 많았단다.

"시골 오일장의 정겨운 분위기와 도시인의 라이프 스타일을 반영하고 싶었어. 도시형 장터가 바로 우리가 그리던 모습이었지. 그런 우리의 구상을 담아낼 이름을 찾다가 시장을 의미하는 단어 중에 '마르쉐'만큼 적당한 게 없다고 생각했지. 정겨우면서도 세련된 느낌이잖아."

넉 달 동안 열심히 준비한 끝에 2012년 10월 첫 장터 '마르쉐@혜화'를 열게 되었다. 그들은 '마르쉐친구들'이라는 모임의 이름도 지었다. 그렇다면 마르쉐 뒤에 붙은 '@'은 어떤 의미일까?

"어디서든 마르쉐@ 같은 시장이 열릴 수 있다고 생각했어. 처음부터 복제 가능한 모델을 생각하고 이름을 지었어. 동네마다 자생적으로 생기면 좋겠다고 생각했지."

3년이 지난 지금 '마르쉐@혜화'에서 시작한 마르쉐@은 '마르쉐@양재'(양재 시민의 숲) '마르쉐@1898'(명동성당)까지, 그곳의 환경에 맞게 변주하며 도심 속 장터를 활기차게 이어가고 있다.

시민의 숲에서 열리는 마르쉐@양재는 주거 지역에 가까워서인지 장을 보는 부부들이 많았다. 마을에 서는 아침시장, 일상에 자리 잡은 시장으로 친근하게 다가왔다. 장터가 열리는 곳이 나무가 울창한 숲 한가운데여서, 마치 소풍 나온 것처럼 곳곳에 돗자리를 깔고 앉아 편안하게 즐기는 이들도 많았다.

열린 공간에서 일시적으로 열리는 시장은 파는 사람과 사는 사람의 경계가 불분명하다. 장소가 변형 가능한 것처럼 그들의 역할도 바뀔 수 있다. 문득 노점이야말로 길 위에서 친구가 되는 관계가 아닐까 생각했다. 마르쉐@은 분명 물건과 돈의 교환을 넘어서는 어떤 관계를 만들고 있었다.

관계가 일을 만든다

"어떤 일을 위해 의도적으로 사람을 만나고 싶지는 않아. 친구의 친구를 소개받아 자연스럽게 이야기를 나누다가 일로 확대되는 방식이 좋더라고. 마르쉐@을 운영하는 마르쉐친구들도 그렇게 만났어."

평소 친구들을 집으로 불러 음식을 해 먹이기를 좋아하던 디자이너 이경화도 그런 경우였다. 그녀는 마르쉐@ 장터 설명회에 갔다가 마르쉐@의 브랜드를 기획하고 각종 제품을 제작하는 디자이너가 됐다. 마르쉐@의 테이블보와 앞치마 그리고 가방 모두 그녀의 작품이다.

"마르쉐@은 도시농부와 시골농부가 애지중지 키운 농산물을 파는 작은 먹거리 장터야. 우리는 손수 만든 먹거리를 함께 나누면서 오순도순 이야기 나눌 친구 같은 손님을 기다리고 있어. 단순히 돈을 주고 거래하는 고객을 기다리는 게 아니야. 제품을 판매하는 출점자들이며 손님들이며 자원봉사자들까지, 장터 안 모든 이들이 친구가 되길 원하거든."

송성희의 말을 듣고 보니 마르쉐친구들이라는 이름 하나에도 건강하고 기분 좋은 마르쉐@의 철학이 담겨 있었다. 관계를 두루 살피는 그녀의 삶이 고스란히 느껴졌다.

마르쉐친구들은 시장에서 관계를 만드는 일을 중요하게 생각한다. 사람과 사람이 만나는 곳이 바로 시장 아닌가. 지금은 이런 곳이 점점 사라지고 있어서 이런 문화를 끄집어내고 싶단다. 단순히 물건을 건네고 돈을 받는 관계에 그치지 않도록 말이다.

"우리는 그 농산물을 짓기까지 애쓴 수고와 음식을 만들면서 들인 정성, 그런 것들을 선물한다고 생각하거든. 서로 마음을 주고받는 게 느껴지면 기분이 좋잖아. 그래서 우리 장터를 찾는 손님을 아울러 '친구'라 부르는 거고."

언제부턴가 나는 새로운 가게를 찾아다니기 보다 단골 가게에 가는 게 좋았다. 주인장이나 점원들이랑 소식도 주고받고 내 집처럼 편하게 지낼 수 있는 카페가 좋다. 처음엔 그저 그들이 제공하는 커피나 음식으로 만나지만, 만남이 반복되면 그들과 나 사이에 어떤 관계가 생긴다. 차츰 서로에 대한 관심으로 이어지고 안부도 묻게 된다. 익숙한 관계가 주는 안정감은 삶을 풍요롭게 한다. 그녀도 나와 다르지 않았다. 지난 가을 마르쉐@혜화에서 만난 홍동아지매들은 연신 함박웃음을 짓고 있었다.

"이렇게 가끔 서울 구경 와서 젊은 사람들이랑 이야기도 나누고 또 우리 물건 좋다고 해 주는 분들도 직접 만나니까 참 좋아요."

마르쉐@ 장터는 홍동아지매들에게 즐거운 서울나들이였다. 멀리 홍성에서 새벽같이 달려와도 피곤한 줄 모른다고 할 정도로 말이다. '오월의 과일상자'라는 과일 가게 출점자는 "우리 가게에서 판매할 딸기를 공급해 주실 분을 찾아요"라며 자신의 연락처를 뿌려, 바로 근처에 있는 농부 출점자와 연결되었다. 다음 장에서는 "남은 과일로 잼을 만들 거예요. 우리 과일 잼을 구매할 분을 찾아요"라고 홍보하자 디저트 가게 주인이 마침 잘 됐다며 반갑게 잼을 구매했다.

또 사과 농부가 "다음 주에 우리 사과가 나올 거야."라고 소문을 내면 빵 만드는 파티쉐는 "사과 타르트를 만들어 볼까." 하고 자연스런 협력이 이루어진다. 그럼 다음 장터에서는 어느 과수원 사과로 만든 누구의 타르트를 만날 수 있는 거고.

이렇게 마르쉐@ 장터의 농산물로 요리사들이 맛있는 먹거리를 만드는 풍경은 이제 일상이 되었다. 송성희는 처음부터 이런 관계를 기대했다고 한다. 요리사와 농부가 한자리에 모였을 때 서로에게 새로운 계기가 되는, 계속 보니까 자연스레 신뢰가 쌓이는 관계. 처음엔 참여자들이 서로 낯설고 서먹해하니까 연결해 주려는 노력을 많이 했단다.

"마르쉐@이 계속 꿀벌 같은 기능을 하는 공간이었으면 좋겠어."
송성희는 만남을 직조하는 것이 곧 새로운 일을 직조해나가는 길로 통한다고 말한다. 일에서 중요한 건 '그 일이 진행될 수 있도록 관계를 만들어내는 일'이라는 것이다. 함께 관계를 만들어야 계속 그 안에서 새로운 일이 만들어지고 움직임이 인다.

장터가 끝나도 만남을 직조해나가기

마르쉐@이 여느 장터와 다른 점은 출점자들과의 관계에 있다. 그들에겐 장터가 다가 아니다. 장터를 파하고 출점자들을 진하게 만나는 뒤풀이 시간이 더 중요하다. 뒤풀이에서는 출점자와 자원봉사자, 운영자인 마르쉐친구들이 한자리에 모여 이야기를 나눈다. 그래서였나 보다. 언젠가 나는 장터에서 몇몇 출점자들이 그날 자신들이 준비한 음식이나 농산물이 다 팔렸는데도 끝날 때까지 자리를 지키는 모습을 보았다. 벌써 다 팔렸느냐며 아쉬워하는 손님과 이야기를 나누기도 하고, 장터 곳곳 다른 출점자들의 판매대를 방문하기도 했다. 출점자들끼리 서로를 격려하는 모습도 눈에 띄었다. 끝까지 잔치를 즐기는 그들이 참 멋져 보였다.
"출점자를 찾는 과정에 많은 정성을 쏟았어. 출점자를 정할 때 반드시 직접 만나 인터뷰를 했지. 얼굴 보고 이야기 하다 보면 서로의 지향점이 어딜 향하는지 명확히 알 수 있잖아. 건강한 출점자들 그룹을 만들어야 그 토대 위에 마르쉐@이 지속될 거라고 생각했거든. 출점자와 손님의 관계와 출점자들 간의 관계를 만들기 위한 장치가 매우 중요해. 결국 사람과 사람이 하는 일이니까. 공간도 그래. 서로 두런두런 이야기를 나눌 수 있을 정도의 거리를 두고 판매대를 배치했어."
그게 바로 장터가 파한 후 그들이 피곤한 몸을 이끌고서도 출점자들과 뒤풀이를 진행하는 이유다.

"사실 새벽부터 나와서 계속 뛰어다니면서 몸을 쓰니까 빨리 집에 가고 싶기도 해. 출점자들도 마찬가지일 거고. 특히 요리 팀은 대부분 장터에서 팔 음식을 만드느라 밤을 새우거든. 너나없이 피곤한 상황이지만 뒤풀이를 거른 적은 거의 없었어."

뒤풀이의 백미는 판매되지 않고 남은 음식을 함께 나누는 데 있다. 남은 채소나 과일, 병조림과 반찬 등을 저렴하게 나누어 서로 돌아갈 때 짐을 덜고 필요한 장을 보는 이심전심 상부상조의 현장이 펼쳐진다. 출점자들 사이에서 두 번째 장터가 열리는 셈이다. 나도 자원봉사를 할 때 뒤풀이 모임에 참여한 적이 있다. 출점자들끼리 온종일 같이 고생한 사이라는 연대감이 형성되어서인지 서로를 바라보는 눈빛에 정이 넘쳐났다.

굳이 공동체라고 이름 붙이지 않아도 사람과 사람 사이를 잇고 더불어 사는 삶이 마르쉐@ 장터에 있었다.

마르쉐@ 스타일
디테일이 중요해

마르쉐@의 세심한 운영 원리는 여기서 그치지 않는다. 처음 장터에 갔을 때 눈길을 끄는 신기한 물건이 있었다. 현장에서 물을 적게 쓰면서 바로바로 설거지를 할 수 있게끔 특별 제작한 야외 설거지 개수대였다. 나도 사용해 봤는데 발로 페달을 밟으면 졸졸졸 얇은 물줄기가 나오는 방식이라 물을 많이 쓸래야 쓸 수 없었다. 설거지 개수대가 필요한 이유는 장터에서 일회용 그릇을 쓰지 않기 때문이다.

마르쉐@ 장터에서는 설치하기 쉬우면서 내구성과 이동성을 두루 갖춘 맞춤형 키트가 필요했다. 장터가 어떤 형태고 어떤 내용을 담고 있으며, 참여하는 사람이 어떤 요리를 할지 시뮬레이션하면서 장터에 최적화된 도구들을 제작해 줄 곳이 필요했다. 뜻이 있는 곳에 길이 있다고 했던가.

이런 마르쉐@의 운영 원리에 호응한 '노네임노샵(No Name No Shop)과 연이 닿았다.

가구제품디자인을 전공한 친구들 6명이 만든 노네임노샵은 말 그대로 풀자면 '이름도 없고 가게도 없다'는 디자인 그룹이다. 그들은 오래전부터 이동성이 좋은 가구를 만들어 왔다. 시골 장터에서 할머니들이 바구니에 쪼금쪼금 갖고 나와서 파는 모양새를 생각하며 만든 판매용 테이블 등 장터에서 쓰는 일체의 도구가 그들 작품이다.

마르쉐@은 일회용 그릇 뿐 아니라 쇼핑백 같은 일회용품도 일체 쓰지 않는다. 혹여 집에서 그릇이나 수저를 챙겨오지 못했다면 보증금을 내고 빌리면 된다. 보증금은 그릇을 돌려주면 되돌려 받는다. 그래서인지 여느 장터와는 달리 장터가 끝나도 일회용품이 담긴 쓰레기봉투 더미는 보기 드물었고, 한쪽에 깨끗이 닦인 그릇들만 차곡차곡 쌓여 있었다. 음식을 파는 장터에서 일회용품을 쓰지 않는다는 것은 장터를 이용하는 사람들로서는 많은 불편을 감수해야 하는 일이다.

"초기에는 불평하는 사람들도 많았어. 그릇 보증금이 비싸다고도 하고. 그런 불편에 익숙해졌는지 지금은 일회용품 안 쓰고 그릇 대여하는 일이 마르쉐@의 문화로 자리 잡아가고 있어. 집에서 용기랑 수저를 챙겨오는 사람들도 꽤 늘고 있고. 그런 걸 보면 뿌듯하지."

그들은 무슨 거창한 뜻을 두고 그런 건 아니라고 한다. 그저 장터가 편안하고 쾌적한 공간으로 자리 잡았으면 하는 바람에서 시작했는데, 뜻밖의 수확도 컸다. 그릇을 반납하면서 "맛있게 먹었어요."라고 인사를 건네기도 하고 조리법을 묻기도 한다. 판매자와 손님 사이에 오가는 그런 소소한 이야기는 마르쉐친구들에게 하루의 피로를 씻어주는 선물이다.

좋다는 것을 알면서도 그것을 심지 굳게 지속해나가기란 쉽지 않다. 그럼에도 지켜야 할 가치라고 생각하면 타협하지 않고 밀고 나가는 힘이 마르쉐@을 만들어 가는 이들의 뚝심인 것 같다. 그들은 장터에서 새로운 문화를 만들고 있었다.

서로에게 선물이 되는 시장 마르쉐@

마르쉐@은 야외에서 벌이는 장터다. 한 겨울(1월)과 한 여름(8월)을 빼고는 매달 한 번씩 열린다. 야외 행사를 준비하려면 고된 노동이 따른다. 아무리 즐거운 일이라도 그걸 유지하는 데 힘을 많이 쓰고 또 주변의 기대치가 커지면 애초 의도와는 달리 '일'이 될 수밖에 없다. 마르쉐@이 널리 알려지면서 찾아오는 사람들도, 물건을 내고 싶어 하는 출점자들도 부쩍 늘었다. 여기저기서 인터뷰나 컨설팅 요청도 많아졌다.

나는 그들이 적지 않은 힘을 쏟고 있는 이 일을 왜 사업으로 만들지 않는지 의아했다. 보통 좋아서 시작했다가 일이 잘 풀리면 사업자 등록을 하고 회사를 차리는 경우가 많은데, 이들은 별 움직임이 없었다. 장터를 지속적으로 운영하려면 일정한 수익이 필요할 텐데 말이다.

"마르쉐@은 세 사람의 자발적인 활동이 기본이야. 역할도 딱 잘라 나누지도 않았고, 그때그때 일을 맡는 방식이야. 조직을 만들거나 조직 안에 따로 실무 팀을 구성하거나 그러지는 못하고. 우리 활동을 후원하는 기업이 있고, 함께 실무를 하는 활동가 그룹이 있어."

그렇더라도 규모로 보나 내용으로 보나 좀 더 안정적인 조직이 필요하지 않을까 싶었다. 찾는 사람들이 늘면 지금처럼 일을 처리하기엔 버거울 테니 말이다.

"그럴지도 모르지. 우리도 어떻게 할까를 놓고 고민했어. 사단법인을 만들지 협동조합을 만들지 고민한 적이 있어. 그런데 어떤 형태든 조직을 만들면 유지 관리 비용이 드는데 그런 일에 힘을 쓰지 말자고 이야기가 정리됐어. 무엇보다 세 사람 중 전적으로 그 일을 감당할 사람이 없었어. 나는 십년후연구소를 운영해야 하고 다른 두 사람도 자신의 일이 따로 있잖아. 숙제만 껴안고 있다가 이것은 그냥 '활동'이라고 마음을 모았어."

세 여자는 마르쉐@을 준비하면서 일본 곳곳에서 열리는 작은 시장을 둘러보았다. 일본 파머스 마켓은 농부가 직접 농산물을 들고 나와 판매하는 농부들의 직거래 장터 프로젝트다.

"아오야마 파머스 마켓에 모인 사람들은 정말 끊임없이 얘기를 나누더라고. 생산자는 자신이 가져온 물건을 설명하느라 바쁘고, 물건을 사려는 사람은 또 궁금한 게 많아서 이것저것 묻고. 그런데 영리 업체에서 운영해서인지 장터 출점비가 회당 10만 원으로 좀 비싸더라고."

마르쉐@은 장터 출점비가 1만 원이다. 그리고 10만 원 이상 판매한 참가자들은 판매금액의 10%를 자발적으로 '마르쉐@을 지속하기 위한 운영기금'으로 기부한다. 매달 50팀 정도 참가한다고 하면 출점비는 고작 50만 원이다. 나는 몇 번 출점비 접수 자원 봉사를 하면서 어느 정도 속사정을 알게 되었다. 출점비와 자발적인 지속 가능 기금을 합치면 겨우 행사 진행비 정도 나온다. 아무리 돈 벌 목적이 아니라 해도 이런 식으로 지속적인 운영이 가능할까? 그런 의문에 송성희는 마르쉐@은 사업이 아니라는 말로 답을 대신한다.

"장기적으로는 출점자들에 의해 장터가 독립적으로 운영되길 기대하고 있어. 언제가 될지 알 수 없지만, 꼭 그렇게 되었으면 해. 그래서 생산자 스스로 이곳에서 파는 모든 물품의 가격을 정하도록 하고 있어. 모든 걸 자신들이 책임지는 방식으로 가려는 거지. 우리가 할 일은 정직하게 농사짓는 농부들과, 그들이 생산한 농산물로 만든 음식이 자연스레 만나는 공간을 만드는 거야."

그들은 한 걸음 더 나아가 출점자들과 공동 의사 결정의 방식까지 고민하고 있었다. 올해부터는 출점자들이 운영에 참여하는 구조로 변화를 도모하고 있다. 활동에 참여할 여력이 있는 분들과 함께 시시콜콜 여러 사안들을 같이 풀어가려고 한다. 마르쉐@은 농부와 요리사가 함께 만드는 시장을 공유하고 유지하는 데 가치를 두기 때문이다. "출점자들이 돈을 벌겠다는 마음으로는 지속적으로 나오기 힘들어. 간혹 손님 중에 음식 값이 비싸다는 분들도 있지만 생산비도 못 건지는 출점자도 꽤 있거든. 돈 이상의 가치가 여기 있다고 생각해."

이게 바로 그들이 마르쉐@을 하는 이유다.

마르쉐@에 한 번이라도 가본 사람들은 알 것이다. 장터 자체가 하나의 선물 꾸러미처럼 풍요롭다. 마르쉐@에서 만나는 가장 큰 선물은 자연이다. 일요일 오전이 주는 여유와 공원에서 느끼는 바람과 햇살 그리고 나무 그늘 아래서 누리는 휴식 모두 자연의 선물이다. 각 출점자들이 준비해 온 물품도 그렇다. 또 거기에 모인 사람들의 즐거운 에너지와 건강하고 소담한 장터, 이렇게 웃음과 이야기가 넘치는 공간을 만나는 것 자체가 선물이다. 뭘 사든 선물처럼 여겨지는 건, 그 안에는 우리가 지불하는 돈보다 더 많은 것이 담겨 있기 때문일 것이다.

마르쉐친구들이 장터를 '소유하지 않는 방식'으로 유지한다는 점도 놀랍다. 유통 플랫폼을 소유한 대형 업체들은 대부분 높은 수수료를 챙긴다. 하지만 마르쉐@은 내 가게가 없는 요리사와 수공예 작가, 판로를 찾기 힘든 도시와 지역의 작은 농부들, 이들을 위한 장을 열어주며 모두의 플랫폼을 자처했다. 그런 의미에서 마르쉐@은 마르쉐친구들이 그들에게 주는 선물이며 동시에 도시에 주는 선물이다.

단기간의 이익보다 장기적으로 만들어가는 가치가 얼마나 중요한지를 아는 마르쉐친구들. 우리가 가꾸고 지켜야 할 것들이 무엇인지 아는 그들이야말로 똑똑하게 삶을 즐길 줄 안다는 생각이 들었다. 그래서 나는 마르쉐@이 그 문화를 유지하면서 오래도록 지속될 거라고 믿는다.

공동체적 경영으로 알려진 미국의 작은 건축회사 사우스 마운틴은 '얼마나 더 많이'가 아니라 '얼마나 더 적절하게' 성장하는지를 중요하게 여긴다. 그들은 성장의 척도에 대한 질문에 이렇게 답했다.

"회사를 유지하고 구성원들과 나누는 데, 적절한 이윤인지 모두에게 충분한 급여인지 일의 중요성에 걸맞게 시간이 주어지고 있는지 의사소통이 제대로 이루어지고 있는지, 규제와 고민거리가 지나치지 않은지. 우리의 관심사이다."

그들은 적절한 성장 기준을 그들 스스로 정한다. 흔히 성장이라고 하면 점포가 늘고 매출이 느는 양적인 면을 생각하기 쉽다. 하지만 진정한 성장이란 함께 꾸리는 멤버들이 일을 통해 더 행복하고, 질적으로 성장하는 것 역시 중요한 기준이 되어야 한다. 마르쉐@를 통해서 더 많은 농부와 요리사의 만남이 이루어지고 그것이 새로운 일을 만들어내며, 더 많은 사람이 관계를 만드는 즐거움을 알게 된다면 그게 바로 마르쉐@의 성장을 나타내는 척도일 것이다.

그들의 실험

재미있을 만큼만 일을 키운다

공적인 일과 개인적인 활동의 윈윈(win-win)

십년후연구소처럼 친구들이 모여 일을 벌였지만 십년후연구소와 다른 점은 마르쉐친구들은 각자 생계를 꾸리는 본업이나 다른 활동을 병행하고 있다는 것이다. 그래서 멤버들이 할 수 있을 만큼만 일을 키워가고 있다. 직업으로서의 일은 아니지만 삶에 있어 마르쉐@ 활동은 매우 중요하다. 각자의 일과 마르쉐@ 활동이 상승 작용을 일으키기 때문이다. 마르쉐@은 서로 성장하고 외연이 확장되는 기회를 만들어준다. 그래서 마르쉐@은 일이 아니면서 일이기도 하다. 일과 활동의 중간 어딘가에 위치해 있지만 일만큼이나 중요하다.

우리는 효율을 추구하지 않는다

우리는 기능적으로 분배하지 않고 대부분의 일을 같이 한다. 우리는 효율적으로 일하지 않는다. 그때그때 SNS로 소통하며 결정하고, 몸 쓸 일이 있을 때에도 시간이 가능한 사람들이 조율해서 참여한다. 일을 기능적으로 나눈다면 효율성은 높아질지 몰라도 전체 일에 대한 감을 갖기 어렵다. 물론 여기에도 함정은 있다. 개개인의 피로감이 높다. 일이 좀체 끝나지 않고 밤 12시가 넘어서도 외부의 급한 요청이 있으면 긴급 논의를 해야 한다.

양적으로 성장하지도 않는다. 재미있을 만큼만 일을 키운다.

처음 40팀 정도 시작했는데 현재 60팀가량 참여하고 있다. 음식 25팀, 농부 25팀, 수공예 10팀 정도이다. 참여 신청자들도 많아지고 마르쉐@ 같은 시장을 열겠다며 자문을 구하는 이들도 많다. 기업이나 지자체로부터 자기들의 이름을 걸고 마르쉐@ 행사를 열어달라는 제안도 많이 받는다. '우리와 같이 이벤트를 하면 얼마를 줄게.' 하는 식의 기업 프로모션은 대부분 거절한다. 기업이란 장에 들어가면 이벤트가 돼 버리기 때문이다. 세 사람이 합의하는 대전제, 즉 '생활형 장터를 만들자. 이벤트가 되지 않게', 일상 속의 시장을 만들겠다'는 우리의 방향과 맞지 않으면 하지 않는다.

플랫폼을 만들면 일이 생긴다

마르쉐@은 자기 작업을 하는 이들을 위한 플랫폼이다. 자기 가게가 없는 요리사나 수공예가와 농부들이, 마르쉐@ 장터에서 자기 활동을 알리고 판매 수익을 얻는다.

도시에서는 대형 유통점 중심으로 소비패턴이 바뀌었다. 거기서는 판매와 구매 외에 다른 관계가 생기기 어렵다. 마르쉐@ 장터에서는 물건을 매개로 이야기를 나눌 수 있도록 기획했다. 파는 사람의 이야기, 사는 사람의 이야기가 중요하다. 그런 이야기를 바탕으로 관계가 만들어진다.

시장은 원래 사람과 사람이 만나는 곳이다. 사람들이 모이면 그 안에서 일이 생긴다. 모인 이들 사이에서 세포 분열하듯 새로운 일이 생긴다. 그래서 워크숍이나 출점자 뒤풀이 등 장터에 관계된 사람들의 의미 있는 만남을 만드는 기획에 공을 많이 들였다. 관계는 그런 기획을 통해 생성되기도 하고 생각지 않았던 데서 발생하기도 한다. 그런 우연들도 재미있다.

그렇게 만들어지는 일이 마르쉐@이 참여자들에게 주는 가장 중요한 가치이고, 그것이 마르쉐@이 지속 가능한 이유이다. 서로의 활동이 교차하는 장터, 애정을 가진 사람들이 함께 만들어가는 모두의 플랫폼. 마르쉐@은 시장의 본래 기능과 가치를 계속 살려 나갈 것이다.

마르쉐@혜화에 참여한 출점자와 손님들. 그들 사이에는 이야기가 있다. 물건을 매개로 친구가 되는 시장, 진심으로 안심되는 시장을 만들어 가고 있다.

마르쉐@ 장터에서 볼 수 있는 따뜻한 풍경. 삼삼오오 모여 앉아 먹거리와 이야기를 나눈다.

60여개 출점팀을 한눈에 확인할 수 있는 마르쉐@ 혜화 지도. 여유롭게 구석구석 둘러보기 위해서는 충분한 시간이 필요하다.

먹었던 자리는 스스로 치우고
대여한 식기는 직접 반납한다.

일회용품 쓰레기 없는 시장을
지향하는 마르쉐@. 발생한 쓰
레기는 철저히 분리수거 한다.

현장에서 물을 적게 쓰면서 바로바로 설거지를 할 수 있게끔 특별 제작한 개수대. 발로 페달을 밟으면 졸졸졸 얇은 물줄기가 나오는 방식이라 물을 많이 쓸래야 쓸 수 없다. 가구제품디자인 그룹 노네임노샵의 작품이다.

마르쉐@ 장터에서는 일회용품을 쓰지 않는다. 식기는 보증금을 받고 대여한다.

갖가지 작물의 토종씨앗. 씨앗은 파는 게 아니라 되물리는 거라고 한다. 마르쉐@혜화에서 다양한 토종씨앗을 주고 받는 장터가 열렸다.

마르쉐@은 장터를 좋아하는 수많은 자원활동가와 출점팀들의 참여가 있기에 가능하다.

정성스럽게 지은 농작물과 음식 그리고 작가들이 직접 만든 갖가지 수공예품은 마르쉐@에서 만나는 선물 꾸러미다

이 사람

마음 맞는 친구와 잘 먹고 잘 살고 싶다.

송성희(마르쉐@ 기획자)

귀농해서 살 때 시골살이의 어떤 점이 가장 열광하게 했나?

〈귀농통문〉의 편집장을 할 때였다. 필자 가운데 전남 장흥으로 귀농한 분이 있었는데, 그분의 도움으로 장흥군 용산면 정장마을에 집터를 마련하고 남편과 손수 작은 집을 지었다. 반 마지기 남짓 되는 논을 빌려 벼농사를 지었다. 마을 분들이 보기에는 애들 장난 수준이었지만, 논물에 발을 담그고 손으로 모내기하고, 직접 논에 들어가 손으로 풀을 뽑았다. 농사일이 낯설고 힘겨웠지만 마음은 마냥 즐겁고 흥분되었다.

장흥에 막 내려갔을 땐 이웃집에 머물면서 집을 지었다. 우리 마을은 누군가 이사를 오면 쌀과 김치를 내주는 오랜 풍습이 있었다. 마을에 정착하여 첫 농사를 짓고 수확할 때까지 옆집에서 쌀과 김치를 대주는 걸 당연하게 생각하는 분들이 이웃이었다. 우리가 내려갔을 때도 옆집 아짐이 쌀과 김치를 건네주고 가셨다. 쌀이 있다고 해도 말없이 쓱 두고 가셨다. 이웃들이 서로 사정을 살피며 돕고 사는 것에서 오래된 공동체의 지혜를 엿볼 수 있었다. 나는 지금도 도시로 완전히 돌아왔다고는 생각하지 않는다. 잠시 귀농했던 그곳이야말로 언젠가 내가 돌아갈 곳이라고 생각한다. 우리가 도시에서 하는 일도 결국 함께하고 싶은 삶을 만들어가는 게 아닐까?

먹는다는 게 삶의 중요한 명제라고 했고, 음식을 매개로 한 관계를 중요하게 생각하지 않나. 시골에서 건강한 먹거리 때문에 좋았다고 했는데, 그 얘기를 들려 달라.

시골에서 백성귀족의 삶을 맛보았다. 푸성귀는 흙에서 바로 뽑아서 먹고. 우리 마을에 한 아재가 있었다. 덤프트럭 운전기사로 일하는 야성미가 철철 넘치는 분이다. 하루는 마을 회식으로 횟집을 같이 갔는데 회를 손도 안 대었다. "음식이 안 맞으시느냐, 회를 못 드시느냐" 물었더니 이런 회는 도저히 못 먹겠다며 횟집 아줌마에게 라면이나 끓여 달라고 했다. 이분들이 먹는 회를 먹으러 따라가 봤다. 그때가 한창 갑오징어 철이었는데, 배 들어올 시간에 맞춰 냄비, 라면, 도마에 소주까지 주섬주섬 챙겨서 바닷가로 나갔다. 배가 들어오자 배 위로 같이 올라가서 회로도 먹고, 익혀도 먹고, 오징어 먹물 라면까지 끓여 먹는 풀코스 성찬이 벌어졌다. 이런 게 바로 백성귀족인 거다. 도시에선 불가능한 일이다.

우리 동네 아짐들의 자식들은 대부분 대도시에 나가 살고 있어서, 아짐들은 철철이 농사지은 먹거리를 바리바리 싸서 택배로 부치는 게 일상이다. 늘 하는 말씀이, 서울 사람이 제일 불쌍하다는 거였다. 제일 맛없는 음식을 비싸게 사서 먹는다면서 말이다. 서울 사람이 정말 좋은 건 못 먹고 산다고 생각하는 거다.

마르쉐친구들이라는 이름도 그렇고, 당신의 이야기에는 친구라는 단어가 자주 등장한다. 당신에게 친구는 어떤 존재인가?

나에게 친구라는 단어는 관계의 다른 이름이다. 사회적 관계 또한 친구의 친구로 확장된 개념이다. 사람들이 흔히 일할 때 달을 봐야지 왜 손가락을 보느냐고 말하지만 나에게는 그 손가락도 중요하다. 일의 목적이나 성과 만큼이나 같이 일하는 사람이 중요하다는 말이다. "나는 편협하게 사는 사람이야. 만나고 싶은 사람과 하고 싶은 일 하면서 편협하게 살고 있어." 이렇게 말한다. 관심과 세계관이 다른 사람을 붙들고 설득하고 교화하는 능력이 내겐 별로 없다. 좋은 친구들과 잘 먹고 잘 살면서 늙어가는 것이 목표다. 내 친구들과 함께 시도하고 실험하여 좋은 결과가 만들어지면 그걸 지켜보는 다른 사람도 실험에 동참하거나, 자신의 친구들과 시도하지 않을까 싶다.

마르쉐친구들

2012년 10월에 처음 선보인 도시형 장터. 생산자와 소비자가 직접 만나 대화하며 서로 배우는 시장, 농부와 요리사와 수공예 작가들의 자립적 삶의 기술을 응원한다. 로컬푸드가 모이고 건강한 식문화를 만들어가는 시장, 도시공간에 새로운 활력과 커뮤니티를 만들어가는 시장, 협력하면서 함께 만들어가는 시장을 표방하고 있다. 매월 둘째 일요일 대학로 마로니에공원과 예술가의 집에서 열리는 마르쉐@혜화를 필두로, 명동성당 1898홀에서 열리는 마르쉐@명동과 양재 시민의숲에서 열리는 '마르쉐@양재'를 운영하고 있다.

홈페이지 www.marcheat.net

페이스북 그룹 www.facebook.com/groups/marche.korea

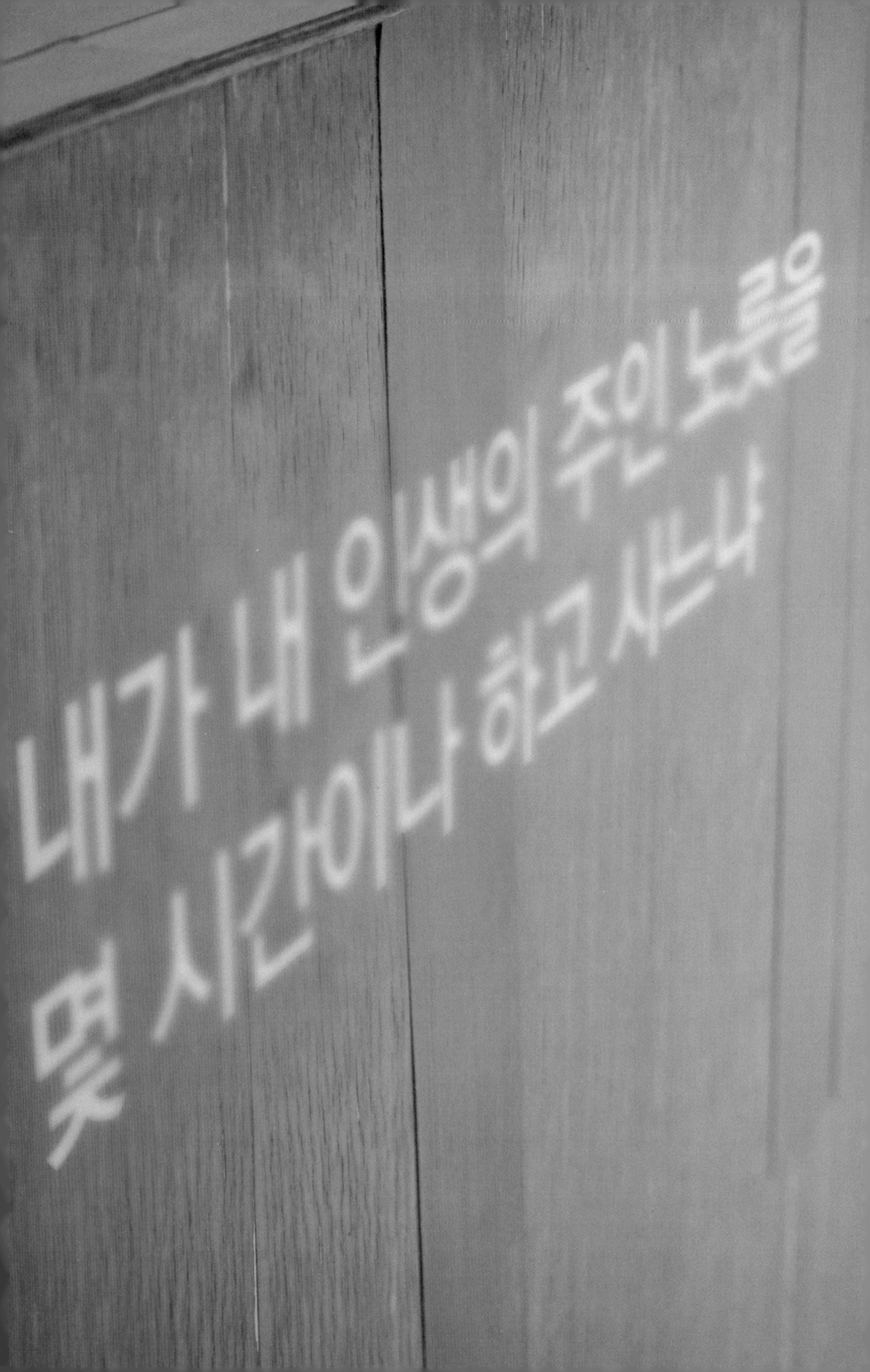
내가 내 인생의 주인 노릇을
몇 시간이나 하고 사느냐

가치가 사업이 될까?

Chapter 03

가치 추구와 월급의 적절한 타협점을 찾다

나의 첫 직장은 아름다운가게라는 비영리단체이다. 아름다운가게는 시민들로부터 옷이나 책과 전자제품 등 쓰던 생활용품을 기증받아 판매하고, 수익금을 지역사회의 저소득층에게 나누는 곳이다. 내가 입사한 2003년만 해도 아름다운가게 매장은 고작 4곳이었는데 지금은 146개에 달한다. 2007년에는 국내 최초로 사회적기업 정부 인증을 받아 비영리단체가 기업으로 인정된 첫 사례가 되었다. 그곳을 그만둔 지 10년이나 됐지만 지금도 아름다운가게에 종종 들른다. 그만큼 아름다운가게는 내 인생길에 중요한 출발선이었다.

무슨 까닭인지 나는 대학 졸업을 앞두고도 취업 준비를 하지 않았다. 불안감이 전혀 없진 않았으나 어떻게든 될 거로 생각했던 것 같다. 지금 생각해도 뭘 믿고 그렇게 유유자적하며 보냈는지 모르겠다. 딱히 믿을 구석이 있는 것도 아니었다. 아마도 어차피 학점이 낮아서 좋은 회사에 취직될 리 없다는 생각이 깔렸던 듯싶다. 취직하려다 떨어졌다고 말하기보다 아예 시도하지 않고 "취직준비 안 했어요."라고 말하는 게 덜 부끄러웠을 테니. 참으로 희한한 나만의 정신 승리법이랄까.

더 근본적인 이유는 따로 있었다. 취직하고 싶은 회사가 없어! 딱 그거였다. 가고 싶은 회사도 하고 싶은 일도 별로 없었다. 사회학 전공으로 딱히 정해진 직업의 길은 없었다. 인문학 전공자는 상식이나 외국어 공부를 열심히 해서 신문사나 방송국에 취직하거나 아예 고시를 봐서 공무원이 되는 경우가 많다. 혹은 기획팀이나 인사팀 등 기업의 사무직에 취직하기도 한다. 어느 쪽도 매력적이지 않았다. 그냥 돈이 있다면 세계 여행을 좀 다녀 보고 싶다는 생각은 있었다. 문제는 돈이 전혀 없었다는 것이다.

졸업하고 몇 개월간 백수로 집에서 뒹굴뒹굴하다가 선배로부터 아름다운가게라는 곳에서 사람을 뽑는 데 지원해 보라는 말을 들었다. 당시 나는 아름다운가게도 아름다운가게를 만들었던 박원순 상임이사(현 서울시장)에 대해서도 전혀 알지 못했다. 다만 그곳에서 하는 일이 무척 의미있는 일이라는 말을 듣고는 해 보고 싶다는 생각이 들었다.

학교 다니면서 여학생회 활동을 하긴 했지만, 박봉에다 일은 엄청 많은 시민단체에서 일할 정도로 싸우고 싶은 대상이 있거나 정의감에 불타는 것도 아니었다. 어차피 회사에 취직하고 싶은 마음도 없던 차에 아름다운가게는, 사회적으로 의미 있는 일을 하면서도 어느 정도 월급을 받을 수 있는 적절한 타협점이었다.

박원순 상임이사 앞에서 면접을 볼 때와 첫 출근해서 일을 시작할 때의 장면이 아직 기억에 생생하다. 면접을 볼 때, 생산관리팀에 지원한 나에게 박원순 상임이사가 물었다.

“아니 왜 아름다운가게에 들어오려고 해요? 진짜 헌 물건 분류하고 손질하는 일을 할 거예요? 일이 쉽지 않을 텐데.”

남들이 나름 괜찮다 하는 대학을 졸업한 젊은 처자가 이런 일을 하겠다고 지원한 게 이상했던 모양이다. 당시만 해도 헌 물건을 다시 쓰고 교환하는 일은 흔치 않았다. 남이 쓰던 물건을 쓰는 것은 꺼림칙하다고 생각했고 그런 일은 가난한 사람들이 하는 일이라고 여겨졌다. 하지만 나는 열심히 준비한 대로 내가 생각하는 아름다운가게의 가치에 대해 줄줄 떠들었다.

“상품이 넘쳐나고 매일 새 물건을 사도록 유혹하는 세상에서 헌 물건의 가치를 되살리고 그 수익금을 저소득 지역사회 주민에게 순환하는 일에 기여하고 싶습니다."

그러면서 "하고 싶어서 지원했는데 어째서 진짜 일할 생각이 있느냐고 물으세요?" 하고 되물었다. 나의 당돌함이 마음에 드셨는지 아니면 나 말고 지원한 사람이 없어서인지, 어쨌든 나는 아름다운가게에 들어갔다.

출근하자마자 상자에서 쏟아져 나온 옷이며 가방이며 장난감이나 그릇 등 각종 잡화를 물품 분류표에 따라 분류했다. 한여름에 에어컨도 없는, 사무실인지 창고인지 모를 애매한 곳에서 먼지 폴폴 날리는 물건을 온종일 정리하면서도, 나는 즐거웠다.

내가 하는 일이 지구를 위한 일이고 어려운 이웃을 도울 수 있는 일이라고 생각했다. 일은 고되고 일반 회사만큼 월급을 받진 못해도 스스로 하는 일에 떳떳하다고 여기니 만족스러웠다.

아름다운가게에서 좋은 친구와 선배들을 많이 만났다. 그때 함께 일했던 사람들은 모두 나처럼 우리가 하는 일의 가치에 대한 확신과 자신감이 있었다. 물론 그 안에서 다툼도 있었지만, 함께 고생하며 하나의 가치를 위해 일하는 동료라는 믿음이 있었다. 나에게는 그것이 매우 중요했다.

아름다운가게에서 친하게 지내던 몇몇 사람들과 일주일에 한 번씩 공부를 했다. 같이 공부했던 이들은 젊은층이었는데, 우리는 도시 전체가 텃밭인 쿠바의 아바나에 대한 이야기 『생태도시 아바나의 탄생』이며 일본의 풀뿌리 지역운동 이야기 『어리석은 나라의 부드러우면서도 강한 시민』 같은 책들을 함께 읽었다.

아름다운가게에서 재활용예술상품을 개발하던 선배 윤영주는 홍대 앞에서 조윤석과 함께 희망시장을 열었던 이다. 십년후연구소의 조윤석과 송성희도 그녀 덕분에 알게 되었다. 윤영주는 나에게 '프라이탁'이라는 스위스의 한 회사에 관한 이야기를 하며 자기도 그런 일을 하고 싶다고 했다.

프라이탁은 재활용 소재로 가방을 만드는 회사이다. 비오는 날 자전거를 타면 늘 가방이 젖어 고민이었던 프라이탁 형제는 도로 위를 달리는 트럭 방수포를 보고 메신저 백을 만들게 되었다. 형제는 5년 이상 사용된 트럭 방수포와 폐차에서 나오는 자동차 안전벨트로 가방을 만들었다. 가방을 제작하는 데 필요한 물의 30%는 빗물을 받아서 사용하고, 공장에서 쓰는 에너지의 50%는 재활용 에너지로 사용한다.
프라이탁이 비싼 가격에도 불구하고 사람들의 마음을 사로잡은 이유는 무엇보다 멋진 디자인 덕분이다. 새로 제작한 원단이 아니라 수거한 방수포로 만들기 때문에 똑같은 패턴의 제품이 하나도 없다. 당연히 특별할 수밖에 없다.
프라이탁 이야기를 들으며 나는 한국에도 이런 멋진 회사가 있으면 좋겠다고 생각했다.

세 번째
나의 실험

공익 콘텐츠를 발굴하다: 사회혁신을 꿈꾸는 작은 회사들

마음을 살 수 있는 건 바로 이야기다

박원순 상임이사는 아름다운가게 간사들에게 이야기의 힘을 누누이 강조했다.

"사람들은 신문이나 뉴스에서 항상 사건 사고나 사기 같은 부정적인 이야기만 접하고 있어요. 그러잖아도 먹고살기 힘든 세상에 아침부터 밤까지 그런 이야기만 듣는다면 희망을 품을 수 있을까요? 우리가 미담신문을 만들어서 아름다운 이야기를 알리면 얼마나 좋겠어요. 우리만의 따뜻한 이야기가 불신과 불만으로 가득한 사회에 신뢰를 갖게 하지 않겠어요."

우리는 기증품에 담긴 사연과 자원봉사자의 소소한 이야기나 재미있는 사건을 홈페이지의 '그림담집 이야기'라는 자리에 소개했다. 한번은 돌아가신 아버지의 유품이라는 메모와 함께 바지와 와이셔츠 등 옷이 차곡차곡 담긴 상자가 들어왔다. 그런 물건을 접할 때는 알 수 없는 묘한 감정이 일곤 했다. 누군지 모르지만 그 분의 사연과 내가 느낀 마음을 이야기로 잘 전달하고 싶었다. 하지만 참 어려운 일이었다. 혹시 돌아가신 분에게 누가 되지 않을까 싶어서 글자 하나 마침표 하나에도 온 신경을 썼다.

아마 아름다운가게가 짧은 시간에 널리 알려질 수 있었던 이유 중 하나는, 홈페이지와 여러 책자에 꾸준히 이야기를 소개해 사람들의 공감을 얻었기 때문일 것이다.

네이버로 직장을 옮겨 해피빈이라는 공익 포털 사이트를 운영할 때도 이야기는 나에게 중요한 화두였다. 당시 블로그나 카페 서비스에서는 여행이나 요리, 미용 등 개인의 관심사를 다룬 글이 한창이었다. 그뿐만 아니라 산악자전거와 DSLR 카메라, 마케팅 기술 같은 어느 정도 전문성을 필요로 하는 분야에서도 다양한 정보성 콘텐츠가 올라왔다.

그런 활동을 보고 우리 팀은 공익단체도 자신들의 이야기를 잘 풀어내면 그들의 활동에 공감하는 많은 지지자를 만들고, 기부로까지 이어질 수 있을 거로 생각했다. 그런데 막상 일하다 보니 공익단체들에게서 현장의 생생한 이야기를 끌어내기가 쉽지 않았다. 잘 알려진 몇몇 기관을 제외하고는 대부분 몇 명의 활동가와 자원봉사자로 이루어진 아주 작은 단체였다. 그들은 자신들의 활동을 다른 사람의 공감을 얻어낼 이야기로 만들 여력이 없었다. 메일을 보내고 전화도 하는 등 재촉한 끝에 간신히 받은 글은 딱딱한 내용들이었다. 마치 기관에 제출하는 제안서 같이, 프로그램명에 서비스 대상자는 누구 예산은 얼마 하는 식으로 기본적인 정보만 채워져 있었다.

그래도 포기하지 않았다. 재미있는 이야기가 나올 만한 단체를 뽑아 직접 글쓰기 교육 프로그램을 진행했다. 그런 과정을 통해 몇몇 단체는 인터넷 소통에 대한 감을 잡아 그들만의 이야기로 사람들과 소통하면서 모금 성과를 보이기도 했다. 현장에서 땀 흘리며 헌신하는 그들의 진솔한 이야기는 사람들의 마음을 움직였다.

하지만 그런 단체는 5,000 군데 중에 30여 군데 정도밖에 되지 않았다. 자신들의 이야기를 잘 쓰기만 하면 많은 네티즌에게 소개할 좋은 기회일 텐데, 답답한 노릇이었다.

꿈틀대는 변화의 흐름 그 중심에 청년들이 있다

이후 나는 네이버 메인페이지에 공익 콘텐츠를 선정해서 소개하는 일을 맡았다. 그러면서 복지단체나 공익단체 활동뿐 아니라 더 나은 세상을 만드는 다양한 움직임을 소개했다. 당시에는 사회적기업, 소셜벤처, 마을기업, 공유경제, 셰어하우스, 귀농, 도시농업, 슬로라이프, 열린 인터넷, 공동체 등의 키워드가 사회적 이슈로 떠올랐다. 영리기업과 비영리단체의 중간 형태인 사회적기업이나 소셜벤처는 혁신적인 방법으로 빈곤이나 환경 등의 사회 문제를 풀어가는 사업을 추구한다.
주거 비용을 해결하기 위해 주방이나 욕실 등을 함께 쓰는 새로운 주거 형태인 셰어하우스 모델도 속속 등장했다. 또 도시에서는 기본적으로 높은 소비 생활을 버릴 수 없으니 농촌이나 도시 근교로 이주하는 움직임도 눈에 띄게 늘었다. '이윤극대화가 아니라 사회가치 증진이 중심이 되는 경제'를 뜻하는 '사회적경제(Social Economy)'라는 말도 새롭게 등장했다. 원래 경제를 뜻하는 영어 '이코노미(economy)'는 가정관리술을 뜻하는 라틴어 오이코노미아(oeconomia)에서 유래했다. 경제라는 말은 어원적으로, 가정이 잘 유지되고 조직 구성원들이 잘 살도록 하는 기술이라는 의미를 담고 있다. 그렇다면 우리는 성장이나 효율이라는 말을 중심으로 '경제'라는 용어를 너무 협소하게 쓰고 있었던 건 아닐까?
그런 점에서 함께 잘 살기 위한 새로운 움직임들은 경제라는 말의 원래 의미로 돌아가는 듯 보였다.

매년 무섭게 오르는 전셋값과 바쁜 직장인의 삶과 소비 중심의 생활방식, 가속화되는 지구온난화와 환경파괴. 이런 사회적 이슈는 당시 내 고민과도 맞닿아 있기도 해서 자연히 관련 사례들을 찾아 소개하는 일에 더 열심이었다. 내가 언제까지 바쁜 직장인으로 살 것인가, 왜 매년 전세값은 무섭게 뛰는 건가? 이런 문제에 골몰해 있을 때, 내 또래 청년들은 이미 '어쩌면 가능할지도 모른다'고 생각해 온 의미 있는 실험을 하고 있었다. 아무거나 할 수 있는 카페를 차려서 이런저런 꿍꿍이를 벌이는 '어쩌면 프로젝트', 대학교를 돌며 전공 서적 벼룩시장을 열었던 '테이블 마운틴', 서점이 하나씩 사라지는 마당에 동네에 헌책방을 열어 각종 소모임과 뮤지션들의 공연도 하는 '이상한 나라의 헌책방'. 이런 사례를 접하면서 나도 회사를 그만두고 저런 걸 시도해 보고 싶다는 생각이 들기도 했다.

청년들은 일자리를 찾아 헤매고, 자영업자들은 사업이 안 된다며 아우성치는 우리 사회에서 이런 대안적인 실험들이 나오는 건 참으로 다행한 일이다. 그런 흐름을 이끄는 사람들 중에 나와 비슷한 또래의 청년들이 많다는 것도 무척 고무적이었다.

다시 이야기 사냥이 시작되다

나는 매일 여러 공익 사례를 네이버 메인페이지에 소개했다. 뉴스 기사나 사회적기업을 지원하는 기관 등에서 관련 소식을 접하긴 했지만, 현장에서 직접 일을 만들어가는 이들의 이야기를 찾는 건 쉽지 않았다. 다시 나의 이야기 사냥이 시작되었다.

당시 신발 한 켤레가 팔릴 때마다 빈곤 지역 아이들에게 한 켤레씩 기부하는 탐스슈즈 이야기가 이슈로 떠올랐다. 마음에 드는 신발을 구매하는 행위만으로도 좋은 일에 동참하는 일이라 많은 이들의 공감을 얻었다. 대형 할인점과는 다른 방식의 1+1인 셈이었다. 제품에 담긴 취지뿐만 아니라 단순하면서도 세련된 디자인 때문에 탐스슈즈는 지금도 인기다.

나는 새로운 방식으로 사회 변화를 꾀하는 그런 이야기를 찾기 위해 매일같이 인터넷의 바다에 푹 빠졌고, 사회적기업과 소셜벤처 행사나 모임을 쫓아다니기에 바빴다.

부지런히 발품을 팔면서도 그 흐름을 더 잘 이해하기 위해 관련 책들도 많이 읽었다. 그때 만난 『세상을 바꾸는 대안기업가 80인』이란 책은 무척 인상적이었다. 두 프랑스 청년이 세계 곳곳의 대안 기업가를 찾아다니며 인터뷰한 내용이다.

첫 장에 "우리의 눈을 현실에 고정시키는 회의적이고 냉소적인 태도로는 세계가 안고 있는 문제들을 해결할 수 없다. 우리에게는 이전에는 절대 존재하지 않았던 것들을 상상할 수 있는 사람들이 필요하다."라는 존 F.

케네디의 말이 나온다.

나는 이런 사회적 가치를 실현하는 기업을 가까운 곳에서부터 찾고 싶었다. 분명 한국에도 회의와 냉소가 아니라, 반짝이는 눈과 뜨거운 심장으로 다른 미래를 상상하는 사람들이 있을 거라 믿었다. 그들의 도전과 실험적인 삶을 더 많은 이들에게 소개하고 싶었다. 직접 뛰어들 용기는 없었기에 그들의 이야기를 발굴하는 데 더 열성이었는지도 모르겠다.

좋은 의도를 넘어 위대한 혁신으로 〈베네핏 매거진〉

어느 날 공정무역이라는 키워드로 인터넷 검색을 하다 웹진 〈베네핏 매거진〉(Benefit Magazine)을 알게 되었다. 이 잡지는 국내외 소셜벤처와 사회적기업의 사례나 그런 일을 만들어가고 있는 사람들의 인터뷰를 싣고 있었다. 베네핏 매거진의 글을 훑어보면서 '내가 찾던 콘텐츠가 바로 이거야. 심봤다!' 하고 쾌재를 불렀다. 어떤 사람들이기에 아무런 대가 없이 이런 좋은 글을 제공할까? 나는 바로 홈페이지에 있는 운영자 연락처로 메일을 보냈다. '베네핏 매거진의 이야기를 네이버 메인페이지에 종종 소개하고 싶다. 당신들이 누구인지 궁금하다. 한번 만나고 싶다'는 내용을 보냈더니 바로 회신이 왔다.

페인트 냄새가 진동하는 베네핏 매거진의 사무실에는 달랑 책상과 의자만 놓여 있었다. 그들은 이제 갓 사업을 시작한 새내기였다. 조재호 대표를 처음 만났을 때 너무 어려보여서 깜짝 놀랐는데 아니나 다를까 아직 대학 졸업도 하지 않은 휴학생이었다.

"대학 시절, 해외의 공정무역 사례를 접하고는 그것이 사회를 바꾸는 혁신적인 방법이 될 수 있겠다고 생각했어요. 전 세계적인 빈부 격차를 해소할 수 있지 않을까 하고요. 공정무역을 알리는 미디어를 만들고 싶어서

휴학하고 창업하게 됐어요."

매일 인터넷에서 이야기를 찾아 헤매던 나는 딱 맞는 파트너를 만나 무척 든든했다. 그들도 네이버 메인페이지에 자신들의 콘텐츠를 소개할 수 있다고 하니 무척 반가워했다. 그렇게 해서 베네핏 매거진의 적정기술이나 공익 비즈니스와 공익 캠페인 같은 사회를 바꾸는 흥미로운 이야기가 매일 네티즌들과 만나게 되었다.

이야기가 사업이 되다 '사람바이러스'

어느 날 사람바이러스(Saram Virus) 블로그에서 '홀스티'(Holstee)라는 공정무역 지갑 이야기를 접했다. 사람바이러스는 가치 지향적인 사람을 인터뷰해서 소개하는 블로그다. 홀스티는 인도의 쓰레기 중 폐지와 폐비닐만 따로 미국으로 가져와 재활용 상품을 만들어 판매하는 공정무역 기업으로, 인도의 비영리단체와 제휴하여 쓰레기 치우는 일을 업으로 살아가는 불가촉천민들에게 공정한 임금을 주고 교육과 건강관리를 돕고 있었다.

일반적으로 쓰레기는 선진국에서 후진국으로 수출되곤 하는데, 인도의 쓰레기가 미국으로 보내지고, 그 쓰레기로 지갑을 만들어 판매까지 한다니 정말 멋진 발상이지 않나. 나는 이 이야기를 네이버 메인페이지에 소개했다. 그러자 많은 네티즌이 수많은 댓글로 공감을 표했고, 급기야 한국에서 홀스티 지갑을 구할 방법이 없는지 문의가 이어졌다.

네티즌의 반응에 신이 난 사람바이러스의 운영자 노루토와 으뜸은 해당 단체와 직접 연락해서 홀스티 지갑을 해외 공동구매하기로 했다. 그런 이야기도 네이버에 소개하자 많은 네티즌이 구매에 참여하여 홀스티 지갑 50개를 주문했다. 사람바이러스는 공동구매를 진행하면서 그 과정과 결과를 꼼꼼하게 기록하여 네티즌에게 지속적으로 소개했다.

그전에도 공정무역 제품을 여러 번 소개했지만 직접 해외 공동구매로 이어진 건 처음이었다. 사람바이러스의 관심으로 알려지게 된 홀스티 지갑, 그 이야기에 마음이 끌려 더 많은 이들에게 소개한 나의 일, 그 일에 반응하고 구매에 참여해 준 많은 네티즌.

때론 이런 작은 움직임이 사람들의 삶을 변화시키는 큰 계기가 되기도 한다. 이후 노루토와 으뜸은 미국 뉴욕에 있는 홀스티 본사를 찾아가 시이오를 직접 만났고 홀스티의 한국 공식 딜러가 되었다.

역시 이야기는 힘이 세다.

사람들을 잇는 소셜멘토링, 잇다 '레디앤스타트'

추운 겨울, 대학교 정문 앞에 달랑 테이블 2개를 놓고 전공 서적 벼룩시장을 열고 있다는 두 청년의 이야기를 들었다. 아직 정식 회사는 아니었지만 그들은 '테이블 마운틴'(Table Mountain)이라는 이름으로 자신들을 소개했다. 테이블 마운틴은 남아프리카공화국 케이프타운 시내를 병풍처럼 둘러싼 산인데, 정상부가 다른 산처럼 뾰족하지 않고 테이블처럼 평평하단다. 두 청년은 잘난 한두 명에게만 허락된 곳이 아닌 여럿이 함께 정상에서 멋진 경치를 누리는 세상을 꿈꾸며 산 이름을 그대로 따왔다. 그들의 첫 프로젝트는 한 권에 몇만 원씩 하는 전공도서를 돌려볼 수 있도록 하는 것이었다.

그들의 이야기를 네이버에 소개한 인연으로 우리는 친구가 되었다. 이후 두 청년은 대학생 직업멘토링 서비스 '소셜멘토링 잇다'를 운영하는 '레디앤스타트'(Ready & Start)라는 기업을 만들었다. 개인적으로 테이블 마운틴이라는 이름에 담긴 의미가 좋아서 회사 이름을 바꾸지 않으면 안 되느냐고 농담 반 진담 반으로 말했지만, 나의 애정 어린 요청은 먹히지 않았다.

우리나라 사교육 시장은 대입을 넘어 취업 시장까지 파고 들어왔다. 벌써 4년 차가 된 레디앤스타트는 이런 사회 분위기 속에서 유용한 취업 준비 프로그램을 만들어 대학생들에게 무상으로 제공하고 있다. 또 사회 선배들과 대학생을 이어주는 멘토링 프로그램도 운영한다. 대학생들이 소셜 멘토링 잇다에 등록된 멘토 중 관심 분야에서 일하는 선배에게 온라인으로 취업 관련한 고민이나 질문을 올리면 해당 멘토가 성심껏 조언해 주는 프로그램이다. 두 청년은 멘토를 찾기 위해 직접 사람들을 만나러 다녔다.

나도 초창기부터 멘토로 참여하고 있다. 취업 준비생들의 질문에 답하다 보면, 나에게는 별로 특별할 게 없는 지식도 대학생들에게는 유용한 정보가 된다는 사실을 알았다. 멘토링에 참여하며 대학생들에게서 감사 메시지를 받았을 때, 그들에게 필요한 건 정보만이 아니라는 생각이 들었다. 자신들의 고민을 들어주고 꼭 정답은 아닐지라도 조언해 줄 누군가가 있다는 사실 자체가 큰 힘이 된다는 걸 알았다. 내 보잘것없는 조언에 감사하다며 보내 온 진심 어린 그들의 답장을 보면 언제나 마음이 짠하다.

"뭐, 쉽지 않네요."

조윤진 대표는 가끔 나에게 어려움을 털어놓곤 했다. 사업가로서의 면모를 갖추기 전에 만난 사이여서인지, 그는 사업하면서 어려운 점을 스스럼없이 꺼내놓았다. 때론 새로운 프로젝트에 대한 구상도 들려주었다.

얼마 전부터 그는 "오늘도 달렸다"는 글을 페이스북에 올리고 있다. 바쁜 일상 속에서 정기적으로 한강을 달리는 프로젝트다. 그의 글은 나에게 한강을 달렸다기 보다 '오늘도 치열하게 아낌없이 나아갔다'는 이야기로 들렸다.

우리는 인터넷을 통해 수많은 사람과 연결되어 있지만 동시에 단절되어 있다는 외로움을 느낀다. 그래서 자신들의 이야기와 다른 사람을 잇는, 마음과 마음을 이어주는 사람들이 소중하게 다가온다. 나에게도 '잇기'에 참여할 수 있는 기회를 주어 참 고맙다.
그들이 현재 잇고 있는 또 잇고 싶은 세상은 산꼭대기에 오를 특별한 한 사람을 위한 것이 아니다. 다 함께 손잡고 천천히 정상에 올라 멋진 경치를 감상하는 그런 세상이 아닐런지.

관계가 생기면 그 자체의 힘으로 일이 굴러가더라

내가 내 마음을 움직인 이야기를 더 많은 이들과 공유했던 것처럼, 그들도 이야기의 힘을 믿는 사람이었다. 이런 일의 가치를 믿는 사람이 있다는 게 감사했다.
영화나 쇼핑, 요리와 유머 등 실용적이거나 흥미 위주의 가벼운 읽을거리가 대다수인 포털 사이트 메인페이지에 공익 콘텐츠를 소개하는 것은 매우 의미 있는 일이라고 생각했다. 이런 이야기가 사람들로 하여금 자신에게서 다른 사람 혹은 사회로 관심과 시선을 돌리게 할 거라고 믿었다.
나는 매일 얼마나 많은 사람이 이 글을 클릭해서 보는지 지표를 점검했다. 글 한 편에 몇십만 클릭 수를 기록하는 유머나 웹툰에 비해 공익 콘텐츠는 상대적으로 반응이 크지 않았다. 아무리 자부심을 느끼는 일이라 해도 가끔은 힘이 빠지기도 했다. 하지만 이런 이야기는 단기적인 지표와 관계없이 사람들의 마음에 남아 언젠가 혹은 어디선가 힘을 발휘할 거라고 믿었다. 내가 그랬듯이.

"행복하게 살고 싶다면 행복한 사람 옆에 가고 건강하게 살고 싶다면 건강한 사람을 옆에 두라"는 말이 있다. 가치를 위해 일하고 활동하는 사람을 만나 그들의 이야기를 접하면서 적잖은 에너지를 받았다. 나에겐 분명 행운이었다.

친구와 셋이서 시작한 베네핏 매거진은 직원이 20명으로 늘었고, 사업 영역도 영상 제작과 기업사회공헌 컨설팅으로 확장되었다. 사람바이러스는 공정무역이나 사회혁신 제품을 구매하는 공동구매 사이트 '덩 프로듀서'(DUNG PRODUCER)를 오픈해서 운영하고 있다. 레디앤스타트도 7명으로 식구가 늘었고, 400명이 넘는 멘토와 함께하고 있다. 후배에게 들려주는 선배들의 경험은 값으로 매길 수 없는 소셜멘토링 잇다의 큰 자산이다.

처음 이야기를 찾아다닐 때 맺은 관계는 다른 관계로 확장되었다. 사회적 기업을 하거나 소셜벤처를 하는 사람들의 네트워크 모임에 나가 얘기를 나누다 보면 "어 그 사람 알아요? 내 친구예요." 이런 식의 반가운 대화가 자주 오갔다. 한 명을 만나면 또 다른 사람을 소개해 주었다. 그렇게 꼬리에 꼬리를 물고 자연스레 다른 사람의 이야기로 연결되었다.

그들의 실험이 이제 나의 실험으로

그때 내가 소개했던 이야기는 그들의 실험이지만 한편으론 나의 실험이기도 했다. 이야기의 힘과 그것을 통해 움직이는 사람들의 마음, 그리고 그 마음이 만드는 어떤 관계들. 바로 관계의 힘을 믿던 나의 실험이었다. 그 과정에서 내 일과 그들의 실험이 함께 성장했다고 생각한다. 일로 만나 때로는 개인적인 친분 관계로 이어지기도 했고 그저 아는 관계로 남기도 했다.

인터넷으로 소통했지만 우리는 보이지 않은 망 속에서 움직이고 있다는 느낌이 들었다. 돈만 버는 데 만족하지 않고 더 나은 세상을 만들고 싶은 꿈을 가진 친구들. 회의와 냉소가 아닌 뜨거운 가슴으로 자기 일을 만들어가는 사람들. 그들의 보이지 않은 에너지망에 나도 동참했다는 사실이 뿌듯했다. 그때 만난 인연 덕분에 지금 이 책을 엮을 수 있는지도 모른다.

앞으로 책은 나를 또 어떤 이야기와 관계로 연결해 줄까?

영화 〈죽은 시인의 사회〉에서 키팅 선생은 수업시간에 갑자기 교탁 위로 올라간다. 자신이 그 위에 올라선 이유는 사물을 다른 각도에서 보기 위해서라고 말하며 아이들에게 교탁에 올라가 보라고 한다. 처음엔 머뭇거리던 아이들이 하나둘 교탁에 올라가자 그는 어리둥절해 하는 아이들을 향해 말한다.

"어떤 사실을 안다고 생각할 때도 사물을 다른 각도에서 보려고 노력해야 한다. 바보 같은 일일지라도 시도해 봐야 한다. 책을 읽을 때 저자의 생각만을 보려 하지 말고 자신만의 생각을 가져라. 자신만의 목소리를 찾으려고 싸워야 한다."

키팅 선생은 자신만의 신념을 지키기 위해서 항상 깨어있어야 한다고 이야기한다. 우리는 평소 자신만의 소신을 잘 지키다가도 학교 선택이라든지 취업과 결혼 같이 자기 삶의 중요한 지점에 맞닥뜨리면, 자기 소신보다 사회적 기준에 맞춰 선택하게 된다. 사회 속에서 자신이 믿는 바를 지키면서 살기는 쉽지 않다.

덴마크 학생들은 인문계 고등과정(김나지움)이나 직업학교에 가기 전 1년간 진로를 탐색하는 시간을 가질 수 있다. 하지만 우리의 경우, 초등학교에서 대학교까지 쉼없이 촘촘한 계단을 올라가야 한다. 일을 하게 되어도 장기간 휴가를 내기 어렵다.

사람들은 쉬고 싶어하면서도 쉬는 것을 두려워한다. 우리에게도 삶의 중요한 시기에 자기 삶을 돌아보고 미래를 계획할 충분한 시간이 필요하다. 자신의 목소리에 귀기울이는 시간 말이다. 회사를 그만둘 때 한 선배가 나에게 부러운 듯이 이렇게 말했다.

"나는 회사에서 만나는 친구 말고는 다른 관계가 없어. 회사를 그만두면 더 외로워지고 고립되지 않을까 하는 두려움이 있는데 너는 그렇지 않아서 좋겠다."
"언니도 할 수 있어. 주변에 찾아보면 같이 뭔가를 할 수 있는 사람들이 있을 거야."라고 대답했지만 내 일이 아니라서 쉽게 얘기한 건 아닌지 모르겠다. 회사를 그만두고 공부를 계속하면서 그때 얘기가 뇌리에 떠올랐다.

나는 곧 나처럼 회사를 나와(혹은 그만둘 예정으로) 다른 삶을 꿈꾸는 사람들을 위한 책 모임을 열 예정이다. 어쩌면 '작은 인생학교'라고도 할 수 있겠다. 변화를 꿈꾸지만 방법을 몰라 주저하는 이들이 각자의 문제를 함께 고민하는 자리를 만들고 싶다. 내가 도움받았던 많은 책들을 함께 읽으며 서로의 길을 찾는 과정이 될 것이다. 책은 내가 어떻게 살아야 하나 고민할 때, 서로 돕고 사는 삶을 보여 주면서 내 인생의 훌륭한 길잡이가 되었으니 말이다. 성미산 마을처럼, 좋은 공동체 모델을 탐방하고 함께 새로운 그림을 그려보는 것도 재미있을 것 같다.
삶의 중요한 전환점에서 길을 잃고 힘들어하는 이들이 많다. 함께 길을 찾아간다면 덜 불안한 상태로 조금 더 나은 선택을 할 수도 있다. 그런 함께 길 찾기의 과정이 내가 생각하는 작은 인생학교이다. 따뜻하고 즐겁게 그 길을 만들고 싶다.

나의 실험도 성공할지 실패할지 모른다. 앞서 소개한 많은 사회혁신 기업들 역시 긴 안목으로 보면 아직 시작 단계이다. 그런 회사나 실험이 얼마나 가겠느냐며 의심의 눈초리를 보내는 이들도 있을 것이다. 누구라도 실패할 수 있다. 물론 실패를 반길 사람은 없겠지만 그것이 중요한 첫 단추가 될 수도 있고, 또 누군가에게는 말로는 배울 수 없는 값진 경험이 되기도 한다. 그런 실패와 일어섬의 과정을 거쳐 몇백 년을 이어가는 회사가 될지는 아무도 모를 일이다. 어려운 여건에서도 꿋꿋하게 가치와 의미를 잃지 않고 나아가는 기업이 우리 사회에 존재한다는 사실만으로도 희망을 가져 볼 수 있지 않을까?

그 래 서
만 났 다

05

오르그닷

혹독했던 그들의 창업 이야기

2014년 초 겨울이 끝날 무렵, 어느 날 혼자 광화문 사거리를 지나 서울역사박물관 쪽으로 뚜벅뚜벅 걸어가고 있었다. 제법 쌀쌀한 바람을 맞으며 걷다가 우연히 영화 포스터 〈미스터 컴퍼니〉에 눈길이 머물렀다. 포스터에는 두 남자가 '우리 창업했어요'라는 글귀를 사이에 두고 웃고 있었다. 어라! 어디서 많이 본 얼굴이었다.

영화관 가까이 다가가자 둘의 얼굴이 선명하게 보였다. 바로 대학 다닐 때 학교에서 종종 보던 선배들이었다. 그중 한 선배는 잠시 네이버에 다닌 적도 있었다. 그들의 창업이야기는 익히 들어 알고 있었지만 영화로까지 만들어지다니…. 곧장 영화관 안으로 들어갔다. 단지 아는 선배들이 나오기 때문만은 아니었다. 창업이야기에다 그것도 내가 아는 두 남자가 주인공이었고, 한창 '어떤 일을 하고 사는 게 잘 사는 걸까?' 고민하던 내게 영화 포스터는 어서 오라고 나를 이끌었다.

〈미스터 컴퍼니〉는 친환경 패션디자인 전문업체 '오르그닷'과 그것을 만들어간 사람들의 이야기다. 영화는 흥미진진했다. 하지만 내가 기대했던 훈훈한 이야기는 아니었다. 영화 포스터에서 활짝 웃던 표정과 달리 영화에서는 두 남자의 웃는 모습을 보기 힘들었다.

영화는 지난 5년간의 치열했던 과정을 매우 사실적으로 담고 있었다. 재미있으면서도 한편으로 마음이 착잡했다. 한 회사를 운영하는 두 남자의 갈등이 거의 전쟁에 가까웠기 때문이다. 두 선배는 함께 일하면서 참 많은 갈등을 겪었고 시간이 지날수록 문제가 해결되기는커녕 골은 점점 더 깊어졌다. 이야기는 결국 한 선배가 회사를 떠나는 것으로 마무리되었다. 영화는 두 남자가 서로 다른 길을 가면서 결별하는 모습으로 막을 내렸다.

친환경 패션디자인 전문회사 '오르그닷'은 6년 차를 맞는 소셜벤처다. 한 번의 값진 실패를 겪고, 두 번의 힘든 고비를 겪고는 오뚝이처럼 일어나 굳건히 새로운 시기를 준비하고 있다. 나 또한 인생의 중요한 전환기를 보내고 있기에 그들이 먼저 간 새로운 길찾기의 경험에 대해 듣고 싶었다.

2009년 5월 두 청년이 시작한 오르그닷은 한국에서 나름 성공적으로 자리 잡은 사회적기업으로 손꼽힌다. 영리를 추구하는 일반 기업이나 작은 밥집도 창업 후 3년을 넘기기 어렵다는데, 오르그닷은 벌써 5년을 넘겼다. 살아남았다는 점에서는 분명 성공한 기업이다. 하지만 영화를 보면서 그런 오르그닷조차 많은 내부 문제와 고비를 겪었음을 알고는 적잖이 놀랐다.

작은 회사에서 공동창업자 중 한 명이 떠난다는 것은 큰 변화일 텐데, 남은 사람들의 이야기가 궁금했다. 십년후연구소 또한 시작부터 힘든 시간을 보냈기에 남의 일 같지 않았다.

한 기업이 주최하는 사회적기업 콘테스트에서 오르그닷 대표 김방호 선배를 우연히 만났다. 그리고 얼마 후 망원동 오르그닷 사무실에서 그를 다시 만났다. 친한 것도 아니고 그렇다고 모르는 사이도 아닌 애매한 관계, 우리의 멋쩍은 만남은 그렇게 시작되었다.

돈만 버는 것은 재미없다

김방호는 대학 시절, 학생회장과 단과대 학생회 일을 하면서 이주노동자 운동에 뛰어든 열혈 운동권 출신이다. 문과대학 앞에서 진행하는 집회에는 항상 그가 있었다. 그 시절에는 이전 세대처럼 열성적으로 학생운동을 하는 사람이 거의 없었는데, 그는 역시 좀 유별난 사람이었다. 학교 다닐 때도 그렇고 졸업하고 나서도 직업에 대한 관심이 별로 없었단다. 그래서인지 대학을 졸업하고 무엇을 해야 할지 고민이 많았다.

군복무를 마치고 그가 처음 들어간 직장은 전자책을 만드는 회사였다. 당시만 해도 전자책은 생소한 분야였다. 지식을 공유하는 일이었으니 일로만 보면 나름 재미있었다. 그런데도 돈벌이로써 직업을 갖는 것에 대한 고민을 멈출 수 없었다고 한다.

"직업이 결국 나라고 생각해요. 내가 하는 일이 곧 나 자신이고 내 삶이니까요. 그래서 영리 조직에 소속되어 뭘 한다는 것 자체가 별다른 의미를 주지 못한 것 같아요."

그가 조용조용한 말투로 말했다. 대학 때는 잘 몰랐는데 그의 말투는 넘치지도 모자라지도 않는다는 느낌을 주었다. 감정의 과잉도 없고 딱 필요한 말만 했다.

"그렇다고 운동을 같이하던 다른 선배들처럼 민중운동 단체나 시민단체에 들어가 쫄쫄 굶으면서 살고 싶지는 않았어요."

열성적으로 학생운동을 했던 그였지만 자신을 전적으로 희생하면서 공익을 위한 일에 투신하고 싶어 하진 않았다. 자신의 삶도 즐기면서 다른 사람들과 함께 잘 살고 싶은 건 우리 세대라면 누구나 공감할 것이다.

일단, 공부를 시작하다

전자책 회사를 나와 인터넷 기업을 거쳐 다시 그는 자기 뜻을 실현할 기회를 찾아다녔지만 생각만큼 길은 쉽게 이어지지 않았다. 그러다 한 외국 언론에 실린 소셜벤처 사례를 보게 되었다. LED 전등을 저렴하게 제조해서 저개발 지역의 등불을 대신하는 일, '정수 빨대'(라이프 스트로)를 물이 부족한 아프리카 지역에 보급하는 일

등 눈이 번쩍 뜨일만한 사례들이었다.

"사례를 접하면서 운동을 계속할 것이냐 돈을 벌 것이냐가 아니라, 일로써 가치 있는 일을 지속하는 것이 가능하겠다는 생각을 했어요."

그는 아이디어 하나로 세상에 긍정적인 작용을 하는 사례를 보고 비로소 제3의 길을 찾게 되었다. 비영리단체에서 박봉으로 가난하게 살거나, 영리 기업에서 돈을 위해 착취당하는 길 말고도 그의 앞에 새로운 길이 보이는 듯했다.

그는 비슷한 상황에서 같은 고민을 하던 친구들을 모아 사회 혁신 비즈니스에 관한 공부를 시작했다. 그런데 딱히 사업 아이템을 잡지 못하고 지지부진 시간만 흘려보내던 중 우연한 계기로 전태일 열사의 동생인 전순옥 박사를 만났다.

"스터디 멤버의 친구 하나가 사회학으로 유명한 영국 워릭대에서 공부하고 있었어요. 그 친구 소개로 전순옥 박사를 알게 됐죠. 그 학교에서 전순옥 박사가 공부 중이었거든요."

그는 상당히 열띤 표정으로 말을 이었다. 당시 전순옥 박사와의 만남이 그에게 얼마나 큰 의미로 다가왔는지, 어렴풋이 짐작할 수 있었다.

전태일 열사는 평화시장 노동자로 "근로기준법을 준수하라"는 말을 남기고 근로기준법 전문을 태우며 스스로 분신했다. 전태일 열사 분신 이후 한국의 노동운동은 여기저기서 횃불처럼 타올랐다. 그런 분의 동생을 만나는 일은 대학 시절 열혈 운동권이었던 그에게 더욱 특별한 일이었을 것이다.

"전순옥 박사가 영국에서 11년을 공부하고 한국으로 돌아왔을 때 깜짝 놀랐다고 했어요. 자기가 한국을 떠났던 80년대에 비해 봉제 공장들의 열악한 사정이 더 나아진 게 없었던 거예요. 봉제 기술자와 무엇을 해 볼까 고민하다가 이들을 위해 좋은 직장을 만들 구상을 하셨다고 해요."
십년후연구소에서 입는한글 프로젝트를 진행할 때 의류 제조 산업의 일거리가 중국이나 동남아시아로 넘어가면서 우리 노동자들이 설 자리를 잃었다는 이야기를 들은 적이 있다. 기업은 원가를 절감하기 위해 더 싼 노동력을 찾아 세계 곳곳으로 공장을 옮겼다. 순식간에 많은 사람이 일자리를 잃었지만 아무도 그런 상황을 책임지지 않았다.

전순옥 박사는 봉제 노동자들과 함께 '참여성노동복지터'라는 단체를 만들었다. 또 그들의 기술을 숙련하기 위해 '수다공방'을 운영했다. 하나하나 꼴을 갖춰 가는 와중에 김방호와 연이 닿았다. 전순옥 박사는 사업을 실행할 사람이 필요했고, 김방호는 사회적으로 가치 있는 일을 찾고 있었다. 이 둘의 만남은 곧바로 화학 반응을 일으켰다. 하지만 김방호가 바로 창업에 몸을 던진 것은 아니었다.
"90년대에 대학을 다녔던 사람으로 전태일 열사의 동생인 전순옥 박사와 뭔가를 한다는 것에 약간 감정의 동요가 있었어요. 그렇지만 막상 이야기를 나눠 보니 패션이나 제조업은 내가 잘 아는 분야도 아니고 잘할 수 있을 거라는 확신도 들지 않았어요. 마침 학교 선배 김진화가 회사를 그만두고 친구와 작은 패션 브랜드를 만들었다는 얘기를 듣고는 둘을 이어주고 나는 빠졌죠. 그런데 두 사람이 나를 가만두지 않는 거예요. 사업을 같이하자고 계속 얘기하더고요. 그렇게 셋이서 '참신나는옷' 사업을 시작했어요. 참신나는옷은 하루 8시간 노동과 이익의 절반을 사회 환원하겠다는 가치에 합의한 근로자들이 만든 회사였죠."
사람 좋은 김방호의 진솔함이 묻어나는 대목이다. 그는 그때나 지금이나 한결같이 겸손했다. 자신을 드러내고 포장하기보다는 그저 못 하면 못 한다고 솔직하게 말할 줄 아는 사람.

나는 세상이 우연한 인연으로 돌아가는 게 아닐까 생각하곤 한다. 내가 첫 직장인 아름다운가게에 들어간 것하며 네이버로 옮긴 것도 그렇고 지금 십년후연구소를 만난 과정도 다르지 않았다. 우연한 사건을 적극적으로 만나다 보면 그 일이 곧 내가 되고, 나는 어느새 그런 일을 하는 사람이 된다. 그는 노동문제 등 사회적 가치에 대한 관심의 끈을 놓지 않았고, 그런 고민과 탐색 과정에서 함께할 뜻이 맞는 사람들을 만났다.

참신나는옷의 시작은 나름대로 괜찮았다.
"동대문 의류업계에는 비즈니스 경험도 있고 제안서나 보고서 같은 문서도 잘 만드는 사람이 별로 없었어요. 그러다 보니 우리가 제안서를 만들자마자 기업으로부터 자금도 지원받고 일감도 받았어요. 비전도 분명했고 투자 상황도 좋았죠. 봉제 공장을 만들고 사람도 뽑았는데 급여를 다른 곳보다 많이 드릴 수 있었어요. 하청으로 일을 받는 다른 공장과 달리 직접 영업해 일을 받아왔기 때문이죠."
기업의 투자도 척척 받고 생산 전 과정을 하나로 통합해서 효율을 높이고자 했던 똑똑한 청년들. 그런데 호기롭게 시작한 그들의 사업은 예상외로 고전을 면치 못했다.
"영업, 디자인, 생산 라인을 모두 갖추어 업무의 수직적 통합을 이뤘으니 이론적으로는 수익률이 높을 거로 생각했어요. 좋은 환경에서 더 많은 월급을 받으며 즐겁게 일하면 품질 좋은 제품을 만들 수 있다고 믿었지요. 잘 될 거라는 확신이 있었는데 막상 공장을 돌려보니 생산량이 생각보다 안 나왔어요. 다른 공장에서 일주일이면 나올 물량이 한 달이나 걸리는 거예요."
돈을 더 많이 벌 수 있는 구조였지만 현실은 그렇지 않았다. 팀워크부터 생산관리까지 문제가 산적했다. 직원들 월급은 매달 꼬박꼬박 나가는데 일은 제대로 돌아가지 않았다. 그때를 회상하는 그의 표정에서 얼마나 괴로웠을지 어렴풋이 짐작할 수 있었다.

"경험이 부족했어요. 일은 이론적인 계산으로 되는 게 아니라는 걸 절실히 깨달았지요. 한국에서 의류 산업은 공장이 전문적으로 세분화되어 수십 년 동안 매우 효율적으로 돌아가고 있었어요. 한국만의 독특한 시스템이에요. 이미 잘 운영되는 상황에서 우리가 비집고 들어갈 틈은 없었던 거예요. 적당히 해서는 안 되는 거였어요."

봉제 공장 운영은 그들이 잘 할 수 있는 일이 아니었다. 오랜 경험이나 숙련된 기술이 있는 것도 탁월한 관리 능력이 있는 것도 아니었다. 그 과정을 통해 비로소 그들이 잘할 수 있는 영역과 그렇지 않은 일이 있다는 것을 깨달았다. 값비싼 수업료를 치른 셈이었다.

원점으로 돌아오다 '오르그닷'

사실 여기까지는 오르그닷의 이야기가 아니다. 김방호와 김진화는 참신나는옷에서 나와 고민을 원점으로 돌렸다. "우리가 하고 싶은 것은 무엇일까, 잘할 수 있는 것은?" 하고 말이다. 그제서야 비로소 두 청년의 오르그닷 이야기가 시작된다.

둘은 처음부터 의류 산업 전반을 고민했다. 좀 더 파괴력 있게 패션 산업에 영향을 미치려면 시스템을 바꾸어야 했다. 대기업 하청의 하청같은 방식이 아니라, 각각의 영역에 있는 작은 플레이어들의 연합을 구축해서 대안적인 시스템을 만들어야겠다고 생각했다.

오르그닷이라는 회사 이름에도 그런 의도가 담겨 있다. 유기체를 뜻하는 'organization'을 'org.'로 축약하여 '오르그닷'(orgdot)이라는 이름을 만든 것이다. 그들은 오르그닷을 통해 봉제 장인과 디자이너들이 함께 즐겁게 일할 수 있는 비즈니스 모델을 증명하고 싶었단다.

김방호가 유독 힘주어 말하는 이것이 바로 오르그닷의 남다른 가치다. 옷 짓는 과정에 함께하는 이들이 즐겁게 협업할 수 있는 플랫폼을 만들겠다는 그의 꿈은 현재 진행형이다.

우리는 디자인부터 원재료, 부자재, 봉제, 포장까지 하나의 제품을 만드는 일에 얼마나 많은 단계를 거치는지 알지 못한다. 유행에 따라 쉽게 사고 쉽게 외면하는 옷 한 벌에는 보이지 않는 땀방울이 어려 있다.

얼마 전 유명 패션디자이너 아래서 일하는 견습생의 열정 착취가 문제된 적이 있다. 최저임금에 훨씬 못 미치는 월급을 받으며 밤낮없이 일에 쫓기는데도 관행이라는 이유로 부당한 대우는 계속됐다. 오르그닷은 이같은 의류 산업 이면의 착취를 건강한 플랫폼으로 극복하고자 한다.

2009년 5월, 회사에서 소셜벤처 소식을 찾던 중 오르그닷 소식을 접했다. 소풍(Sopoong)이라는 임팩트 투자회사의 지원을 받아 친환경 의류를 제작하고 유통하는 소셜벤처 오르그닷이 런칭한다는 내용이었다. 임팩트 투자는 긍정적인 사회적 가치를 창출하는 분야에 한정한 투자를 뜻한다.

런칭 행사는 압구정동에 있는 작은 빌딩에서 열렸다. 그때 행사에 참여했다가 그런 비싼 지역에 사무실을 내는 그들의 대범함에 무척 놀랐다. 1층에는 친환경 · 공정무역 편집샵을 운영하며 공정무역 커피와 유기농 쿠키를 판매했다. 홍대 희망시장처럼 작가들이 작품을 직접 갖고 나와 판매하는 형식도 진행할 계획이라고 했다. 2층에는 옥수수 전분으로 만들었다는 웨딩드레스가 전시되어 있었다. 일반 예식장에서 보는 것처럼 화려한 드레스가 아니었다. 그들은 호화로운 결혼 문화를 비판하며 간소하고 환경에도 부담을 덜 주는 에코웨딩 사업을 하고 싶다고 했다.

런칭 행사를 다녀오면서 고개를 갸우뚱했다. 하나의 그림이 그려지지 않을 만큼 사업이 다채로웠기 때문이다. 공정무역·사회적기업 제품 판매부터 아트샵 운영에다 에코웨딩 사업까지 진짜 다 하려고 하는 걸까? 하고 싶은 게 너무 많은 거 아닌가? 이런 우려를 했다. 다만 에코웨딩 사업은 웨딩 문화 자체를 바꾸는 일로 제대로 사업화하면 좋을 것 같았다.

"그때 욕심이 너무 많았던 거 아니에요? 런칭 행사 때 와보고는 하고 싶은 게 참 많구나 싶었거든요."

아픈 상처를 건드린 건 아닌가 조심스러웠지만 그래도 궁금했다.

"우리는 유명 패션 브랜드를 만드는 게 목표가 아니었어요. 시스템을 만들고 거기서 건강한 생태계를 만드는 게 미션이었어요. 다만 회사가 지속하기 위해서는 매출이 발생해야 하니까, 그 방편으로 여러 사업을 시도하고 다양한 제품을 만들었어요. 그래서 에코웨딩드레스 사업도 하고 단체복 사업도 만들고, 샵과 갤러리도 운영했던 거지요."

똑똑해서 덫에 걸린 걸까? 정작 수익을 위해 만든 여러 사업에서 매출이 발생하지 않았다. 1년도 안 되어 극심한 고비를 맞았다. 어찌 보면 좋은 아이디어나 멋진 제안서나 훌륭한 프레젠테이션… 이런 것들로 투자금을 척척 받아낸 게 독이 된 건지도 모른다.

"제품을 만들었는데 돈은 안 벌리고 월급은 줘야 하고 그땐 정말 힘들었어요. 도저히 버틸 수 없는 상황까지 오고 말았지요. 회사를 유지할 것이냐 말 것이냐 고민하다가 조금만 더 버텨보기로 하고 친환경 소재의 기업 단체복 제작(B2B) 부문만 남기고 다른 사업을 모두 정리했어요."

초기부터 호되게 재정난을 겪은 그들은 꼭 필요한 부분만 남기고 사업을 재정비했다. 다행히 B2B 사업이 어느 정도 수익을 내 안정을 찾았다. 이후 2011년 말 오르그닷은 A.F.M(Apparel For Movement)이라는 남성 캐주얼 브랜드를 런칭하고 다시 소매 산업을 시작했다.

A.F.M은 옷으로 세상을 바꿔보자는 그들의 생각이 담긴 브랜드 네이밍이다. 재생폴리에스테르 원단(페트병으로 만든 재활용 원단)을 사용한 티셔츠는 그들의 인기 상품이다. 많이 알려지진 않았지만 친환경 소재와 세련된 디자인 덕분인지 꾸준한 매출이 발생하고 있단다.
지금은 웃으면서 말하지만 그의 얘기를 들으며 그동안 오르그닷이 참 꿋꿋하게 잘 버텨왔다는 생각이 들었다. 그래도 꽤 성공적인 사회적기업이라고 손꼽는 오르그닷인데 이런 고비를 겪었다니….
고비를 겪으며 소심해졌기 때문인지 그는 "이제는 차분하게 한 단계씩 만들어 나가고 있다"고 말했다. 산전수전 다 겪은 사회적기업 6년 차를 맞고 있는 이 사람, 전태일의 꿈을 실현하고자 했던 이상주의자 청년이 조금씩 현실주의자가 되어가고 있다는 생각이 들었다.

페트병이 옷이 될 수 있다고?

오르그닷은 어려움 속에서도 친환경 소재라는 기본 원칙을 고수해 왔다. 지금은 유기농 면과 무표백 원단 뿐 아니라 재생폴리에스테르 원단으로 옷을 만들고 있다.
"옷 만드는 과정에서 환경 파괴가 심각해요. 면을 재배할 때도 살충제를 어마어마하게 사용하죠. 염색과 표백 등 가공 과정에서도 환경 오염이 많이 일어나고요."
우리가 입고 있는 면 티셔츠 한 장을 만들 때도 살충제와 표백제, 염색제를 통해 막대한 환경 파괴가 일어난다는 말은 나에게 충격이었다. 몇 년 전부터 친환경 먹거리에 대한 관심은 전반적으로 높아졌지만 스물네 시간 내내 피부에 닿는 옷에는 관심이 덜하다. 옷도 좋은 품질에 대한 기준이 필요하지 않을까?

"오르그닷 제품은 무가공 면, 무표백·무형광 원단이라 대부분 갈색이나 검정 등 어두운 색밖에 없어요. 친환경 소재라는 제약에서 벗어난다면 다양한 소재와 컬러 원단으로 디자인할 수 있겠죠. 하지만 친환경적이고 윤리적인 방식으로 만드는 옷이야말로 진정 아름다운 옷이라고 생각해요."

최근에는 폐어망으로 만든 원단을 활용한 옷을 만들고 있다. 시제품 제작을 위해 가져온 원단이 무척 보들보들하고 포근한 느낌이라 깜짝 놀랐다. 바다의 쓰레기가 어떤 옷으로 재탄생할지 몹시 궁금했다. 김방호는 폐어망으로 그치지 않고 앞으로도 계속 재활용 소재의 의류를 개발할 예정이라는 포부를 밝혔다.

그렇게 오르그닷은 '환경'이라는 가치를 패션에 접목하고, B2B 단체복 사업과 남성 캐쥬얼 브랜드 A.F.M을 성공적으로 이끌며 시즌4를 준비하고 있었다.

"그동안의 과정을 돌아보면 창업한 그해 거의 폐업 직전까지 갔을 때가 시즌1이었고, 사업을 대폭 축소하고 어렵지만 힘들게 운영하던 시기가 시즌2예요. 그 과정에서 공동창업자 김진화 선배가 회사를 떠났고 이후 조직이 안정을 되찾은 현재를 시즌3으로 보고 있어요. 시즌4는 디자이너스&메이커스의 런칭으로 시작할 거예요. 새로운 도약을 앞두고 있죠."

성공적인 사회적기업이라는 겉보기와 달리 매번 고비였지만 그들은 또 새로운 실험을 위해 한발씩 내딛고 있었다. 건강한 패션생태계를 구축하는 실험 말이다. 그 중심에 '디자이너스&메이커스'가 있다.

작은 플레이어들의 연합 '디자이너스&메이커스'

디자이너스&메이커스(Designers&Makers), 이건 엄청난 플랫폼이다. 나는 그렇게 생각한다. 디자이너와 봉제 공장을 직접 연결해 효율적인 생산을 추구하는 징검다리.

"신진 디자이너들은 옷을 만들고 싶어도 봉제 업계 정보가 없어서 생산에 뛰어들기까지 장벽이 높았어요. 디자이너스&메이커스 사이트에서 신뢰할 만한 봉제 공장 리스트를 공개하여 디자이너에게는 제품 생산의 길을 열어주고, 봉제 공장에는 일감을 안정적으로 제공하려고 해요."

처음 오르그닷을 시작할 때부터 꿈꾸던 패션 산업의 건강한 생태계를 만드는 일, 이제 비로소 본격적인 게임이 시작되었다. 그래서인지 디자이너스&메이커스를 이야기할 때 김방호의 목소리에선 진지함과 신중함마저 느껴졌다. 그는 인터넷 기업에 근무하다가 전혀 새로운 패션 사업으로 넘어왔다. 인터넷 기업에서 쌓은 경험이 패션과 만나면서 성공적인 프로젝트가 될 것 같았다. 오래 준비해 온 만큼 오르그닷에겐 지금 내딛는 한 걸음 한 걸음이 중요할 수밖에 없다.

"표준화가 제일 중요해요. 디자이너가 어떤 옷을 만들고 싶다고 했을 때 그걸 제품으로 구현하기가 그리 만만치 않아요. 디자이너 머릿속에 원하는 그림이 있어도 실제 제품으로 만들 때는 공장이랑 소통하는 과정에서 여러 문제가 발생하거든요. 쓰는 언어 자체가 달라요. 디자이너들은 소재나 봉제 기술에 대해 잘 모르는 경우가 많아요. 이런 것들을 표준화하는 게 우리가 할 일이죠. 디자이너와 제조자들의 언어를 일치시키는 것. 그 작업이 어느 정도 정리되면 생산 과정에서 소통 비용이 줄고 시행착오도 줄일 수 있어요. 여러 면에서 비용이 떨어질 거예요."

언어를 표준화하는 작업을 어느 정도 마무리하면, 그는 자료를 바탕으로 봉제 공장을 돌아다니면서 교육할 예정이란다. 디자이너들에게 옷을 만드는 실제적인 방법론에 대한 기술을 알려주고, 컨설팅도 할 작정이다. 분명 엄청난 노력과 시간이 들겠지만 오르그닷은 그 어려운 일을 자청하고 나섰다. 디자이너들과 봉제 기술자들도 언젠간 척하면 척하는 좋은 파트너가 될 거라고 믿기 때문이다.

아마 '참신나는옷'에서 실패한 경험이 디자이너스&메이커스를 만드는 원동력이 되었을지도 모른다. 70년대 패션 산업 호황기를 지나면서 일감이 크게 준 봉제·패션·프린팅·자수 등 제조업의 숨은 장인들을 발견하는 작업은 사회적으로도 의미있는 일이다. 숨은 장인들을 찾게 되면 더 많은 신진 디자이너가 자기 제품의 브랜드를 만들고 창업할 수 있을 테고, 그야말로 작은 플레이어들이 생동하는 연합이 되지 않을까.

오르그닷의 이야기를 들으며 문득 '바이맘'이 떠올랐다. 룸텐트 제작 업체인 바이맘은 봉제 공장 생산자들과 맺어 온 신뢰 관계를 바탕으로 좋은 제품을 만든다. 디자이너스&메이커스는 그런 신뢰를 구축하는 기반이 될 것이다.

아직 정식 오픈 전이지만 사이트에는 벌써 많은 디자이너들이 가입했다. 그만큼 이런 플랫폼에 목마른 이들이 많았다는 증거가 아닐까. 서울에만 1만여 곳 정도의 봉제 공장이 있다고 한다. 정식으로 사이트를 오픈하기 전에 서울시에 있는 봉제 공장을 전부 발로 돌아다녀서 1,000개의 봉제 공장 데이터를 만드는 게 오르그닷의 목표다.

"사실 가입자 수보다 중요한 건 실제 거래예요. 여기서 얼마나 거래가 일어날 것인가, 서로에게 뭔가 유익한 요소들이 많이 생기는가를 더 중요하게 여겨요. 플랫폼 자체가 지속적으로 활용할 만한 매력이 있어야 해요."

겉으로 보이는 것보다 내실이 중요하다는 걸 아는 김방호. 경험이 그를 단단하게 만들고 있었다. 고작 대학 1년 선배인 그에게서 기업가의 내공이 느껴졌다.

내 삶의 중요한 주제는 '노동'이다

돈보다 가치가 중요한 사람들. 이런 사람들에게 으레 묻는 질문이 있다. "이 일로 돈을 벌 수 있을까요?"라는. 하지만 이 사람도 돈 버는 데는 크게 관심이 없는 듯했다. 디자이너스&메이커스라는 플랫폼의 구조와 가치를 말할 때는 넝쿨처럼 여러 얘기가 술술 풀려나오더니, "수익모델이 뭐냐"는 질문에는 "그냥 거래 수수료다"는 말 한마디로 끝이다. 수수료 비율에 대해서도 아직 구체적으로 잡힌 게 없다는 답변이 다였다.

돈을 벌어야 계속해서 좋은 가치를 만들어 낼 수 있을 텐데, 과연 이 플랫폼으로 돈을 벌 수 있을지 걱정스럽게 바라보는 나와 달리 그는 개의치 않아 보였다. B2B 단체복 사업과 소매 브랜드 A.F.M에서 어느 정도 수익을 내고 있어서 그리 조급하지는 않단다.

그는 돈 그 자체보다 '함께'를 중요하게 생각하는 사람이었다. 오르그닷의 가장 중요한 가치도 이와 다르지 않았다. 바로 인간다운 노동과 우리가 발 딛고 있는 지구에 대한 관심 말이다.

"환경과 노동은 모든 사회적기업이나 소셜벤처가 지켜야 할 중요한 가치라고 생각해요. 노동 친화적인 기업을 운영하면서 환경을 파괴하는 사업을 하는 건 말이 안 되잖아요. 반대로 친환경 사업을 하면서 노동 착취를 한다는 것도 마찬가지고요."

그는 환경과 노동이라는 두 가지 사안을 안고 있다. 사업을 시작할 때도 필수적으로 친환경 소재를 사용하면서 기업의 가치를 적극적으로 회사 운영과 제품에 반영했다. 개인적으로는 노동 문제에 관심이 많아서, 오르그닷의 사업 가치 중에 모두 걷어내고 단 하나만 남기라고 하면 노동을 꼽을 거라고 했다.

그가 말하는 건 어찌 보면 당연한 일이다. 그런데 이런 가치를 실현하는 기업을 찾는 게 쉽지 않다 보니 그의 말이 더 특별하게 다가왔다. 오르그닷 사람들이 좋은 조건에서 즐겁게 일하는 것. 그게 이 회사의 가장 중요한 가치다. 나도 백번이고 동감하는 바이다.

"회사 안에서부터 '즐거운 노동'의 가치를 지키고 싶어요."

그의 말에서 진정성이 묻어나왔다. 오르그닷 사무실을 주택에 마련한 것도 즐겁고 편안한 일터 분위기를 중시하는 그의 뜻이 담긴 게 아닐까 싶었다. 직원들이 두 층에 걸쳐 오밀조밀 모여 있고, 밥도 사무실에서 직접 해 먹거나 도시락을 싸오는 걸 보면 그의 바람이 어느 정도 이뤄진 듯했다. 힘든 고비를 겪으면서도 오르그닷이 지금까지 잘 버텨올 수 있었던 건 즐거운 노동의 가치를 공유하는 직원들이 있기 때문일 것이다.

김방호는 일이 곧 자신이며 자신이 곧 일이라고 말한다. 이 말은 그에게 일이 곧 가치이고, 일을 통해 추구하는 가치가 곧 자기 자신이라고 바꿔 말할 수 있겠다. 오르그닷이 만들어가는 가치에 많은 이들이 함께 갔으면 좋겠다.

환상을 좇는 현실주의자들

10여 년 전 나는 『세상을 바꾸는 대안기업가 80인』을 읽으며 이런 일을 하고 싶다는 꿈을 꾸었다. 하지만 모험심이 부족해서인지 꿈은 뒷전으로 밀려났다.

그러다 언젠가 히피 출신 여성 기업인의 헌신적 인생을 조명한 다큐멘터리 〈아니타 로딕 – 바디샵 아줌마〉를 보고는 '바로 저거야!' 하며 다시금 가슴이 뛰었던 경험을 했다.

"비즈니스에서 가장 중요한 것은 개인의 탐욕이 아니라 사회적 책임이다."라는 그녀의 말이 아직도 잊히지 않는다. 바디샵은 아프리카에서 화장품 원료를 수입할 때 공정무역 방식으로 물건을 들여왔다. 정당한 노동력의 대가를 지급하고 그 지역에 학교나 보건의료 시설을 건립하기도 했다. 영화를 본 이후로 나는 바디샵 애용자가 되었고 한동안 친구들에게 바디샵의 가치를 전하며 사용을 권했다.(안타깝게도 이후 바디샵은 한 세계적인 화장품 기업에 인수되었다. 아니타 로딕은 바디샵의 방식을 그 기업에 적용하겠다고 선언했지만, 그 가치와 철학을 유지할 수 있을지 많은 이들이 우려를 나타냈다.)

그때 아니타 로딕이 삶으로 보여준 가치를 더 많은 이들에게 전하겠다는 마음으로 나는 네이버의 해피빈 일을 시작했다. 그리고 10년이 지난 지금, 내 곁에 사회적 가치를 사업으로 실행하는 많은 사람이 있다는 사실이 새삼 고맙다.

산업의 역사가 짧기 때문인지 우리나라에는 아직 가치와 철학을 단단하게 지니고 운영해 온 기업이 많지 않다. 하지만 점차 그런 기업들이 생기고 있으니, 이들이 길을 잘 닦아간다면 많은 이들이 그 뒤를 이어갈 거라고 믿는다.

한 강연에서 이런 이야기를 들었다. 기업의 목적은 이윤 창출이 아니다. 이익은 단지 기업 활동의 부산물일 뿐, 기업을 통해 사회적으로 의미 있는 일을 하고 좋은 고용을 창출하는 것이 기업의 목적이라는 것이다.

우리는 오랫동안 '기업=이윤'이라는 도식을 갖고 살아왔다. '정말 그런가?'라고 질문해 보자. 전혀 다른 용법을 찾을 수 있다. 우리는 잘 살기 위해서 일하는 것이지 돈을 벌기 위해 일하는 게 아니다. 돈은 잘 살기 위한 수단일 뿐이다. 생각해 보면 '일=돈', '회사=이윤'이라는 도식이야말로 우리가 잘못 믿고 있는 환상이 아닐까?

오르그닷은 그런 환상을 깨고 사람 혹은 노동이라는 가치를 일의 목표로 삼는다. 그들이 추구하는 가치는 남들 눈에는 이상이나 환상처럼 보일 지도 모르겠다. 하지만 그들은 이상을 추구하면서도 환상에 빠지지 않고 그것을 조금씩 현실로 만들어간다. 이윤 추구를 위해 지나친 노동을 강요하면서 제대로 된 보상도 하지 않고 자연 파괴를 일삼는 회사와, 이윤보다 일의 가치를 중요시하고 사람들의 노동 가치를 존중하는 회사. 이 둘 중 어떤 것이 환상일까? 어떤 것이 우리가 만들어 가야 할 현실일까? 진지하게 생각해 볼 일이다.

그들의 실험

벌써 6년 차, 그동안 꿋꿋이 버틸 수 있었던 비결

왕도는 없다, 자주 얘기할 수밖에

우리는 대화를 많이 한다. 사실 오르그닷의 정체성을 16명의 직원들이 공유하기는 쉽지 않다. 그러다 보니 내가 각 사업별 담당자들과 항상 면대 면으로 이야기를 나눈다. 매주 전체 회의를 하는데, 우선 어떻게 지내는지 확인하고 업무 이야기로 들어간다. 특정한 시기에 카페 같은 곳을 빌려서 워크숍을 하고, 신규 사업을 시작할 때 전원이 모여서 발표를 한다. 일전에 조직이 갑자기 커졌을 땐 매주 한 번씩 각자 돌아가면서 주제를 발표하는 '오르그닷 살롱'도 열었다. 또 '오르그닷 랩'이라고 누군가 하고 싶은 말이 있으면 오후 6시에 시간이 되는 사람들끼리 모여 피자를 시켜 먹으며 이야기를 나눈다. 일종의 번개. 일상적으로 얘기들을 많이 나누다 보니, 상사라서 눈치보거나 하지 않고 자기표현을 잘 하는 편이다.

그때그때 용법을 만들어간다

작년에 디자이너 한 명이 출산휴가를 갔다. 원래 아이를 처가에서 키워줄 것으로 예상하고 3개월 휴직했는데, 갑자기 몸이 안 좋아졌다. 그 친구는 현실적으로 반나절만 출근할 수 있다고 했다. 디자인 팀에 얘기했더니, 자기들이 나머지 일을 해 보겠다며, 공동체적으로 문제를 해결했다. 다른 조직에서 양해해 준다면 이런 방식이 가능하다. 하지만 이런 문제에 대해 조금은 냉정해져야 한다고 말하는 직원도 있다. 그러니 문제가 생길 때마다 그때그때 용법을 개발할 수밖에 없다. 원칙을 세우더라도 매번 똑같은 원칙을 적용할 수 없다. 매 순간 최선의 선택을 하는 것이다.

좋은 사례를 보고 배우며 참고할 수 있지만 자신의 몸에 맞게 변형하고 적합하게 용법을 바꿀 수 있어야 한다. 창업 초기에는 여기저기에서 조언을 많이 들었다. 이 얘기를 들으면 이렇게, 저 얘기를 들으면 저렇게 가야 할 것 같았다. 이제는 조언을 들어도 우리에게 맞게 걸러서 적용하는 감이 어느 정도 생겼다.

우리는 열정을 착취(?)한다

우리 회사는 입사하자마자 바로 나가거나 오랫동안 함께 가거나 둘 중 하나이다. 경험해 보니 기술이 전혀 없거나 부족한 사람도 2년 정도 지나면 기본적으로 일에 익숙해진다. 하지만 가치관이 다르면 같이 가기가 힘들다. 한때 우리도 제조업인만큼 영업전문가를 뽑아야 하지 않나 하는 생각에 다른 기업에서 영업만 해오던 분을 경력직으로 뽑았다. 그런데 공식 경로가 아닌 방식으로 영업을 하려고 해서 문제가 되었다. 그분은 그전에 일하던 방식을 버리지 못했다. 느리더라도 우리에게 맞는 방식으로 가는 게 맞다고 생각한다. 결국 그는 회사를 떠났다.

자기가 재미있지 않으면 우리 조직은 유지되기 힘들다. 자산이 많은 것도 아니고 업력이 오래된 것도 아니고 일을 가르쳐 줄 사람도 없다. 대부분 자기 스스로 일을 만들어가야 한다. 열정을 무기로 끌고 나갈 수밖에 없다. 최근에 들어온 젊은 친구들은 굉장히 열정적이다. 일 그만하고 집에 가라고 해도 도무지 안 간다. 돈을 아무리 많이 벌어도 자기 스스로 가치 있는 일이 아니면 열정적으로 일하기 어렵지 않을까. 그래서 우리는 어쩔 수 없이 열정에 기댄다.

우리가 하는 일의 가치를 계속 확인한다

오르그닷 하면 특정 제품 이미지보다 친환경적이고 윤리적 패션이란 가치가 먼저 떠오른다는 이야기를 종종 듣는다. 그것은 우리가 제품 홍보 뿐 아니라 패션생태계 자체에 대한 문제를 제기하고 윤리적 소비나 친환경적인 삶의 방식을 소개하는 데 힘을 쏟기 때문이다. 그런 과정을 통해 직원들은 우리 일의 가치를 지속적으로 재확인하면서 동기부여를 얻는다.

한편으로는 이런 가치를 패션 산업 전체로 확장하고 싶은 바람이 있다. 친환경적인 소재로 옷을 만드는 일이 어려운 건 소재가 없어서가 아니다. 공급을 원활하게 할 만큼의 수요가 없기 때문이다. 우리뿐 아니라 더 많은 패션 기업이 친환경 윤리적 패션에 동참해서 이것을 하나의 흐름으로 만들어 내야 한다. 그러면 친환경 패션 분야에서도 더 멋진 제품들을 만들 수 있을 것이다. 시장을 확장하기 위해 우리는 끊임없이 가치를 이야기할 수밖에 없다.

사무실 곳곳에 오르그닷의 가치를 담은 글이 있다. 함께 일하는 데는 공통의 가치를 공유하는 것이 중요하다. 제품 홍보 뿐 아니라 윤리적 소비나 친환경적인 삶의 방식을 소개하는데 힘을 쏟기 때문에, 가치관이 다르면 같이 가기가 힘들다

사무실을 품고 있는 오르그닷의 작은 정원. 직원이 오르그닷 에코백을 메고 있다.

오르그닷 하면 친환경적이고 윤리적 패션이란 가치가 먼저 떠오른다. 무가공 오가닉 원단으로 만든 앞치마

페트병으로 만든 재생폴리에스테르 원단

재생폴리에스테르 원단으로 만든 기업의 단체복과 유니폼, 이 외에도 손수건 무릎 담요 자켓 등 다양한 제품을 친환경 소재로 제작한다.

무형광·무가공 원단으로 만든 에코백

페트병으로 만든 재생폴리에스테르 원단이 티셔츠로 태어났다. 최근에는 폐어망을 수거해 만든 원단으로도 제품을 만들고 있다.

봉제공장과 신진 디자이너가 만나는 온라인 플랫폼 디자이너스&메이커스를 준비하며 봉제기술자들을 직접 만나고 다닌다. 패션계의 작은 플레이어들이 생동하는 연합이 되기를 기대하고 있다.

대청소 후 간식파티. '오르그닷랩'이라고 누군가 하고 싶은 말이 있으면 시간되는 사람들끼리 모여 간식을 먹으며 이야기를 나눌 때도 있다. 직원들끼리 자주 터놓고 이야기하는 것이 오르그닷 16명이 공통의 가치관을 만들어가는 방식이다. 가족 같은 회사란 이를 두고 하는 말이다.

이 사람

가치를 공유해야 오래 함께 갈 수 있다

김방호(오르그닷 대표)

어려운 상황에서도 실험을 지속하는 힘은 무엇인가?

함께 회사를 창업했던 김진화 선배가 2013년 결국 오르그닷을 떠났다. 그때 상심이 컸다. 행복한 밥벌이를 꿈꾸며 함께 창업했지만 회사를 운영하는 방식이 크게 달라서 어쩔 수 없었다.

〈미스터 컴퍼니〉를 본 한 후배는 이런 말을 했다. "영화에서 선배가 정에 약하고 이상적인 것처럼 나오지만 실제로 선배의 방법이 현실적인 것이다"라고. 도저히 안 될 것 같은 어려운 상황에서 사람들을 묶어주는 끈은 비즈니스 모델도 아니고 돈도 아니고 바로 사람이기 때문이라면서. 그것을 유지할 방법은 어떻게든 사람을 다독이고 회유하며 같이 가는 것밖에 없다고 했다. 오르그닷과 비슷한 조직을 꾸려 본 후배가 해 준 말이라 큰 위안이 되었다. 그 말 덕분에 어떻게든 같이 가려고 하는 노력이 조직을 유지하는 '현실적인' 방법이라는 믿음에 확신을 갖게 됐다. 이론적으론 그럴 듯한데 현실에선 적용이 안 되는 경우가 얼마나 많나. 가치를 어디에 두느냐가 결정적인 순간에 드러난다. 나한테는 사람이 가장 중요하다.

작은 회사지만 대표로 일하는 게 쉽지 않을 텐데 어떤가?

여전히 갈팡질팡한다. 때로는 냉정해져야 하고 때로는 보듬어야 할 때도 있다. 상황마다 다르고, 사람마다 다르니 매번 해결하기 쉽지 않다. 다른 회사에 다니는 어떤 후배는 대표한테 요구하는 리더십이 각자 다르다고 하더라. 어떤 사람은 카리스마를 원하고 어떤 사람은 보듬어 주기를 원한다고. 그런데 우리는 대표의 카리스마로 운영하는 회사가 아니다. 나는 그것으로 회사를 운영하고 싶지도 않다. 정으로 운영하는 회사다.(웃음)

회사를 키우는 방향에서는 어쩔 수 없이 갈등이 존재한다. 사업적으로 더 프로페셔널 해야 한다는 의견과, 천천히 성장하더라도 조직의 공동체적 가치를 추구해야 한다는 의견이 있다. 일을 진행하고 결정하는 과정에서 크고 작은 갈등이 생길 수밖에 없다. 한 사람 내부에서도 이런 생각은 계속 충돌한다. 계속 함께 이야기하며 풀어야 할 숙제가 아닐까.

지금 가장 관심이 있는 일은 무엇인가?

작년 출장 중에 유럽과 호주, 미국의 봉제 공장과 의류 제조 업체를 방문했다. 그들에게 우리가 하는 일과 디자이너스&메이커스 플랫폼을 소개했다. 이런 플랫폼은 국내뿐 아니라 전 세계 어디에도 없다.

미국엔 '매뉴팩처 엔와이'(MANUFACTURE NY)라고, 오프라인에서 우리와 비슷한 일을 하는 곳이 있었는데, 브룩클린에 큰 건물을 구해서 봉제 공장들을 입주시키고 거기서 패션 제조 플랫폼을 만들고 있었다. 400억 정도 펀딩을 받아 운영하고 있었는데 나중에 우리 온라인 플랫폼을 쓰겠다고 했다.

유럽이나 호주에도 우리 플랫폼을 통해 윤리적 소비를 알리고 건강한 패션 제조 생태계를 만들고 싶다. 세계 시장을 보고 준비하지만 제일 중요한 건 한국에서 먼저 성공하는 것! 아직은 만들어가는 중이라 차근차근 신중하게 준비하려고 한다. 분명 잘 될 거라고 믿지만 성공을 속단하고 싶진 않다.

오르그닷

지구와 사람을 행복하게 하는 윤리적 패션을 추구하는 기업. 꾸준히 친환경 소재를 연구하고 제품을 개발하고 있다. 한동안 친환경 단체복 개발에 집중하다가 2012년 젊은 감성의 남성캐주얼 브랜드 A.F.M을 런칭했다. 패션디자이너와 봉제 공장을 연결하는 패션 플랫폼 '디자이너스&메이커스(Designers&Makers)'를 구축하여 현재 시범 운영 중. 생산자와 소비자가 모두 건강하고 행복한 패션생태계를 이루기 위한 실험을 계속하고 있다. 2009년 소셜벤처 경연대회 창업부문 최우수상 수상, 2011년 고용노동부 사회적 기업 인증을 획득했다.

홈페이지 www.orgdot.co.kr

페이스북 페이지 www.facebook.com/orgdot

그래서 만났다

06

바이맘

어머니에게서 얻은 사업 아이템

내가 삶의 전환을 꿈꾸며 과감히 직장을 박차고 나올 수 있었던 힘은 아이러니하게도 직장에서 얻었다. 아름다운가게가 나에게 사고를 전환하는 자양분을 주었다면, 네이버에서는 인생의 전환을 이루고 자신만의 일을 만들어가는 사람들을 만났다. 그들에게서 다른 일, 다른 삶을 모색하는 것이 어쩌면 가능할지도 모르겠다는 희망을 보았다.

2012년 7월 초 전주에서 사회적기업 국제 콘퍼런스가 열렸다. 나는 이틀 동안 전주 한옥마을에 머물며 콘퍼런스에 참여했다. 소셜벤처들의 사업 프레젠테이션도 참관하고, 사회적기업 제품 전시를 둘러보기도 했다. 그때 고즈넉한 한옥 마당을 산책하다가 우연히 맞은편에서 걸어오던 한 청년과 이야기를 나누게 되었다.

"겨울철 난방비를 절감하는 실내텐트 사업을 준비하고 있어요."

그에게서 뭔가를 시작하려는 사람들 특유의 설렘과 에너지가 전해졌다. 특히 앞으로 이런 일을 할 거라며 이야기를 열정적으로 쏟아내는 모습이 참 보기 좋았다. 듣자 하니 이윤이 큰 아이템이라기보다 사회적으로 무척 가치 있는 일 같았다.

"저는 네이버 메인페이지에 사회적기업이나 소셜벤처를 소개하는 일을 하고 있어요. 창업하게 되면 꼭 연락주세요."

"그러면 정말 좋을 것 같아요. 꼭 연락드리겠습니다."

그는 든든한 아군이라도 만난 것처럼 한껏 반색했다. 바이맘 대표 김민욱. 우리는 명함을 주고받고 각자 발길을 돌렸다. 빙그레 웃음이 나왔다. 어떻게 될지 모르지만 재미있는 인연이 될 수도 있겠다는 생각이 들었다. 그리고 몇 개월 뒤 바이맘이 한 기업 재단이 주최하는 '청년 사회적기업가 대회'에서 대상을 받았다는 기사를 접했다. 전주에서 만나고 딱 8개월

뒤였다. 놀랍고 반가운 마음에 바로 이메일을 보냈다. 여전히 활기넘치는 회신을 받았다. 그때부터 나는 바이맘엔 뭔가 특별한 게 있다는 확신이 들었다. 바이맘은 나에게 시작부터 특별한 회사였다.

그 후 김민욱은 서울에 왔다가 나를 만나러 네이버 사옥에 찾아온 적이 있다. 한 기업의 투자를 유치하기 위한 프레젠테이션을 마치고 부산으로 내려가는 길에 들렀다고 했다. 그때 우리는 함께 사옥 여기저기를 둘러 보았다. 김민욱과 함께 왔던 동업자 장진권은 사옥 1층에 자리한 도서관을 유독 부러워하면서 나중에 이렇게 회사를 키우고 싶다고 했다. 나는 꼭 그러기를 바란다고 말했다. 진심으로.

2012년 5월에 창업한 바이맘은 이제 4년 차가 되었다. 그들은 지금 어떻게 지내고 있을까? 사업은 별 탈 없이 잘 되고 있을까?

부산디자인센터에 자리 잡고 있는 바이맘. 김민욱과 장진권은 경상도 남자 특유의 호방한 웃음으로 나를 맞아주었다. 바이맘(by Mom). 사무실 문에 붙어있는 로고에서 따뜻함이 묻어 나왔다. 엄마의 따뜻한 감성으로 난방 에너지를 절약하는 이런 사업 아이템은 성공할 수밖에 없지 않나 싶었다. 난방용 실내 텐트라는 아이디어에 바이맘이라는 감성적인 이름까지, 그들은 어떻게 이런 것을 만들 생각을 했을까.

"누나네가 이사를 했는데 외풍이 너무 심한 집이었습니다. 조카들이 감기에 걸렸어요. 어린 손녀들이 감기 걸린 모습을 보고 어머니가 천 쪼가리를 모아 재봉틀로 텐트를 만들었어요. 난방용인 셈이죠. 그걸 보고 있으려니 말로 표현하기 힘든 벅찬 감정이 밀려오면서 반짝하고 아이디어가 스치더군요. '이거 사업으로 되겠다'는 생각이 들었어요."

바이맘 룸텐트는 김민욱의 어머니가 조카를 위해 직접 손바느질로 만든 실내 텐트에서 아이디어를 얻은 것이다. 어릴 적 누구나 여름철 모기장

안에서 잘 때 아늑했던 경험이 있을 것이다. 쉽고도 기발한 아이디어!

"텐트가 좋긴 한데, 한 가지 부작용이 있더라."
바이맘의 텐트를 사서 쓰고 있는 친구의 말에 나는 가슴이 덜컥했다.
"오잉 그게 뭐야?"
나는 깜짝 놀라서 물었다.
"너무 아늑해서 그 안에 있으면 나올 수가 없다는 거야. 늦게까지 안에서 밍그적거린단 말이지."
"정말 그렇지!"
친구의 장난 섞인 말에 나도 적극 동의를 표하면서 한편으론 안도의 숨을 내쉬었다. 그만큼 바이맘은 애착이 가는 회사이고, 일하면서 만났던 많은 소셜벤처와 사회적기업 중 가장 매력적이라고 생각하는 곳이다. 바이맘 룸텐트는 정서적인 아늑함 뿐 아니라 실제로 에너지 절감 효과도 있다.
"바이맘 텐트값이 하나에 10~15만 원 선이에요. 15만 원이라고 했을 때 3개월만 쓰면 난방비를 뽑을 수 있어요."
아내와 아이 둘과 사는 김민욱은 가을과 겨울철 난방비가 월 평균 15~20만 원 들었는데 룸텐트를 사용한 이후 6개월 동안 고작 45만 원 나왔다고 한다. 난방비가 절반 이상 줄어든 것이다.
"당시 어머니가 만들어 주신 누비 실내텐트를 아직 보관하고 있어요. 그때 사용했던 재봉틀도 있고요. 사무실에 가져다 놨어요. 탈탈탈 소리 나는 수동 재봉틀이에요."
김민욱의 목소리가 촉촉해졌다. 어머니의 누비 텐트와 수동 재봉틀을 얼마나 아끼고 살뜰하게 여기는지 그 마음이 느껴졌다. 내 눈에도 재봉틀은 특별해 보였다. 정말이지 탈탈탈 소리가 날 것 같아 보였다. 나는 그 재봉틀이 앞으로 몇십 년 혹은 몇백 년 뒤에 지금보다 훨씬 더 중요한 의미를 담게 될 거라는 예감이 들었다.

사업 아이디어가 떠올라도 막상 사업에 뛰어들기는 쉽지 않다. 엄청난 결단과 고민이 필요하다. 나도 머릿속으로는 수도 없이 창업을 해 보았다. '쌍화차나 쑥차 같은 건강 차와 주먹밥을 파는 작은 테이크아웃 카페를 하면 어떨까? 동네에 작은 만화방을 차려서 종일 음악 듣고 만화보면서 지내볼까?' 이런 구상도 하고, 회사를 그만두고 나서는 '회사 앞에 친구들이 퇴근 후 들러서 놀 수 있는 작은 카페를 차려볼까. 친구들이 있으니 파리 날리진 않겠지?' 이런 생각도 했다. 몇몇 친구들이 내 말을 듣고는 꼭 하라고, 만날 놀러 온다고 했지만 비싼 임대료를 생각하면 엄두가 나지 않았다. 멀쩡한 회사를 잘 다니던 두 청년은 어떻게 창업하기로 마음먹게 되었을까?

"직장에서 기업을 평가하는 일을 했어요. 그 일을 하면서 기업 대표들을 많이 만났죠. 회사를 평가하러 가서 일을 끝내고는 항상 물었어요. '사장님, 어떻게 성공하셨습니까?'라고. 그중 인상적인 기업이 있었어요. 부산 사상구에 철강, 유통, 주유소 3가지 사업을 운영하고 자산이 한 500억 정도 되는 중소기업이 있어요. 그 회사 사장님은 20대 때 사업을 해야겠다고 생각했대요. 아주 작은 공장을 구해서 야전침대 하나 놓고 거기서 먹고 자고 했는데, 밤새 쇠를 깎다가 자고 일어나면 또 쇠를 깎고 그렇게 8년을 하고 나니까 성공했더라고 했어요."

누구보다 열정적으로 사는 중소기업 대표들을 보며 김민욱은 창업의 꿈을 키웠다고 한다.

"일의 속성상 기업 분야 트렌드 같은 것을 항상 접했는데 그때 사회적기업 사례를 보게 됐어요. 국가가 빈곤의 문제를 해결하지 못하지만 비즈니스로 그것을 해결할 수도 있다는 내용 때문에 관심 있게 지켜봤죠. 사명

감으로 운영하는 기업들을 보았고, 사회적기업법이 통과되는 걸 지켜보며 창업을 꿈꾸게 됐어요."

김민욱은 창업의 꿈을 키우면서 돈만 버는 것이 아니라 사회적 문제를 같이 해결하는 일이었으면 좋겠다고 생각했단다. 창업의 꿈을 품고 있던 김민욱은 평소 친하게 지내던 장진권에게 함께 하자고 손을 내밀었다. 직장생활 8년차로 '언제까지 이 일을 할 수 있을까' 고민하던 장진권은 김민욱의 제안에 함께 회사를 차려보기로 했다.

성장보다 좋은 일자리를 만드는 일

초창기 1년 동안은 김민욱과 장진권 둘이서 회사를 꾸렸다. 지금은 직원이 10명으로 늘었다. 각각 재무회계, 디자인, 마케팅, 물류, 생산, 고객 관리, 기술 관리 등을 담당하는데 직원 한 명이 한 팀을 맡는 셈이다. 그 면면을 들여다보면 한 사람 한 사람이 독특했다. 그들 중에는 자폐 장애를 가진 사람도 있고 새터민도 있다.

"새터민 친구는 입사 당시 초졸이었어요. 교육청 면접을 통해 새터민의 학력을 인정해 주는 제도가 있는데 회사에 입사하고 함께 준비해서 고졸 자격증을 땄어요. 졸업장을 딱 따왔을 때는 부둥켜안고 울 뻔했죠."

김민욱이 그때를 회상하며 말할 땐 깊은 정이 고스란히 전해졌다. 그 새터민 청년이 고졸 학력을 인정받는 데는 '성실하게 일하고 있다'는 바이맘의 추천서도 한몫을 했다고 한다. 그 직원은 김민욱이 다니던 교회의 새터민 교류 프로그램을 통해 알게 된 청년이다.

그 청년은 지금 2년째 바이맘에서 일하고 있다. 우여곡절이 없었던 것은 아니다. 기본적인 직무능력을 갖추지 못해 장진권이 이 친구를 붙들고 엑셀이니 워드니 사무 프로그램을 가르쳤다. 그런 노력에도 불구하고 그 청년은 "행님 힘듭니다. 전 더 큰 일을 하고 싶습니다." 하고는 훌쩍 떠난 적도 있었다. 하지만 3개월 만에 다시 일하고 싶다고 찾아왔고 그때 김민욱은 "니가 온다면 언제든 환영이다. 고맙다"며 받아주었다고 한다. 그의 말을 듣고는 어떻게 그렇게까지 할 수 있는지 내심 놀랐는데, 그뿐만이 아니었다.

"자폐 장애가 있는 친구도 오래전부터 알던 사이예요. 태어날 때는 그렇게 심하지 않았는데 자라면서 심해졌어요. 가끔 만나서 사는 얘기를 나누곤 했죠. 그러다 그 친구가 취업한 회사 얘기를 들었어요. 장애인을 고용해 빵을 만드는 곳이었는데, 직원들에게 점심시간을 15분 주더라고요. 직원들은 15분 밥 먹고 바로 일을 해야 했어요. 근로기준법상 하루 8시간 일하면 1시간 이상 휴식 시간을 줘야 하는데, 사장이 그런 개념 자체가 없었던 거죠. 그 친구가 일하는 곳에 가서 문제를 제기했어요. 그런데 그 사건 이후로 직원들에게 점심시간을 1시간 주는 게 아니라 전체 일하는 시간을 8시간에서 7시간 반으로 줄이더라고요. 정말 화가 났어요. 이 친구를 데려와야겠다고 생각했죠."

얼마 전 나도 신문 기사에서 비슷한 사례를 읽은 적이 있다. 청년 노동문제를 다루는 한 단체에서 주요 프랜차이즈 커피전문점을 대상으로 조사한 내용이었다. 주당 평균 15시간 이상 일하는 직원에게 월 1회 유급 휴일을 주거나 주휴 수당을 주는 제도가 있는데, 대부분 사장은 이런 사실을 아예 모르고 있었다. 그런데 한 유명 프랜차이즈 커피전문점에서는 한 주에 14시간 30분만을 일하도록 해서 법에 어긋나지 않는 방식으로 제도를 교묘하게 비껴가고 있었다. 그런 일이 바이맘 직원이 일했던 장애인 고용기업에서도 있었던 것이다.

그때는 김민욱과 장진권 둘이 회사를 운영하던 때로 직원을 고용하기 부담스럽던 시절이었다. 그런데도 그 친구를 데려와 함께 일했다.

"그 친구와 함께 일하면서 놀라운 경험을 했어요. 우리랑 같이 상자를 접는데 이 친구가 정말 잘 접더라고요. 50분 접고 10분씩 쉬는데, 이 친구는 일하는 내내 한 번도 쉬지를 않는 겁니다. 상자 접을 때 집중력이 엄청나더라고요. 그걸 보며 모든 사람이 다 자기 나름대로의 능력이 있다고 생각했죠."

자칫 사회에서 소외될 법한 두 청년은 바이맘의 식구로 2년째 한솥밥을 먹고 있다. 몇 안 되는 직원인데 별다른 직무 기술도 없는 새터민과 정신지체 3급인 자폐장애인이 같이 일하고 있다니 바이맘을 아끼는 나로서는 조금 걱정스러웠다. 그들의 가치에는 동의하지만 똘똘하고 능력 있는 청년들을 뽑아서 사업을 키워나가는 게 우선이지 않을까?
작은 회사일수록 조직이 단단해야 하는데 과연 회사를 계속 잘 운영해나갈 수 있을지, 조심스럽게 그의 생각을 물었다. 김민욱은 이제 이십 대 초반인 새터민 직원에게 버릇처럼 이렇게 말한다고 한다.
"네가 우리 나이가 되면 더 큰 일을 할 거다. 나중에 통일되면 니가 북한 지사장 맡아라. 북한과 남한을 동시에 이해하고 사업적으로 풀 수 있는 친구들이 실제로 얼마나 되겠냐?"
이 친구가 바이맘에서 잘 성장해 남북이 통일되면 그의 진짜 능력을 발휘할 것이라고. 그러면서 통일 이후 바이맘이 북한 사회를 건강하게 만드는 기업으로 큰 성과를 이룰 거라는 기대도 내비쳤다. 그의 희망사항이라고 한다. 맞다. 그 친구가 앞으로 어떻게 될지 아무도 모를 일이다. 일방적으로 돕는다는 생각이 아니라 그들의 잠재력을 본다는 김민욱의 생각이 참 건강하게 느껴졌다.
여든 넘은 나이에 자폐 장애인 손자와 함께 사는 할머니는 가끔 김민욱에게 전화해 "고맙다"는 말을 전한다고 한다. 나는 바이맘의 룸텐트가 사람들에게 아늑함을 주는 것처럼, 바이맘이라는 회사는 이들 소외 계층 청년들이 자립할 힘을 주는 에너지 텐트라는 생각이 들었다.

우리는 갑을 관계가 아니다

바이맘은 직원과의 관계뿐만 아니라 사업 파트너와의 관계에도 매우 공을 들인다. 바이맘의 룸텐트는 네 곳의 봉제 공장에 주문 제작을 한다. 그중 한 곳은 자활센터이고 나머지 세 곳은 일반 공장이다. 일반 공장 세 곳 중 두 곳은 텐트 제작 전문 업체이고 다른 한 곳은 구성원들 모두 55세 이상인 시니어 고용 공장이다.

"사업 초기부터 생산은 시니어 그룹이나 자활센터에서 진행하려고 생각했어요. 2012년도 제품 제작은 자활센터 단독으로 했고 2013년에는 물량이 늘어 일반 공장으로 확대했어요. 지금은 일반 공장 비중이 높지만 자활센터의 기술력을 높여서 생산 비중을 높일 계획이에요."

젊고 숙련된 기술자와 함께 좋은 제품을 만들어 최고의 기업으로 성장하면 좋을 텐데 시니어 고용이라니, 그들은 왜 그토록 함께 일하는 사람들을 중요하게 생각하는 걸까?

"바이맘 제품은 철저하게 사람 손으로 만들어요. 기계로 만드는 게 아니예요. 그래서 생산이 활성화된다면 손을 직접 쓰는 여러 일거리가 만들어질 겁니다. 이게 자활센터에만 가치 있는 건 아니예요. 한국 봉제 공장들은 직원이 10명 넘는 곳이 없어요. 일감이 모두 중국으로 넘어갔거든요. 우리는 아직 남아 있는 수많은 영세 봉제 공장에 일감을 준다는 것만으로도 상당히 가치 있는 일이라고 생각합니다."

내 생각이 짧았다. 그들에겐 에너지 빈곤 가구 문제를 해결하는 일 뿐 아니라 좋은 일자리 만들기도 중요한 가치이다. 일본에는 쓰미모토 화학이라는 5달러짜리 살충모기장을 만드는 기업이 있다. 이 모기장은 매년 말라리아로 수많은 사람이 목숨을 잃는 아프리카에 보내져 생명을 구하는 데 기여한다. 동시에 일본에 많은 봉제 일자리를 만들고 있다. 바이맘도 에너지 절감 뿐 아니라 좋은 일자리를 만드는 기업이 되고 싶다고 했다.

"우리가 처음 공장에 갔을 때 그분들 표정이 별로 밝지 않았어요. 계약 얘기를 하는데 거기 공장장이 건당 2,000원을 더 달라고 요구했어요. 우리는 바로 그러겠다고 했죠. 그러니까 그분이 놀라더라고요. 2,000원 불렀다가 1,000원이나 500원으로 깎으려고 했는데 바로 받아들여서 놀랐답니다."

건당 2,000원이면 원가에서 적지 않은 금액인데 어떻게 계산도 없이 덥석 봉제 공장의 요구를 받아들였을까? 걱정스러운 내 눈길을 눈치챘는지 김민욱은 "봉제 공장하고는 가족 같은 관계"라고 덧붙였다.

"비록 계약관계지만 우리는 그분들 모시고 같이 회식도 하고 노래방 가서 재롱도 떨어요. 계약관계는 맞지만 갑을 관계는 아니죠. 바이맘 직원들과 공장 분들을 모두 합하면 70여 명 정도 돼요. 이모님 삼촌 같은 그분들과 가족처럼 지내려고 노력합니다. 이런 관계를 만들어가는 가치가 에너지 빈곤 문제를 해결하거나 화석 에너지 사용을 줄이는 것만큼이나 중요하다고 생각합니다."

한 젊은 디자이너의 아이디어로 시작한 스위스의 '시니어 디자인 팩토리'(Senior Design Factory)도 그렇다. 시니어 디자인 팩토리는 젊은 디자이너와 노인들이 함께 일하는 스위스의 비영리 단체로, 할머니 할아버지들이 손수 뜨개질한 목도리나 카펫 · 주방 장갑 · 티셔츠 등을 판매한다. 그들은 사회문제로 떠오르는 고령화 현상에 주목하여 고민하다가 노인들이 솜씨를 발휘한 수공예 제품을 떠올리게 되었다. 이곳 제품에선 특별한 감성을 느낄 수 있다. 손뜨개질 패브릭이 주는 따뜻함도 있지만, 제품에 할머니 할아버지가 한땀 한땀 이어간 손길이 담겨 있어서 무척 사랑스럽다.

바이맘의 룸텐트도 기계로 대량 생산하는 물건들과 달리 몇십 년간 봉제 일을 해온 어른들의 손맛과 정성이 담겨 있다고 생각하니, 세상에 이런 물건이 없다는 생각이 들었다. 바이맘의 룸텐트와 그것을 만들어가는 사람들은 시쳇말로 볼매(볼수록 매력)이다.

나는 돈 빌릴 책임이 상대는 거절할 자유가 있다

"작년에 회사가 아주 힘들었어요. 원단 대금 1억을 지급하지 못할 정도였죠. 어느 날 원단 업체 이사님이 법원에서 연락올 거라고 말하더라고요. 사실 원단 업체도 우리 일을 좋게 봐줘서 좋은 조건으로 주고 있었어요. 대금 미납이 쌓이다 보니 그런 상황까지 온 거죠. 6개월까지 기다리다가 업체 이사님이 부산으로 직접 내려오셨어요. 근데 우리도 도저히 방법이 없었기 때문에, 우리가 지금 이렇게 일을 하고 있으니 좀 더 기다려 달라고 간곡히 말씀드렸어요."

바이맘의 어려운 상황 때문에 곤란한 일이 생겼지만, 원단 업체와도 보통 인연이 아니었다. 보통 가정에서 난방텐트를 사용할 경우 하루 8시간 이상 그 안에서 잠을 자고 호흡을 한다. 그 때문에 유해 물질이 배출되지 않고 항균성과 보온성이 좋은 원단을 써야 한다.

바이맘은 한국섬유개발연구원과 함께 원단을 개발하고도 그걸 만들 수 있는 제작사를 찾기 어려웠다. 가까스로 지금의 회사를 만나 바이맘이 만들고자 하는 제품을 설명하고, 여러 번 설득한 끝에 인연을 맺게 되었다. 그들은 바이맘의 뜻에 동참한다며 품질에 비해 그리 높은 가격을 요구하지도 않았다.

그런 특별한 관계 때문인지 원단 업체 이사님은 두 청년의 이야기를 듣고 다시금 대금 지급을 연장해 주었다. "너희는 분명히 성공한다. 기다려 줄 테니까 마음대로 해 봐라." 하고는 직원들을 횟집으로 끌고 가 20만 원 어치 회까지 사주고 돌아갔다. 웃으면서 말하지만 작년 한 해 동안 얼마나 힘들었을지 짐작할 수 있었다.

그동안 바이맘 소식은 간간히 들었다. 소셜벤처 대회에서 수상해 지원금을 받았고 기업 투자도 받았으며, 서울시와 에너지빈곤층 사업에도 파트너로 참여한 것을 알고 있었다. 그래서 상황이 그리 어려울 거라고는 생각하지 못했다. 나에게 바이맘은 소셜벤처 업계의 스타였고, 이런 좋은 사업은 당연히 잘 나가야 한다고 생각했다. 그의 말을 들으며 내심 놀랐다. 어쨌든 위기를 잘 넘기고 이렇게 바이맘의 두 사람을 마주할 수 있어 얼마나 다행한 일인지.

그런 어려움을 겪는 과정에서 김민욱과 장진권은 작년까지 계속 집을 줄여가야 했다. 둘 다 성실한 성격이라 10여 년간 직장 생활을 하며 차곡차곡 돈을 모았다. 그렇게 모은 돈으로 결혼하면서 작은 아파트를 장만했는데, 창업하면서 집을 팔아 전세를 옮기고 다시 전세를 빼서 둘다 지금은 월세로 살고 있다. 두 사람은 가족 생각하면 미안할 뿐이라며 멋쩍은 표정을 지었다. 그런데 한편으로 이들의 표정에선 여유가 묻어나니, 이것도 참 알 수 없는 일이다. 이들을 버티게 하는 힘은 뭘까?

원단 업체에서 기간을 연장해 주었지만 문제가 다 해결된 건 아니었다. 약속한 기간이 지나고도 대금을 갚지 못했다. 원단을 받아야 제품을 생산하고 수익을 내는데 돈 나올 구멍이 없었다.

"작년에 진짜 심각했어요, 돈이 있어야 물건을 만들어서 팔 텐데 있는 돈다 거덜 나고. 올해는 분명 대박날 건데 상황이 너무 답답했어요. 그러던 중에 우연히 김제동 씨 강연을 봤어요. 어떤 사람이 좋아하는 여자가 있는데 어떻게 해야 하느냐고 물어보니까 김제동은 이런 말을 하더라고요. "너는 고백할 권리가 있고 상대방은 거절할 자유가 있다"고. 그걸 보고 '나는 회사의 대표로서 돈 빌릴 책임이 있고 상대는 거절할 자유가 있다.' 이렇게 생각하니까 마음이 편해졌어요. 그제야 돈 빌려달라는 말을 할 수 있었죠."

김민욱은 신용대출을 받기로 했다. 그가 말하는 신용대출은 금융권에서 받는 게 아니라 그들을 믿고 바이맘의 가치를 지지하는 지인에게서 받은, 진짜 신용에 따른 대출이었다. 그만큼 절박했다.

"바이맘을 자문해 주는 모 대학 교수를 찾아갔어요. 그렇게 자문만 하지 말고 지금 막 치고 올라가는 기업에 투자를 해달라며 기회를 주겠다고 호기롭게 제안했어요. 그랬더니 그분이 '정말 투자하고 싶은데 내가 투자하면 너희를 지금처럼 못 도와준다'고 했어요. 그 얘기를 듣고 맞는 말이라고 생각했죠. 돈을 빌리고 안 빌리고를 떠나서 힘이 되는 말이었어요."

다행히 지인으로부터 돈을 빌려 위기를 넘길 수 있었다.

"작년 말 드디어 손익분기점을 넘었어요. 2015년 6월 1일로 사업자등록증 나온 지 딱 3년인데, 2년 6개월 만에 손익분기점을 처음 넘어선 거예요. 작년에 매출 10억 찍고 손익 분기를 넘었지만, 사실 그 전에 2년 반 내내 힘든 과정이 있었어요."

그런 위기가 있었지만 바이맘은 분명히 성장하고 있었다. 바이맘이 추구하는 기업 가치가 널리 알려졌을 뿐 아니라 실제로 룸텐트 수요가 부쩍 늘었다. 룸텐트는 난방비 부담 때문에 에너지 저소득층뿐 아니라 중산층에서도 찾는 이들이 많았다.

작년에는 생산량을 크게 늘리면서 품질관리가 어려운 상황이었다. 수요에 맞게 제품 제작에도 속도를 내야 하는데, 그렇다고 막 찍어낼 수도 없으니 발만 동동거렸단다. 바이맘 룸텐트는 좋은 품질을 유지하기 위해 원단 작업에 3주, 봉제에 한 달 정도 공정 기간이 필요하다. 품질에 대한 자체 기준이 높아서 주문이 늘어난다고 해도 무작정 제품 수를 늘리기는 힘들다.

"친구에게 이런 어려움을 토로하는데, 텐트의 전설이라 불리는 자기 아버지 얘기를 하는 거예요. 귀가 번쩍 뜨였죠."

텐트의 전설로 불리는 장인과의 만남

구하면 얻을 것이라는 말은 바이맘에 딱 들어맞았다. 마침 텐트의 전설이라 불리던 김민욱의 친구 아버지는 얼마 전 본인이 경영하던 회사를 매각하고 다른 기업의 자문 역으로 있던 상황이었다.

"직접 찾아뵙고 삼계탕을 대접하는 자리에서 무릎을 꿇고 도와 달라고 했죠. 흔쾌히 수락해 주셔서 얼마나 다행이었던지. 그분이 지금 생산관리를 총괄하시며 직원들에게 비결을 전수해 주고 있어요."

늘어나는 수요를 감당하면서도 품질 또한 포기할 수 없는 진퇴양난의 상황. 걸음마 기업 바이맘과 30년간 텐트 생산관리에 몸담았던 노장의 드라마틱한 만남이 이루어졌다. 먼 훗날 바이맘이 그들의 성장담을 회고할 때, 그 만남이야말로 감동적인 장면으로 기억되지 않을까. 그런 노력 덕분인지 바이맘 제품을 써본 사람들의 반응은 사업에 대한 그들의 확신을 더 단단하게 했다.

"우리 제품을 써본 고객들의 피드백은 '좋다'가 90%예요. 왜 진작 안 샀을까 하고 열광하시는 분들도 많아요. 고객들이 반드시 선택할 거라는 확신이 있었지요."

바른 제품을 만들기 위해 타협하지 않는 바이맘. 그들의 단호함을 알아보고 인정하는 사람들이 늘고 있어서 참 다행이다.

세계적인 아웃도어 패션업체 파타고니아는 친환경 소재 제품과 공동체적 기업 경영으로 유명하다. 창업자 이본 쉬나드의 환경에 대한 관심은 제품 생산과 유통 방식에서 그대로 드러난다. 파타고니아 이야기를 듣고 가장 놀라웠던 점은 그들이 제품 수선 기한을 두지 않는다는 것이다.

그들은 구매자 기준의 평생 수선이 아니라 의류를 기준으로 평생 수선 개념을 말한다. 닳고 닳아 없어질 때까지 제품의 수선을 보장한다는 것이다. 그래서 파타고니아는 대물림해 입는 옷을 추구하는데, 내가 입다가 자식에게 자식이 손자 손녀에게 물려줄 수 있게 내구성 높은 옷을 만든다.

제품에 그들의 철학을 오롯이 담고 있는 바이맘은 파타고니아처럼 사람들의 지지를 받으며 오래도록 지속할 거라고 믿는다.

추운 겨울을 함께 따뜻하게 보내는 법

이들은 맨 처음 사업을 시작할 때, 이 제품을 만들면 가장 필요한 사람들이 누구일까를 생각했다. 매년 겨울 신문에 빠지지 않는 기사가 있다. 난방도 되지 않는 쪽방에서 전기세가 무서워 장판도 못 켜고 추운 겨울을 보내는 홀몸노인들 이야기다. 바이맘은 처음부터 지자체의 에너지 복지 예산을 딸 수 있는 정부 지원 모델을 염두에 두고 시작했다.

"우리 제품이 절실하게 필요한 사람들은 구매력이 없어요. 전기세가 무서워서 전기장판도 못 켜는데 10만 원이 넘는 우리 난방용 텐트를 어떻게 사겠어요."

매년 정부에서 에너지 빈곤층을 돕는 예산은 수천억 원이다. 올해부터 보건복지부에서 실행하는 에너지 지원 제도를 산업통상자원부에서도 시행한다는 얘기를 들었다. 그 얘기를 꺼냈더니 룸텐트야말로 정부가 최소한의 비용을 써서 최대의 효과를 보는 에너지 방안이라고, 그는 확신에 찬 목소리로 말했다. 전기나 가스 사용보다도 효율적이고 장기적으로 지속할 수 있는 방안이기 때문이다.

"처음에는 단순한 아이디어로 시작했지만 사업을 할수록 확신이 들어요. 그 확신은 에너지 빈곤 가구를 만나면서 강해졌죠. 우리가 텐트를 설치하기 위해 방문한 빈곤가구는 1,000곳이 넘어요. 어르신들 방에 난방텐트를 설치하고 나서 촉촉이 젖은 눈으로 우리를 바라보는 그분들 모습을 보고, 이 시장은 반드시 된다고 생각했어요."

그의 말을 들으며, 이들의 관심은 애초에 사람에게로 향해 있다는 생각이 들었다.

에너지를 파는 기업인 한전은 직원들이 높은 연봉을 받는 것으로 유명하다. 임원들은 당연히 억대 연봉을 받을 것이다. 심지어 기업들로부터 비자금을 받았다는 기사도 심심치않게 나온다. 대기업은 원가에도 못 미치는 가격에 전기를 공급받으며, 심지어 그렇게 구매한 전기를 한전에 되판다는 얘기도 있다.

한편에서는 전기세가 무서워 추운 겨울을 보내야 하는 많은 이들이 있다. 부조리한 현실이지만 우리가 뭘 할 수 있을까, 뭔가 한들 바로 잡을 수 있을까… 분노와 안타까움 사이를 왔다 갔다 하다가 대부분은 문제를 잊고 일상을 살아간다.

그래서 바이맘을 만든 그들이 고맙다. 뜨거운 마음으로 가난한 사람들의 따뜻한 겨울을 위해 고군분투하는 그들의 존재가 소중하다. 힘든 상황에도 '사람'이라는 가치를 중심으로 한발 한발 나아가고 있는 바이맘. 그들이 어려움을 헤쳐나갔던 힘은 특별한 데 있지 않았다.

"밥 한 그릇 나눌 수 있으면 충분하다."

『절망의 시대를 건너는 법』이란 책에서 가장 인상 깊었던 한 구절이다. 바이맘은 실내텐트로 사람들과 온기를 나누고, 그 사업을 같이 만드는 식구들과 밥을 나눈다. 이 책의 저자 오카다는 사람은 자기보다 약한 사람이 있어야 그들을 돌보면서 강해진다고 말한다. 강한 사람 밑에서 지도를 받아야 강해지는 것이 아니란 말이다.

바이맘은 우리 사회의 에너지 빈곤층에 대한 관심 뿐 아니라 좋은 일자리를 찾는 새터민이나 장애인 같은 사회적 약자들과 함께하면서 더 강해지고 있는 듯하다. 바이맘의 두 남자처럼 '밥 한 그릇 나눌 수 있는' 정도의 마음의 공간을 비워 두는 일은 잊지 않고 항상 기억해야겠다고 다짐했다.

바이맘, 그 이름을 듣는 것만으로 잔잔한 감동이 밀려온다. 수많은 사회적기업과 비영리단체를 만나 봤지만 그들처럼 함께 사는 가치를 삶 속에서 있는 그대로 실현하는 이들을 만나기 쉽지 않았다. 그래서 나는 감히 바란다. 어려운 고비 속에서도 절대 주저앉지 말기를. 그들이 있어 세상이 조금씩 더 따뜻해지고 있다고 말해 주고 싶다. 바이맘은 처음부터 지금까지 그리고 앞으로도 계속 나에게 특별한 회사로 남을 것이다.

그들의 실험

돈을 좇되 돈만 좇지 않는다

품질로 경쟁한다

인터넷에서 실내텐트를 검색하면 수십 개 업체가 나온다. 대부분 저가의 실내텐트이다. 3만 원에 살 수 있으니 15만 원인 우리 제품보다 훨씬 싸다. 재미있는 건 다른 업체의 실내텐트를 사용한 분들이 우리 텐트를 구매하는 고객이 된다는 점이다. 난방텐트를 한 번 써보고 그 필요성을 절감하면서 질 좋은 제품을 찾게 되는 것이다. 그래서 오히려 우리 시장을 확대해 준다는 면에서 좋은 점도 있다. 바이맘 룸텐트의 수명은 7년으로 본다. 한 달에 5천 원도 안 되는 돈이다. 비싼 돈이라고 생각하지 않는다. 그래도 좋은 물건을 싸게 제공하는 것도 중요한 가치이기 때문에 원가를 낮추고 가격을 내릴 방법을 계속 찾고 있다. 하지만 좋은 소재로 안전하게 만드는 원칙을 타협할 생각은 없다.

우리는 돈보다 더 큰 성공을 꿈꾼다

돈 욕심은 사람의 욕망 중에 작은 부분이라고 생각한다. 우리는 진짜 큰 욕심이 있다. 돈을 좇지는 않지만 성공하고 싶다. 정확히 말하자면 돈을 좇지 않는다기보다 비즈니스적으로 돈을 열심히 좇되 그 중심에는 사람을 둔다는 뜻이다. 봉제 공장 이모님들의 월급이 100만 원이다. 큰돈은 아닐지라도 이분들에게 안정적인 일자리를 제공하는 게 우리에겐 중요하다. 돈은 생활을 유지할 수 있을 정도만 벌면 된다. 이건희 회장도 세 끼 먹고 우리도 세 끼 먹는 건 마찬가지 아닌가.

함께 고생하면서 함께 성장한다

제조업은 같이 바닥을 구르면서 고생하는 거다. 일이 많으면 지하 물류센터에서 다 같이 박스를 접고 물건을 포장한다. 고생을 같이 하는 과정이 중요하다. 작년 12월에 우리 두 명과 또 다른 직원 하나가 서울에 올라가서 전단지를 뿌리고 추운 겨울에 지하철 역을 다니면서 사람들을 직접 만났다. 대표와 부사장이 고생하는 모습을 보고 직원들도 회사 힘든 걸 알게 되고 그런 걸 통해 팀워크도 생기는 것 같다.

일이 많을 땐 전직원이 지하 물류창고에서에서 함께 작업을 한다. 이 과정을 통해 팀워크도 생긴다.

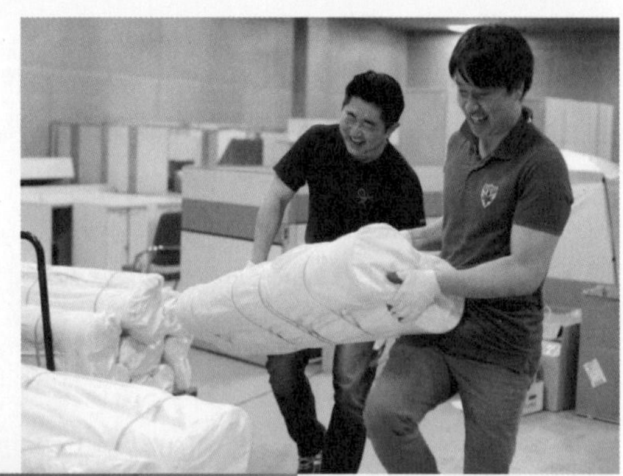

모든 일에 너 따로 나 따로가 없다. 제조업은 같이 바닥을 구르면서 고생하는 거다. 고생을 같이하는 과정이 중요하다.

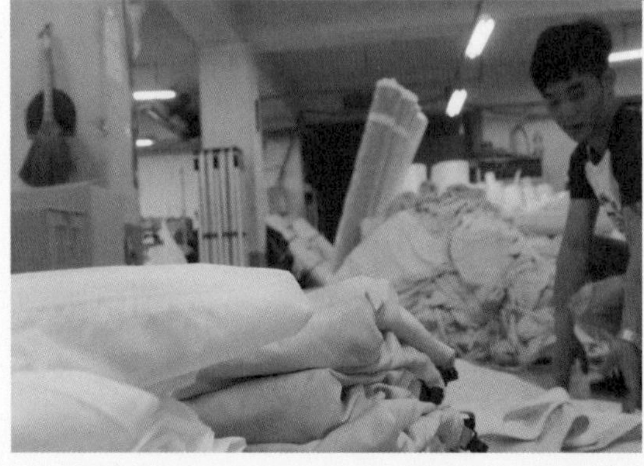

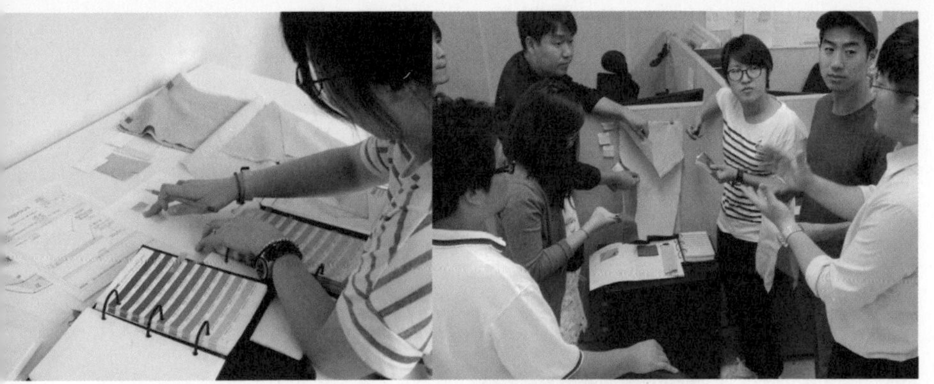

바이맘 텐트는 이제 세계로 향한다. 몽골, 호주, 동유럽, 시리아 등 세계 곳곳에서 룸 텐트 주문이 들어오고 있다.

오후 나른한 시간에 기타치고 노래하며 직원들 흥을 돋운다. 김민욱과 장진권은 사내 분위기 메이커로 통한다.

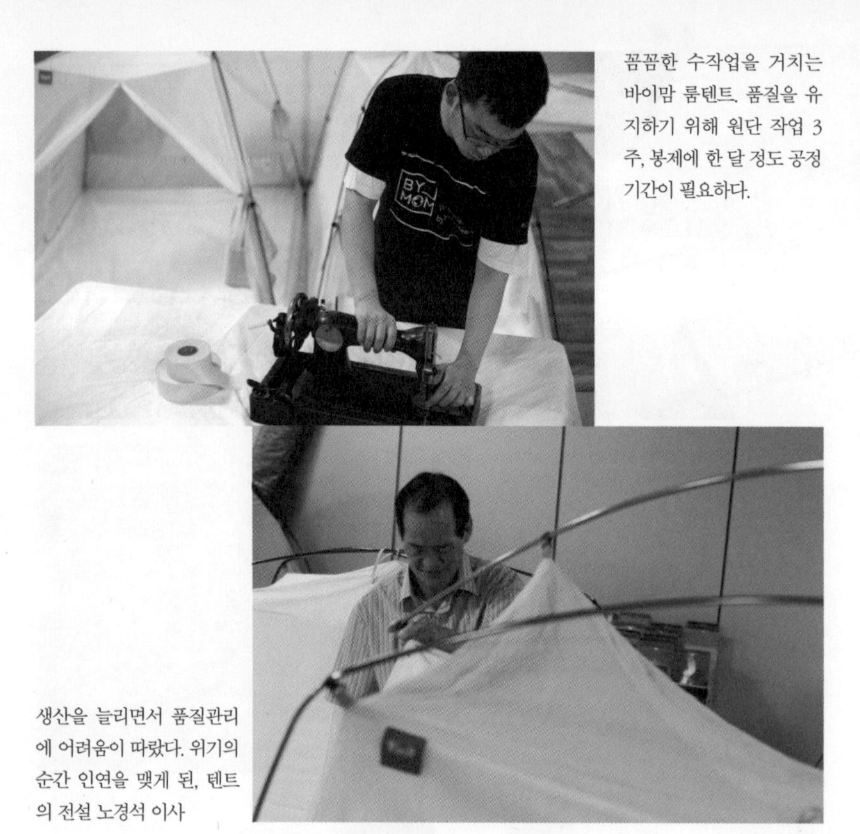

꼼꼼한 수작업을 거치는 바이맘 룸텐트. 품질을 유지하기 위해 원단 작업 3주, 봉제에 한 달 정도 공정 기간이 필요하다.

생산을 늘리면서 품질관리에 어려움이 따랐다. 위기의 순간 인연을 맺게 된, 텐트의 전설 노경석 이사

바이맘 직원들. 그들에겐 서로가 가족 같은 존재다.

바이맘 룸텐트는 에너지 절감 효과가 크다. 룸텐트 사용이 지구온난화로 생명의 위협을 받는 펭귄, 북극곰, 바다코끼리를 지키는 방법이기도 하다.

이 사람

좋은 사람을 만나게 해 주는 일

김민욱(바이맘 대표)
장진권(바이맘 부사장)

안정적인 직장을 그만두기가 쉽지 않았을 텐데 어떤 계기가 있었나?

장진권 : 보통 회사를 7, 8년 다니면 고민을 하지 않나. 동업을 제안받았던 그때 37살이었다. 마흔을 코앞에 두고 있었는데, 회사 선배들의 모습을 보면 계속 회사 다녀서 딱히 답이 나오지 않는다는 생각이 들었다. 대기업 다니는 사람들도 마흔 넘으면 자의든 타의든 회사 그만두게 되고 나가서 치킨집 하는 경우가 많지 않나. 지금 신뢰하는 친구랑 다른 일을 해 보는 것이 좋겠다고 생각했다.

김민욱이 실내텐트 어쩌고 했지만 사실 정확히 뭘 하려는 건지 몰랐다. 어머니가 만들었던 누빔 텐트 사진 한 장 보여준 거 말고는 없었다. 그런데 그걸 보고 뭔가 따뜻함을 주는 사업이라고 생각했고, 그래서 한번 가보자는 마음이 들었다. 돌아보니 너무 고민 없이 덥석 시작했나 하는 고민이 들기도 했다(웃음). 사는 게 뭐 별거 있나. 8년 내내 꽉 맸던 넥타이를 풀어헤치고 싶은 마음이야 누구나 하는 거고, 어떤 대단한 결심 같은 건 없었다.

함께 창업하고 뜻이 잘 맞는다고 해도 항상 좋을 수만은 없을 텐데, 의견이 부딪힐 때는 어떻게 해결하나?

김민욱 : 아침부터 저녁까지 우리는 쭉 같이 있어서 얘기를 많이 안 할 수가 없다. 아침에도 카풀로 같이 출근한다. 한 번씩 출장을 떠나면 또 이런저런 이야기를 자연스럽게 나누고. 부산은 보수적인 곳이라 가끔 어르신들이 절대 동업은 하지 말라고 한다. 그런 얘기를 종종 듣긴 하지만 누구랑 동업하느냐의 문제가 아닐까 한다. 우리 둘의 공통분모가 있다. 둘 다 돈을 좇지 않는다는 것이다.

장진욱 : 오랫동안 이 친구가 어떻게 사는지 쭉 지켜봤고 무엇보다 우리는 가려는 방향이 어느 정도 비슷하다. 큰 방향에서는 같은 곳을 바라보는 거다. 당연히 부딪히는 부분도 있지만 내 성향 자체가 자기주장을 내세우기보다 될 수 있으면 맞춰 가는 편이다. 앞으로 가야 할 길이 멀다고 생각하기 때문에 갈등 상황을 심각하게 여기기보다 지금 잘 맞춰서 앞으로 쭉 같이 가는 것이 더 중요하다고 생각한다.

얘기를 들을수록 둘의 생각이 참 많이 닮았다는 생각이 든다. 두 사람에게 일이란 무엇인가?

김민욱 : 일이나 바이맘은 하나의 도구라고 생각한다. 연관된 모든 사람을 행복하게 하는 것. 가장 먼저 우리 직원들, 우리 물건을 만드는 파트너 업체들, 고객들이 행복해야 한다고 생각한다. 캄보디아나 베트남에서 봉제 공장이 무너져 수백 명이 죽는 사례들이 있다. 그런 일은 절대 일어나서는 안 된다. 일은 돈벌이를 위한 수단이 아니라 사람들이 같이 행복하게 살 수 있는 도구여야 한다.

장진권 : 회사 다닐 때는 사람들을 만날 수 있는 범위가 한정적이다. 바이맘하면서 좋은 분들을 많이 만났다. 책상 위에 명함 뭉치가 있는데 만나고 싶은 사람들을 찾아다니면서 모은 것들이다. 수많은 명함, 그 관계들은 자리에 앉아 모니터만 보고 일하던 때에는 할 수 없던 경험이다. 좋은 사람들과 좋은 일을 만들어 가는 게 내가 생각하는 일인 것 같다.
바이맘에서는 그런 것이 가능해서 참 좋다.

바이맘

친환경 룸텐트 제작회사. 겨울철 에너지 빈곤 문제를 해결할 수 있는 난방텐트를 제작, 판매하고 있다. 어머니가 손녀와 딸을 위해 만든 '누비이불 천막' 아이디어에서 출발했다. 룸텐트 제작 외에도 세상을 따뜻하게 만들며 사회적 가치를 창출하기 위한 길을 모색 중이다. 한국사회적기업진흥원의 청년사회적기업가 육성사업에 선정되면서 경영을 시작했다. 2013년에는 제1회 정주영 창업경진대회 우수상, H-온드림 오디션 전국 대상, 소셜벤처 경영대회 글로벌 부문 대상을 수상했다.

홈페이지 www.bymom.org

블로그 blog.naver.com/bymom2012

페이스북 페이지 www.facebook.com/hellobymom

Chapter 04

마을이 세계를 구한다?

공간이 아니라 활동이 마을이다

초등학교 사회 시간에 '우리 마을 그리기' 수업이 있었다. 학교와 우리 집, 문구점과 책방, 매일 뛰어노는 공터와 마을 앞을 흐르는 개천… 이런 풍경을 그리는 시간이었다. 어릴 적 나의 생활 반경은 그런 공간을 중심으로 구성된 작은 마을에서 이루어졌다. 대학 입학 후 서울살이를 시작하면서 오랫동안 마을이라는 단어를 잊고 살았다. 최근 들어 마을이 자주 등장하고 있다. 『다시 마을이다』, 『마을이 학교다』라는 책이 나오기도 하고, 마을기업이라는 말도 생겼다. 사람들이 다시 마을을 이야기하는 이유는 뭘까?

회사 동료들과 협동조합을 공부하고 성미산마을에 갔을 때 도대체 어디가 성미산마을인지 헤매며 어리둥절했다. 알고 보니 성미산마을은 행정구역상의 이름이 아니었다. 망원역을 중심으로 여기저기 퍼져 있는 대안학교와 마을 카페 그리고 공동주택 등, 그곳에서 이루어지는 마을 사람들의 활동 자체를 두고 하는 말이었다. 그들의 활동이 곧 마을을 만든 것이다.
그걸 보니 이웃들과 어떤 활동을 만들어 낼 때 관계가 생기고, 관계를 기반으로 그곳이 비로소 나에게 마을이 된다는 생각이 들었다. 그러니 앞집 옆집에 누가 사는지도 모르는 곳이나, 각각의 독립적인 집들의 집합일 뿐인 곳은 마을이 될 수 없다. 성미산마을을 둘러보던 나와 동료들은 우리도 이 마을 사람들처럼 마음 맞는 이들과 함께 살면 좋겠다고 입을 모았다.

나는 경기도 용인의 수지에서 마을살이를 하고 있다. 남산강학원에서 공부하다 우연히 수지에 있는 '문탁네트워크'(이하 '문탁')라는 인문학공동체를 알게 되었다. 지역에서도 이런 공부 모임이 활발하게 진행되고 있다니! 곳곳에 공부하는 사람들이 많다는 사실에 적잖이 놀랐고 반가웠다.
이곳에서도 남산강학원+감이당만큼이나 다양한 세미나를 진행하고 있었다. 동양 고전과 서양철학 등 여러 강좌와 세미나 목록을 보고 눈이 휘둥그레졌다. 공부 뿐 아니라 반찬 나눔·재봉틀 교실·가죽공예·천연화장품 만들기 등과 함께 중고물품 가게와 마을 목공소까지, 이곳의 정체가 의아할 정도로 활동이 무척 다양했다.
어쨌든 집에서 가깝다는 이유 하나로 나는 비슷한 시기에 회사를 나온 신나리와 함께 이곳에서 공부하기로 마음먹었다. 마침 새로운 시즌이 시작되어 사람들을 모집하는 세미나가 있었다. 제목은 '마을교사 아카데미 시즌2 : 글 읽기와 삶 읽기' 새로운 인문학공동체와의 인연이 시작되었다.

"'글을 읽는다는 것은 삶을 읽는다는 것'이라는 파울로 프레이리(Paulo Freire)의 문제의식을 깊이 생각해 보겠습니다. 지성의 존재 양식을 찾아 떠나는 〈마을교사 아카데미 시즌2〉에 많이 참여하세요."

세미나 모집 문구를 보고, 이건 나를 위한 것이라고 생각했다. 회사를 그만두고 인문학 공부를 계속하기로 한 이유는, 삶에서 겪는 여러 문제에 자신만의 기준으로 스스로 답할 수 있으면 좋겠다는 생각에서였다. 되는대로 사는 것이 아니라 사람에 대한 애정과 세상에 대한 통찰로 한 살 한 살 지혜롭게 나이 들고 싶었다. 지식을 쌓는 공부가 아니라 잘 살기 위한 공부를 하고 싶었다.
글을 읽는다는 것은 삶을 읽는다는 것이라는 문장이 강렬하게 들어왔다. 여기서 말하는 마을 교사가 뭔지도 몰랐고 어떤 사람들과 함께 공부하게 될지도 몰랐다.

그저 이 한 문장만 뚜렷이 들어왔다. 하나에 꽂히면 무턱대고 정주행하는 나의 성향이 또 새로운 길로 나를 이끌었다.

첫 세미나가 있던 날 친구와 약속이 있어서 빠지고 두 번째 세미나 때 문탁을 처음 찾아갔다. 강의실로 쭈뼛쭈뼛 들어가다 이전에 남산강학원에서 한 번 만난 적 있는 이희경 선생과 마주쳤다.

"어떻게 아무 연락도 없이 세미나를 안 나올 수가 있어요? 어디서 그런 말도 안 되는 일을 할 수 있지?"

이희경 선생은 나를 보자마자 호통을 쳤다. 설레는 마음으로 들어가자마자 날벼락을 맞은 나는 적잖이 당황했다.

"갑자기 일이 생겨서요. 앞으로 안 빠질게요."

얼굴이 빨개진 나는 얼버무리며 자리를 찾아 앉았다. 지금 생각해도 낯 뜨거운 일이다. 그때는 그게 그렇게 화낼 일인가, 세미나 한 번 빠졌다고 이렇게까지 혼나야 하나 싶어 좀 억울하기도 했다. 물론 지금은 그렇게 생각하지 않는다. 인문학공동체에서의 공부는 나 혼자 하는 공부가 아니다. 세미나는 공부를 나누는 장으로 그것이 서로에게 선물이 되는 자리다. 빠지지 않고 정해진 분량의 책을 성실히 읽어오는 것은 함께 공부하는 친구들과의 기본적인 약속이다. 함께하는 공부에 익숙하지 않았던 나는 첫날부터 호된 신고식을 치렀다.

마을교사 아카데미는 누구나 참여하는 세미나가 아니었다. 문탁에는 초·중·고등학생을 대상으로 논어나 맹자 등 고전과 문학, 철학 프로그램을 운영하고 있었다. 마을교사 아카데미는 그곳에서 아이들을 가르치는 마을 교사들이 참여하는 공부였다. 그것도 모르고 신청했지만, 굳이 하겠다는 데 막을 이유는 없었기에 그냥 끼워주었던 것 같다. 알고 보니 이희경 선생은 고미숙 선생과 함께 오랫동안 수유+너머에서 공부했던 분으로 공부를 세게 시키기로 유명했다. 세미나의 튜터가 이희경 선생이어서 나는 처음부터 강도 높은 공부를 시작했다.

우리는 자격증을 가진 전문가가 되어야 그 일을 할 수 있다고 생각하는 경향이 있다. 누군가를 가르치기 위해 교사 자격증이, 요리하는 사람으로 인정받기 위해서는 요리사 자격증이 있어야 한다고 생각한다. 마을교사 아카데미에서는 누구나 누군가의 스승이 될 수 있다고 이야기한다. 스승의 역할은 지식을 전달하기보다 다른 세계에 대한 가능성을 열어줌으로써 삶의 지평을 넓혀주는 일이라고 믿기 때문이다. 배우려는 의지와 끈기가 있다면 어떤 관계에서든 교육이 가능하다는 말이다. 십년후연구소에서 말하는 삶에 필요한 적당기술, 그 감각을 되찾자는 이야기가 묘하게 세미나 공부와 교차되었다.

문탁에서는 다들 나를 무척 반겨주었다. 세미나와 별도로 진행되는 운영회의에도 들어오라며 살살 꼬드겼다. 얼떨결에 중학생들과 문학 읽기 프로그램을 진행하기도 했다. 어쨌든 번지수를 잘못 찾은 덕분에 나는 이곳에 더 빨리 깊숙이 들어갔다.
세미나는 재미있었다. 그런데 나는 마을교사 아카데미의 활동인 아이들을 가르치는 데는 별로 관심이 없었다. 그것보다는 지금 내 앞의 고민들을 풀어나갈 다른 공부가 하고 싶었다. 그래서 문탁에 드나들던 친구 신나리와 새로운 궁리를 시작했다.

네 번째
나의 실험

2030 도시부족이 되다:
문탁네트워크

미래가 불안한 2030 모여라

나보다 한 살 어린 신나리는 나와 같은 회사에 다녔고, 남산강학원+감이당에서 같이 공부했고 비슷한 시기에 회사를 그만두었다. 그리고 우리는 함께 문탁에 드나들기 시작했다. 처음에 나는 문탁에서는 공부만 하고, 돈 버는 일이나 놀이는 서울에서 친구들과 하려고 했다. 문탁은 나에게 마을이라기보다는 그냥 공부하러 다니는 곳이었다. 그런데 신나리는 이곳 작업장에서 재봉틀도 배우고, 디자인 강좌도 열고, 반찬도 사다 먹으며 문탁 생활에 쉽게 적응했다.

우리는 둘 다 신참 백수로서 어떻게 하면 적게 일하고도 잘 살 수 있을지 궁리하는 데 쿵짝이 잘 맞았다. 신나리는 앞으로 어떻게 돈을 벌고, 누구와 어떤 방식으로 함께 살지를 모색하는 공부와 활동을 문탁에서 해보자고 했다. 당시 문탁에는 사오십 대 선배 세대가 대부분이었다. 우리는 2030이라고 세대를 한정 짓고 새로운 세미나를 열기로 했다. 회사에서 협동조합 공부를 하며 새로운 일하기를 모색했던 것처럼, 여기서 그런 친구들을 만들고 싶었다.

"죽도록 일만 하는 삶도, 자유롭기에 오히려 불안한 삶도 아닌
든든한 친구들과 함께 능력을 나누며 더 행복하게 살 수 있는 삶,
어떻게 무엇부터 해야 할지도 어디로 가게 될지도 아무것도 모르지만,
같이 하는 친구들이 있다면, 함께 머리를 맞대고 손발을 모은다면
불가능하지만은 않은 꿈!
한번 같이 찾아보실래요?
일/돈/앞으로 하고 싶은 것들을 뚝 까놓고 얘기해 봐요!"

우리는 2030 세미나 모집 글을 문탁 홈페이지에 올렸다.

우리는 이 세미나를 통해 조금 벌어도 만족할 만한 일과 주거 형태 등을 함께 고민하고 만들어갈 친구를 찾고 싶었다. 공부한 내용을 실생활에서 함께 실험해 보고 싶었다. 먼저 우리는 '2030 세미나: 적당히 벌고 아주 잘 살기'라는 이름으로 사전 모임을 했다.

'적당히 벌고 아주 잘 살기'는 전주 남부시장 청년몰의 슬로건인데, 우리의 고민과 딱 맞아떨어지는 문장이었다. 막상 공지를 하고 보니 어떤 사람들이 올지, 사람이 모이긴 할지 궁금했다. 주로 주중 낮 시간에 진행되는 문탁의 다른 세미나와 달리,우리는 직장인이 많이 참여하기를 바라는 마음에 일요일 오후 2시로 시간을 정했다. 한가로이 보내야 할 일요일 오후지만 휴일을 반납하고서라도 올 사람이 있을 것으로 믿었다.

나를 포함하여 총 11명이 작당모의에 동참했다. 멤버들은 각양각색이었다. 이전부터 문탁에서 공부하던 20대 청년들도 있었고, 누군가를 통해 알게 된 이도 있었고, 문탁에 처음 방문한 사람도 있었다. 우리는 후지무라 야스유키의 『3만엔 비즈니스, 적게 일하고 더 행복하기』와 사카구치 교헤의 『도시형 수렵채집생활』, 이 두 권의 책을 함께 읽기로 정했다.

세미나 모집 글이 효과가 있었는지 왜 행복하지 않은가에 대한 내용으로 세미나 초반부터 열기가 뜨거웠다. 회사에서의 힘든 상황과 주체적일 수 없는 업무와 과한 피로 탓에 퇴직하게 된 것 하며 회사와 가정 생활의 조율 문제 등 온갖 이야기가 봇물 터지듯 나왔다. 각자의 경험에서 시작한 우리의 이야기는 매우 생생했다.

『3만엔 비즈니스, 적게 일하고 더 행복하기』의 저자는 우리의 삶이 진정 행복한지 묻는다. 야근과 잔업을 밥 먹듯이 하고 있진 않은 지, 주 5일 동안 마음에 들지 않는 일을 하며 업무에 허덕이진 않은 지, 일에 대한 보상으로 주말에 취미 활동을 몰아서 하느라 더 바쁘게 보내고 있는 건 아닌지, 스트레스를 풀기 위한 주말 활동에 더 많은 돈을 쓰게 되고 그러다 보면 결국 더 열심히 일해야 하는 악순환에 빠져 있는 건 아닌지.

후지무라 박사의 질문들이 가슴에 콕콕 박혔다. 어느 하나 우리의 삶을 비켜나는 말이 없었다. 우리의 공부는 삶에 대한 고민과 맞물려서인지 더 구체적인 이야기로 이어졌다. "공허한 마음에 어떤 공동체를 찾아갔는데, 공동체에서 필연적인 '갈등'에 제가 취약하더라고요. 잠시 발을 담갔다가 이젠 안 나가고 있어요."

한 분은 자기 경험을 솔직하게 털어놓았다. 뒤이어 무슨 간증대회라도 되는 양 다들 자기를 힘들게 하는 것들을 줄줄이 늘어놓았고, 해 보고 싶은 일들을 꺼내 놓으며 흥분했다.

회사일과 육아를 병행하기 힘들어 직장을 그만두었다는 한 참여자는 잠시라도 아이들을 맡길 곳이 있으면 좋겠다고 했다. 회사다닐 때 나도 여자 동료들이 육아 문제로 발을 동동 구르는 상황을 많이 보았다. 직장인들의 토로를 듣고 있자니 회사다닐 때가 떠올라서 남의 일 같지 않았다.

나의 욕망과 소비사회의 욕망을 구분하여 소비를 줄이고 적게 쓰기, 재능교환이나 품앗이 등을 통한 도시형 자급자족해 보기, 뜻이 맞는 사람들끼리 공동주거 실험해 보기… 구체적으로 실천할 만한 이런저런 아이디어도 나왔다.

『도시형 수렵채집생활』의 저자 사카구치 교헤는 홈리스들의 삶을 가까이서 지켜보며 그것이 도시의 새로운 삶의 양식이라고 말했다. 아무것도 소유하지 않지만 그들 역시 뭔가를 먹고 어디선가 자고 때론 돈도 번다. 그들이 어떻게 먹고 자고 생활하는지를 취재했던 그는, 도시 안에서도 새로운 삶의 양식을 구성할 수 있다고 주장한다.

홈리스들은 도시의 쓰레기를 모아 아주 작은 한 평 집을 짓고 산다. 세수

나 용변은 공중화장실을 이용한다. 도시의 공공시설을 최대한 이용하고 집에는 최소한의 설비만 갖춘다. 꼭 필요한 설비는 기발한 방식으로 갖추는데 태양열이나 건전지를 활용해 난방도 가능하다.

과연 우리도 기발한 삶의 양식을 발명하는 부족이 될 수 있을까? 세미나는 언제나 2시간을 훌쩍 넘겼다. 나의 고민이 우리들의 고민임을 확인했다. 빨리 뭔가 재밌는 실험을 하고 싶었다.

공부의 시작 '돈! 너 정체가 뭐야?'

우리는 본격적으로 시동을 걸었다. 함께 읽은 책 제목 『도시형 수렵채집생활』에서 착안해 '2030 도시부족'이라는 이름을 만들고 정식으로 세미나를 열었다.

첫 화두는 '돈'이었다. 누구나 돈을 좋아하지만 또 그것 때문에 괴로워한다. 그놈의 정체를 밝히고 싶었다. 돈이 없으면 잘 살 수 없나, 돈은 많을수록 좋은 것인가, 지금 나의 소비에서 군더더기는 없을까? 이런 고민을 나누고 싶었다. 첫 시즌의 주제는 '돈과 삶, 적당히 벌고 아주 잘 살자'로 정했다. 문탁에서 기존 게릴라 세미나에 참여한 몇 명 외에 새로 참여한 사람도 있었다. 총 8명이 우리 배에 올랐다. 2030 세대만의 세미나, 우리는 그야말로 문탁의 뉴 제너레이션(New Generation)이었다.

우리는 다섯 권의 책을 함께 읽었다. 그중 '감가하는 화폐'에 대한 실험을 소개한 『엔데의 유언』이 특히 인상적이었다. 이 책은 『모모』의 작가 미하엘 엔데(Michael Ende)의 인터뷰 대담집이다. 그는 현대 사회가 돈의 질병에 걸려 있다고 진단하며 돈을 끈질기게 연구했다고 한다. 『모모』를 쓴 동화 작가가 돈을 연구했다는 사실이 흥미로웠다.

현대 사회에서 시간은 곧 돈이다. 우리는 시간을 돈과 바꾸며 살고 있다. 일할 때도 비용 절감의 핵심은 프로젝트 기간을 줄이는 것이다. 그는 '감가하는 화폐' 이론을 소개하며 돈의 본래 기능을 회복해야 한다고 강조했다. 감가하는 화폐란 쉽게 말하면 시간이 지날수록 그 가치가 떨어지는 화폐의 속성을 말한다. 화폐는 원래 물물교환을 위한 매개체일 뿐인데 언제부턴가 이자가 붙고 화폐 자체에 가치가 생기면서 사람들은 화폐를 쌓아두기 시작했다.

감가하는 화폐의 논리에 따르면, 화폐는 물건이나 서비스를 교환하는 매개물일 뿐이므로, 다른 물건이 감가하는 것처럼 화폐 역시 시간이 지날수록 가치가 떨어져야 한다.

19세기 유럽 일부 지역에서, 교환 수단이라는 화폐의 원래 기능에 더 충실하도록, 감가하는 화폐에 대한 실험을 했다. 화폐 발행일을 기준으로 특정 시간이 지날 때마다 화폐 가치가 일정 비율로 떨어지면, 사람들이 돈을 쌓아두지 않고 적극적으로 사용할 거라는 기대로 시작한 실험이었다. 비록 실험은 실패로 끝났지만, 우리가 당연하게 여겼던 화폐의 기능과 가치에 대해 지금까지도 생각할 여지를 제공한다.

새로운 방식의 소비와 삶을 고민하다 보면 결국 '집'이라는 문제에 맞닥뜨린다. 적게 벌고 잘 사는 삶이 가능하기 위해서는 자기 집이 있어야 한다. 계속 오르는 전세와 월세를 감당하기 위해 우리는 안정된 직장에 의존한다. 나도 매월 몇십 만원의 월세를 감당해야 하는 집에 살았다면 회사를 선뜻 그만두지 못했을지도 모른다.

"우리나라의 집값은 왜 이렇게 비싼 건가, 아파트가 이렇게 많은데 왜 내가 살 집은 없단 말인가, 집은 꼭 사야만 하나, 도시에는 돈 없이 머물 수 있는 공간은 없나?"

질문이 쏟아져 나왔다. 자연히 우리의 공부는 '주거와 도시'로 이어졌다. 사실 집값은 사생활 영역이기도 해서 친구에게조차 전세나 월세가 얼마인지 잘 묻지 않는다. 우리는 세미나에서 그런 개인적인 문제를 '공적'인 질문으로 가져왔다.

나와 신나리는 전세살이를 한다. 매년 무섭게 오르는 전셋값은 걱정이지만 집을 살 돈은 없다. 전세는 고정 지출이 없으니 그나마 부담이 덜하다. 세미나에 참여하는 목수 김지원은 월급의 절반 가까이를 월세로 낸다. 매년 전월세가 크게 오르는 우리나라는 이사도 잦다. 그러다 보니 집은 삶의 기록을 오롯이 담는 곳이라기보다 가격이 오르면 언젠가 옮겨야 하는 임시 공간이 되어버렸다. 철학자 이반 일리치는 그의 저서 『과거의 거울에 비추어』에서 장소에 대해 이런 말을 남겼다.

"장소는 한곳에 오래 뿌리내릴 때 비로소 완성된다. 집과 땅에 대한 세월의 주름이 빚어내는 온전한 기억이자, 켜가 쌓이는 동네 풍경이 일구어내는 시간의 굳건한 결정체가 곧 장소이다. 우리가 오래 묵은 도시를 찾아 거닐고 손때가 반질반질 묻은 물건에 애착을 갖는 마음은 그것이 삶의 흔적이고 마음의 고향이기 때문이다."

나는 회사를 그만두고 처음으로 낮 시간과 해 질 녘 어스름에 동네를 산책했다. 그때야 비로소 옆집 화단에 핀 꽃과 동네 밥집과 돗자리를 깔고 노는 동네 아이가 눈에 들어왔다. 충분한 시간을 가지고 나서야 비로소 내가 머무는 곳을 제대로 만날 수 있었다.

매년 전월세가 오르면 어딘가로 옮겨야 하는 이들에게 마을에 대한 의존도는 낮을 수밖에 없다. 나에게도 내가 사는 동네는 그저 임시거주지일 뿐 어떤 활동을 꾸려갈 마을로 느껴지지 않았다. 어쩌면 우리는 머무를 수 있는 권리를 빼앗긴 건 아닐까?

이런 상황에서 어떻게 우리는 마을을 이웃과 함께 가꾸어 갈 삶의 터전으로 만들 수 있을까?

일이 되는 공부, 공부가 되는 일?

2030 세미나를 시작하면서 우리는 공부를 활동으로 연결하자는 계획을 세웠다. 그리고 몇 가지 활동을 구상했다. 먼저 함께 뭔가 생산해 보자며 작은 텃밭을 일궜다. 그러고는 토마토와 딸기, 고추 등 문탁 주방에서 함께 먹을 수 있는 작물을 심었다.

돈도 벌고 싶어서 다양한 강좌 프로그램도 기획했다. 신나리는 디자인과 브랜딩 워크숍을, 한글과 엑셀 프로그램에 능한 김자혜는 문서 작성 강좌를 열었다. 미술학원 강사로 일하는 한 친구는 중 · 고생들을 위한 그림 강좌를, 손재주가 좋은 한 대학생은 가죽지갑 만들기 강좌를 열었다.

의욕적으로 시작한 활동은 오래 가지 못했다. 대학생, 대학원생, 학원 강사, 목수 등 각자의 일로 바빴다. 공식적으로는 백수였지만 나도 선배들과 협동조합을 준비하는 일을 하고 있었다. 일을 하며 동시에 매주 세미나 하기에도 벅찼다. 그러다 보니 '미처 준비하지 못했다'거나 '다음에 하겠다'라는 변명이 반복되고 점점 빠지는 사람이 늘었다.

처음 몇 번은 꾸역꾸역 프로그램을 진행했지만, 참여도가 떨어지다 보니 활동이 모두의 경험으로 공유되지 못했다. 즐거워야 할 활동이 부담스러운 일이 되었다. 제대로 참여하지 못한 쪽에선 미안한 마음이, 잔소리하는 쪽에서는 불편한 마음이 쌓였다. 텃밭은 방치된 채 식물이 말라 죽어갔다. 그러는 사이, 나와 같이 2030 도시부족 모임을 기획했던 신나리는 출산 준비에 들어갔다. 결국, 우리는 다들 바쁜 상황에서 욕심내지 말고 세미나만이라도 제대로 하기로 타협했다.

공부에 집중하기로 한 우리는 문탁에서 입문 세미나로 통하는 '선물 세미나'를 진행했다. 선물 세미나란 화폐를 매개로 한 교환 관계 이면의 증여 관계를 탐구하는 공부이다. 증여는 곧 선물로도 바꿔 말할 수 있다. 그래서 문탁에서는 이런 공부를 선물 세미나로 부른다. 선물 세미나를 통해 우리는 "세상이 정말 일대일 등가교환의 원리로 돌아가는 거 맞아?"라는 질문과 마주했다.

버스를 탈 때 차비 1,000원을 낸다고 하자. 그런데 '1,000원'과 '버스를 탄다' 사이에는 사실 '=(같다)'는 등식이 성립하지 않는다. 누가 이것을 동등한 일대일 교환이라고 확신할 수 있을까? 버스기사가 나에게 "안녕하세요!" 인사했다면 이것은 1,000원에 포함되는 건가, 안 되는 건가. 1,000원은 버스를 만들고 운전하는 이들의 수고와 버스를 굴러가게 하는 연료라는 가치에 합당한 비용인가? 식당에 들어가서 밥을 먹고 7,000원의 밥값을 내는 것도 마찬가지이다. 식당 주인에게 정해진 밥값을 냈다 해도 자연과 농부의 수고에 대한 대가까지 전부 지급했다고 말할 수 있을까.

사실 '버스를 탄다=1,000원'이라는 일대일 교환의 원리 이면에는 수많은 증여의 원리가 숨어 있다. 그런 것까지 복잡하게 어떻게 생각하느냐고? 본질적으로 관계는 복잡하게 얽혀 있기 마련인데, 그런 관계의 본질을 화폐란 매개물이 싹 지워버리고 서로를 계산적인 관점에서만 바라보게 하는 건 아닐까?

등가교환의 경제 원리는 흔히 말하는 쿨한 관계와 비슷하다. 주고받는 게 같다고 생각하면서 서로 부채의식이 없어도 되는 관계 말이다. 그렇지만 선물의 관점에서 보면, 자신이 인지하지 못하는 순간에도 누군가의 나눔과 수고를 끊임없이 받으며 살고 있다는 걸 알게 된다. 이렇게 주고받고 답례하는 과정에서 순환의 고리가 이어지고, 물건이 순환할 때마다 고마움이나 뿌듯함 등의 감정가치는 계속 증대된다. 그러므로 선물의 원리에서는 관계가 만들어질 수밖에 없고, 선물의 순환은 더 큰 고리로 이어진다. 선물 세미나는 세상과 관계를 바라보는 내 관점에 변화를 가져왔다.

나는 이제 모든 주고받는 행위에서 교환이 아니라 선물의 관계를 본다.

마을살이, 일상이 곧 배움이다

내가 몸담은 문탁의 모든 활동과 관계 속에도 선물의 원리가 숨어 있다. 문탁 주방에서는 매일 점심과 저녁 식사 때 갓 지은 밥을 단돈 2,000원에 먹는다. 그 어떤 비싼 밥집보다 밥맛이 좋다. 2,000원에 맛난 집밥이라니, 시장의 원리로는 도저히 불가능한 계산이다. 문탁에서는 자기 집에 남는 음식 재료나 귀한 음식이 생기면 주방으로 가져와서 나눠 먹는다.

문탁의 쌀독과 김치냉장고는 회원들의 탁발로 채워진다. 여기서 공부하는 회원들은 자발적으로 한 달에 두 번 내지 세 번 밥 짓는 당번을 하는데, 나도 당연히 참여한다. 밥을 먹는 사람 즉, 밥 선물을 받는 사람에게는 밥 당번을 할 의무가 생긴다.

문탁에는 '이어가게'라는 중고가게가 있다. 이어가게에 물건을 기부하면 문탁공동체 화폐인 '복'을 받는다. 문탁에서 이루어지는 여러 활동에 참여하면 마치 저축하듯 복이 쌓인다.(문탁에서는 그것을 '복활동'이라고 말한다.) 이어가게의 물건도 복으로 살 수 있다. 복으로 물건을 구입할 때도 물건을 매개로 관계가 생긴다. '티셔츠=2,000복'이라고 할 때 여기서 복은 등가교환을 넘어선 선물의 관계를 내포하게 된다. 이어가게라는 이름처럼 서로가 서로에게 복이 되는 선물의 관계가 복을 타고 이어진다.

세미나 역시 선물이다. 누구나 월 2만원이면 모든 세미나에 참여할 수 있지만 마찬가지로 '2만원=세미나'라는 건 등가교환이 아니다. 어려운 공부를 지속할 힘을 주는 건 함께 공부하는 친구들이다. 함께하면서 나 혼자 읽을 때 생각지 못한 것들을 발견할 수 있으니 세미나의 장, 그 자체가 선물인 셈이다.

나는 작년 7월에 요가 강좌를 열었다. 월 2만 원으로 일주일에 두 번 요가를 배울 수 있는데, 일부 회원들은 돈이 아닌 복으로 회비를 냈다. 이곳에서 더치커피 내리는 일을 하는 분은 더치커피로 회비를 냈다. 더치커피를 받았을 때 나는 돈으로 회비를 받을 때와 다른 느낌이 들었다. 뭐랄까, 더치커피를 내리는 그분의 마음이 느껴진다고 할까. 그저 돈으로 받을 때와는 분명 달랐다. 굳이 표현하자면 돈을 받았으니 돈값을 해야지가 아니라 '내가 이렇게 맺어진 관계에 어떻게 충실할 수 있을까' 하는 생각이 들었다. 받은 대가만큼 돌려줘야 한다는 의무가 가벼워진 건 아니지만, 정서가 달랐다.

이렇듯 주방과 이어가게, 공부방과 세미나실 등 문탁 곳곳의 모든 활동이 선물의 원리로 돌아간다. 그 관계는 고정되어 있지 않고 새로 생기기도 하고 없어지기도 한다. 활동은 복을 만들고, 복은 활동의 순환을 돕는다.

나는 십년후연구소에 출근하는 날을 빼고는 문탁에 드나들며 공부를 하고 밥을 먹고 요가를 가르친다. 그렇게 문탁에서 매일 선물의 원리를 배우고 몸으로 익힌다.

익숙해지면 특별할 것 없는 일상이지만, 생각할수록 놀라운 세계다. 선물 세미나를 통해 우리는 세계를 전혀 다른 눈으로 볼 수 있게 되었다.

2030 도시부족은 세미나 뿐 아니라 문탁의 이런저런 활동에도 참여했다. 문탁은 해마다 10월에 일 년 동안의 공부를 함께 나누는 '인문학 축제'를 연다. 축제 때 우리는 '2030은 공동체에서 어떻게 자립할 수 있을까?'라는 주제로 고민을 나누는 자리를 열었다. '비싼 집세' '불안정한 알바' '함께 자립하기'가 키워드였다. 대담 행사를 통해 그런 문제가 2030세대만의 것이 아니라 문탁에서 함께 풀어야 할 과제로 인식하는 계기가 되었다.

축제 전후로 우리는 밀양 농활도 다녀왔다. 밀양에는 도시로 전기를 나르는 초고압 송전탑이 건설되었고, 이에 반대하는 주민들의 활동이 활발하게 벌어지고 있다. 문탁 회원들은 4년 전부터 밀양 싸움을 함께하고 있다. 밀양 송전탑 싸움을 함께하며 우리는 그 기저에 핵발전 문제가 있음을 알게 되었다. 정부와 한국전력은 계속해서 더 많은 전기를 생산하기 위해 핵발전소를 짓고, 송전탑을 세웠다. 그런 악순환의 고리 안에 밀양 송전탑이 있었다. 한국의 핵발전 문제와 맞닿아 있기에 밀양 송전탑 문제는 결국, 우리 모두의 문제이다. 마을이라는 공간을 기반으로 공부하지만 우리는 언제나 다른 세계와 연결될 수 있어야 한다. 공부를 바탕으로 여러 활동을 함께하면서 우리의 시야는 좀 더 넓은 세계로 확장되었다.

축제와 밀양 농활이 끝나고 다시 각자의 자리로 돌아왔다. 그리고 여전히 매주 함께 공부한다. 나는 내심 우리도 남산강학원+감이당처럼 일상적으로 오랜 시간 같이 공부하며 공통의 활동을 만들어 내면 좋겠다는 생각을 했다. 1년 넘게 함께 공부했지만 아직 활동을 만들지는 못하고 있다. 왜 공부가 우리만의 독자적인 활동으로 연결되지 못하는 걸까?

이런 고민을 하던 나에게 친구 하나가 "후배가 인천에서 친구들이랑 셰어하우스를 하는데, 요즘은 일도 같이하는 것 같더라. 한번 만나볼래?" 하며 '우리동네 사람들' 이야기를 전해 주었다. 우리동네 사람들이 정토회 불교대학에서 만난 청년들이 만든 주거 공동체라는 정도는 이미 알고 있었다. 친구 얘기를 듣자마자 나는 그곳에 가 볼 생각을 했다. 그들의 이야기가 마을에서 청년들과 어떤 일을 해 볼까를 고민하던 나에게 새로운 가능성을 보여 줄지 모르겠다고 생각했다.

그래서
만났다

우리동네 사람들

07

우리 함께 살아 보자

나는 대학시절부터 셰어하우스에 대한 로망이 있었다. 수업이 끝나면 으레 친구들과 누군가의 자취방으로 몰려갔다. 여섯 친구의 일상을 담은 미국 시트콤 〈프렌즈〉를 보며 나중에 우리도 빌라 같은 거 한 채씩 사서 위아래로 같이 모여 살자고 말하곤 했다. 지금은 일 년에 한 번 보기도 어려울 정도로 뿔뿔이 흩어졌지만 좁은 자취방에서 라면을 끓여 먹으며 뒹굴뒹굴 만화책도 돌려 보고 밤늦도록 술 마시며 함께 보낸 날들은 소중한 추억으로 남아 있다. 낭만적인 꿈에 불과했지만, 우리동네 사람들(이들은 줄여서 '우동사'로 부른다) 얘기를 듣고 오래전 꿈을 꺼내보고 싶었다.

홍대입구역에서 공항철도를 타고 40여 분을 가면 검암역이 나온다. 검암역 광장으로 나오자 지방 소도시에 내려온 것처럼 한산했다. 멀리까지 탁 트인 하늘과 역 앞쪽 길을 따라 이어지는 밭 그리고 역 주변으로 쭉쭉 뻗어 있는 도로. 도시도 시골도 아닌 낯선 풍경이었다.

묘한 긴장감을 안고 우동사 조정훈을 만나기로 한 동네 술집 '커뮤니티펍 0.4km'로 향했다. 안에는 8명 정도의 사람들이 둘러앉아 밥을 먹고 있었는데, 동네 모임의 훈훈함이 느껴졌다. '커뮤니티펍0.4km'(우동사 멤버들은 줄여서 '펍'이라고 부른다)는 우동사 멤버들이 사는 집에서 400m 떨어진 곳에 있다고 해서 지은 이름이다.

그들은 어떻게 함께 살게 되었을까, 지금은 어떤 일들을 만들어 가고 있나, 어떻게 저런 편안한 웃음을 지을까? 낯선 방문자인 나를 대하는 그들의 스스럼없는 말투에서 친근함을 느껴서일까, 나도 그들과 함께 밥 먹는 사람이 되고 싶다는 마음이 들었다.

우동사는 정토회 불교대학에서 공부하던 청년 중 귀촌을 꿈꾸던 6명이 함께 공부했던 모임에서 시작했다.

“막연히 귀촌을 꿈꾸는 사람은 많지만 정말 귀촌을 할 거냐고 재차 물으면 다들 머뭇거리게 되잖아요. 그런데 우린 다들 진지했어요. 당시 서울에서 각자 직장에 다니며 자취를 했는데, 사회가 주는 불안 속에서 자신을 지키고 안정을 찾고 싶었을 거예요. 생태적이고 평화적인 삶을 다 같이 꿈꾸었고, 귀촌해서 살면 좋겠다고 생각한 거죠. 한 달에 한 번 만나 공부를 하다가 진전이 없길래 한 친구 집에서 다 같이 일주일 정도 합숙을 했어요. 밤늦도록 이야기를 이어갔죠. 그러다 지금 당장 귀촌하기엔 현실적으로 어렵다는 걸 받아들였어요. 2년 동안 같이 살면서 차근차근 준비하자고 했죠.”

그런데 함께 살면서 다들 마음 깊이 원했던 게 꼭 귀촌이 아니라 함께할 사람들이라는 사실을 깨달았단다. 누군가 옆에 있는 것만으로 삶의 안정감을 누렸고, 힘든 일이 생겨도 더는 막막하지 않았다. 그들은 지금도 함께 살고 있다.

연애를 하고 자녀를 양육하는 일이 돈이 많이 들고 힘든 일이 되어가는데도 도무지 나아질 기미가 보이지 않는다. 이런 상황에 대해 사회학자 조한혜정은 『다시, 마을이다』라는 책에서 이렇게 말한다. “타인과 공존하기 어려운, 그러나 타인과 공존하고 싶은 욕망과 필요가 갈수록 높아진다.”고.

이들이 함께 살아보자고 쉽사리 마음을 모은 것도 서로 절실한 필요가 만났기 때문일 것이다. 시골에서 생태적으로 살아보겠다던 귀촌의 꿈이 마을공동체로 바뀐 이유도 이와 비슷할 것이다. 함께 살 사람만 있으면 모든 게 해결되는 문제였을까? 무엇이 이들의 마음을 움직였는지 궁금했다.

세상의 계산법과 다른 그들만의 공평함

2011년 당시 조정훈이 발품을 팔아 닿은 곳은 공항철도가 지나는 인천 서구 검암동의 복층 빌라였다. 똑같은 금액을 출자하는 방식이 아닌, 각자 자취방 보증금을 뺀 것에 당시 조정훈과 임정아가 결혼하면서 받은 신혼부부 대출금을 합해 전세금 1억 원을 마련했다. 그렇게 방 세 칸짜리 빌라 한 채를 구해 여섯 명이 함께 사는 공동주거 실험을 시작했다. 지금은 식구가 늘어 18명이나 되는데, 같은 빌라 옆집과 윗집에서 함께 살고 있다.

우동사는 집을 마련하고 생활비를 모으는 과정에서 그들만의 독특한 운영 원리를 만들었다. 공동주거 공간에 같이 살고 싶다면 보증금 1,800만 원, 월세와 생활비를 합쳐서 20만 원을 내면 된다. 백수할인 제도가 있어서 백수는 월세 15만 원만 내도 된다. 재미있고도 현실적이다. 백수할인이라는 독특한 제도는 어떻게 생각했을까? 더 많이 내는 누군가는 손해본다고 생각하지는 않을까?

"얼핏 똑같은 금액을 내야한다고 생각하지만 그게 실제로 공평한 건 아니에요. 어떤 사람은 하루에 한 끼나 두 끼 먹을 수도 있고, 남보다 샤워를 자주 하는 사람도 있고… 각자의 조건이 다르기 때문에 모두 같은 금액을 내는 게 오히려 불공평하다고 생각해요. 다들 공감했고요. 어떤 게 공평한 방법일까 고민하다가 형편에 맞게 내기로 했죠."

조정훈의 말처럼 나도 절대적인 공평함은 없다고 생각한다. 문탁에서 선물 세미나를 할 때, 화폐는 바로 숫자로 드러나기 때문에 서로 무언가를 주고받는 것이 일대일인 것처럼 보이지만, 사실 그 안에 담긴 가치는 일대일로 대응될 수 없다는 걸 배웠다. 같은 수치로 표현되는 공평함이 사실은 전혀 공평하지 않을 수 있다는 걸 말이다.

이들 또한 우동사만의 계산법으로, 일반적인 공평함이 아니라 공동체 안에서 서로 공감하고 합의할 수 있는 공평함의 기준을 만든 셈이다. 그들은 그런 계산법을 규칙으로 정하지 않고 계속 진화시키고 있다고 말한다. 초기에 필요한 생활비가 부족하자 "얼마를 어떻게 모을까?"하고 머리를 맞댔다.

이후 몇 번의 조정 끝에 지금은 필요한 돈과 모은 돈의 균형을 적절하게 맞추게 되었다. 그런 과정에서 그들만의 공평한 방식을 만들어냈다. 우동사 2호, 3호 집을 구할 때도 그랬다. 능력과 형편이 닿는 이들이 공무원 대출 같은 저리 대출을 받아서 전세 자금을 마련했다.

우동사 멤버들은 공동주거라는 안전망에서 한 걸음 더 나아가 공동의 기금을 마련하기 위해 '우동사 재단'이라는 작은 재단도 만들었다. 매달 남는 생활비를 재단 기금으로 모으고, 또 누군가 공돈이 생기면 선뜻 내기도 한다. 그렇게 모은 돈으로 멤버 중 누군가 급히 돈이 필요하면 무이자 대출을 해 주기도 하고, 멤버들의 문화 교육 활동에 쓰기도 한다.

그들이 스스로 만들고 순환시키는 공통의 부는 새로운 활동을 가능하게 한다. 그래서 우동사 멤버들의 입에서 "나는 가난하지만 우리는 부자다."라는 말이 스스럼없이 나오는 게 아닐까. 우동사는 그들만의 계산법으로 함께 집세를 마련하고 집을 운영하며 새로운 삶의 방식을 만들어 내고 있었다.

『도시형 수렵채집생활』의 저자 사카구치 교헤는, 땅이나 건물을 사용하기 위해 평생 고생하며 일해야 하는 현재 우리의 생활이 좀 이상하지 않으냐면서, "누구나 자신의 주거지를 공짜로 가질 수 있게 된다면 지금과는 전혀 다른 세계가 되지 않을까?"라는 질문을 던진다. 집세나 가게세를 내기 위해 바둥바둥 사는 우리 모습이 떠올랐다. 집의 규모나 금액의 차이는 있을지라도 많은 이들이 공통적으로 겪는 문제이다.

함께 사는 일, 불편보다 안정감이 크다

얼마나 궁합이 잘 맞았기에 한집에서 같이 살 마음을 갖게 된 걸까? 나만 해도 친한 친구들과 셰어하우스 이야기를 꺼내봤지만, 갖가지 걱정거리들이 쏟아졌다. "그래도 세탁기를 같이 쓰는 건 좀 그렇지 않나?", "같이 살다 싸우면 돈 문제가 복잡해질 텐데"… 아무리 친한 사이라도 막상 함께 살려고 하면 여러 가지 문제가 걸린다.

함께 살기로 한 후에도 문제는 계속된다. 어릴 적 언니와 방을 같이 쓸 때 나는 예민한 언니가 불만이었고, 언니는 둔감한 나 때문에 스트레스를 받았다. 언제나 미묘한 신경전이 있었다. 누군가와 같이 산다는 것은 만만치 않은 일이다. 우동사 사람들도 함께 살면서 항상 좋았던 것은 아닐 텐데, 그런 불편함을 견디게 하는 힘은 뭘까?

"불편함보다 안정감이 더 크기 때문에 같이 사는 것 같아요. 함께 산 지 4년 정도 됐는데, 초기 2년은 일주일에 한 번씩 꼬박꼬박 모여서 '밥상모임'을 열었어요. 회의하고 밥을 같이 먹으며 요즘 어떻게 지내는지, 삶의 방향이나 귀촌에 대한 계획도 나누고, 함께 살면서 생기는 문제도 나누었죠."

전세로 2년을 지내다가 한 집씩 구매한 것 역시 함께 사는데서 오는 안정감이 컸기 때문이다. 삶의 고민을 함께할 사람들, 미래를 같이 그려갈 친구들이 바로 옆에 있다는 든든함과 안정감은 꽤 클 것 같다. 지금도 "402호에 밥 차렸어요. 오세요." 하고 부르면 한데 모여 밥을 먹곤 한다. 이제 같이 밥 먹는 일은 일상이다. 그냥 식구(食口)인 거다.

내가 문탁네트워크에서 가장 매력을 느낀 것도 바로 '밥'이다. 주방에는 언제나 밥이 있었다. 함께 밥을 먹으며 못다 한 공부 이야기며 일상을 나누었다. 혼자 끙끙 앓던 고민거리가 있어도 같이 밥을 먹다 보면 어느새 고민은 별거 아닌 것처럼 느껴지고 힘이 났다. 흔히 '밥심으로 산다'고 하지 않던가. 우동사도 문탁처럼 함께 밥 먹은 힘만큼 관계가 돈독해지고 있었다. 밥상모임을 통해 서로가 서로에게 디딜 언덕이 되고 있음을 느끼지 않았을까. 우동사 사람들과 얘기를 나누다 보니 그들 사이에는 평생 함께하고 싶다는 마음과 신뢰가 바탕에 깔려 있어 보였다.

"물론 쉽사리 풀리지 않는 문제도 있죠. 초창기엔 아주 사소한 일들이 문제가 됐어요. 청소나 빨래 등 각자의 방식이 달랐기 때문에 거기서 오는 불편을 맞춰가는 시간이 필요했죠. 그땐 '마음나누기'를 해요. "나, 마음나누기 필요해."라고 누군가 말하면 서로 둘러앉아요."

그렇게 몇 시간이고 이야기하다 보면 자신조차 파악하지 못했던 마음을 들여다보게 되고, 서로를 이해하는 마음이 생긴단다. 알면 이해하기 마련이다. 마음나누기는 정토회에서 쓰는 이야기법이다. 처음 귀촌을 준비할 때 한 워크숍도 결국은 마음을 들여다보는 과정이었다. "나는 왜 귀촌하고 싶은가? 내가 생각하는 셰어하우스란 어떤 것인가?" 그런 막연한 질문을 말로 꺼내고 나누다 보니 서로의 생각이 보태져 조금씩 구체화되고 정교해졌단다.

얼마 전 커뮤니티펍0.4km 멤버들은 두 달간 해외여행을 다녀왔다. 중국, 대만, 일본에 이르는 여정 중에 멤버들 사이가 좋지 않았다고 한다. 놀라운 것은 여행 다녀온 뒤로 그 마음을 잘 풀었고 지금은 더 돈독해졌다는 사실이다. 비 온 뒤에 땅이 굳는다고 하지만 사실 한번 다투고 나면 쉽사리 회복되지 않는다. 갈등이 불편한 감정으로 바뀌면 관계를 회복하기 어려워진다. 누구나 자기 편에서 문제를 바라보기 때문에 합리적인 대화로 풀기 어렵다.

남산강학원+감이당에서는 '푸닥거리'라는 이벤트를 통해 일상적으로 생기는 갈등을 공적으로 이야기하고 해결하는 자리를 마련하고 있다. 문탁에서도 서로 감정이 상해 한쪽에서 공동체 활동을 접는 경우가 간혹 있었다. 갈등을 어떻게 공통의 문제로 잘 풀어 가느냐가 그 구성원과 공동체가 가진 힘일 것이다. 같이 공부하는 힘으로도 감정 문제는 좀처럼 넘어서기가 쉽지 않았다. 그래서 조정훈의 이야기가 더 놀라웠다.

바쁘지 않은 삶을 위한 비결

조곤조곤 느릿한 말투의 조정훈과 이야기를 나누면서 이 사람은 내 말을 귀담아듣고 있다는 느낌을 받았다. 미하엘 엔데의 『모모』가 떠올랐다. 주인공 모모는 친구들의 이야기에 언제나 귀를 기울이는 좋은 친구이다. 사람들은 힘든 일이 있을 때면 모모를 찾아와 고민을 털어놓는다. 모모는 마음을 다해 친구의 이야기를 들었을 뿐인데 말하던 사람은 자신도 놀랄 만큼 지혜로운 생각을 떠올리게 된다.

그런데 어느 날부턴가 찾아오는 친구가 줄어들기 시작한다. 시간도둑이 나타나면서 사람들의 일상이 바빠졌기 때문이다. 사람들은 시간을 저축하기 위해 더 바쁘게 살면서, 다른 이들과 소소한 이야기를 나누며 목적 없이 노는 즐거움을 잊어버린다.

모모 같은 조정훈, 그의 일상이 궁금했다. 무엇보다 여러 일을 하면서도 바빠 보이지 않는 이유가 궁금했다.

“사람들이 어떻게 지내냐고 물으면 이런저런 활동하면서 놀고 있다고 말해요. 돈은 적게 벌지만 하고 싶은 일을 하니까, 그래서 일이 많아도 일로 인한 스트레스가 적은 거 같네요.”

그는 닭들에게 먹이를 주고 암탉이 낳은 달걀을 꺼내오는 일로 하루를 시작한다. 한 목사님의 소개로 땅을 빌려 강화도에서 1만 5천 평 농사도 짓는다. 농번기 때는 주 5일을 꼬박 농사일에 매달려야 할 정도로 일이 많다.

얼마 전부터는 우동사 책 출판 추진위원장을 맡아 지난 4년간의 기록을 남기고 있다. 카페오공(우동사 초기에 열었던 책 모임이 계기가 되어 시작한 협동조합 카페) 창립 멤버로 카페 운영에도 참여하는 그는 최근 게스트하우스 '오공하우스' 오픈 준비에도 여념이 없었다. 우리동네농부 농사모임 활동가에다 협동조합 우동사 대표와 회계 담당, 우동사 닭장 관리까지 도대체 이 많은 일을 언제 다 하는 걸까?

나는 언제나 하고 싶은 게 많았고 그것을 다 하기에는 시간이 모자랐다. 늘 바빴다. 그래도 시간을 알뜰하게 쪼개서 열심히 사는 건 문제가 아니라고 생각했다. 요즘도 친구들은 나에게 직장인보다 바쁜 백수라며 백수가 과로사하겠다고 말한다. 얼마 전 『모모』를 읽고 나서 '바쁘다'는 말을 나만의 금칙어로 정했다. 바빠 보이는 게 좋지 않다고 생각했기 때문이다. 바쁘다라는 말은 바쁨을 불러오는 주문 같았다. 빨리빨리처럼 속도를 가속화시키는 주문. 그런 다짐을 했지만 난 여전히 바쁘다. 하고 싶은 것들을 하다 보면 바빠지고, 어느새 하고 싶어서 시작한 일이 해야하는 일이 되어 내 발목을 잡는다. 조정훈은 '해야 하는 일'과 '하고 싶은 일' 사이에서 어떻게 균형을 찾을까?
"한때 우동사 셰어하우스를 늘리고 싶은 마음이 있었어요. 아예 땅을 사서 한 백 명 정도 살 수 있는 건물을 짓자고 했어요. 땅도 알아보고 집 짓는 가격도 뽑았는데 우동사 친구들 반응이 별로인 거예요. 나는 진짜 하고 싶은데 사람들이 원하는 일이 아니라는 걸 알게 된 거죠."
그 말이 나에겐 위로가 되었다. 어떤 면에서는 나와 그리 다르지 않다는 데서 오는 안도감이랄까.
"하고 싶은 걸 안 할 때 좀 부대끼는 게 있는데 무 자르듯이 그 일을 잘라냈어요."

그럴 때의 부대낌 역시 습관이라고 그는 말했다. 하고 싶은 걸 할 수도 있지만 안 하는 게 낫다고 생각할 때는 안 할 수도 있어야 한다고. 그것도 연습이 필요하단다. 물론 본인이 정말 하고 싶고 감당할 수 있는 일이라면 하면 되고.

공부 역시 마음을 나누는 일, 나의 공부를 돌아보다

펍에서는 매주 토요일 저녁, 책 읽기 모임을 한다. 각자 읽은 책을 서로에게 소개해 주는 모임인데, 검암에 자리 잡고 얼마 지나지 않아 바로 시작했다고 한다.

"검암에 집을 마련하고는 두어 달쯤 뒤에 본격적으로 귀촌을 준비하자며 우리마을독서모임을 했어요. 2011년 말쯤이었죠. 〈녹색평론〉의 글을 기반으로 '공동체, 협동조합, 교육, 식량과 에너지 자립, 의료조합' 등 귀촌과 공동체에 관하여 논의했어요. 매주 화요일마다 모임을 열었는데 우동사 식구 말고도 관심 있는 열 분 정도가 더 참여했어요. 왜 귀촌을 해야 하는지에 대한 생각을 꺼내 놓고 오랫동안 대화를 나누었죠. 검암동 주민으로 머무른 것도, 책 모임을 하면서 굳이 귀촌하지 않고도 우리가 원하는 삶을 살 수 있다고 생각했기 때문이에요."

일 년간 시골을 부지런히 답사하면서 그들은 마음 맞는 사람들과 재미있고 따뜻하게 사는 삶이 중요하다고 깨달았다. 그런데 이미 그런 친구들과 한집에서 살고 있으니 굳이 주거지를 옮길 이유가 없었다.

"지금은 책이나 주제를 한정하지 않고 자신이 읽고 좋았던 책을 가져와서 다른 사람과 공유하는 형태로 진행해요. 좀 자유롭게요. 우동사 멤버 뿐 아니라 동네 친구, 지인들, 우동사에 관심 있는 누구나 참여할 수 있고요."

자연스럽게 자신의 삶과 생각을 나눌 수 있기 때문에 그런 자유로운 방식을 취하게 되었다. 공부라기보다 모임 자체가 하나의 만남이고 놀이라는 생각이 들었다. 서로의 삶이 교차하는 자리에선 누구나 친구가 된다.

문탁의 2030 도시부족은 한 주에 한 번 세 시간 정도 세미나에서 만난다. 그런데 일 년이 지나자 언제부턴가 세미나의 밀도가 약해졌다. 책을 꼼꼼하게 읽어오기, 서로 공부한 것 나누기, 세미나 마친 뒤에 후기 쓰기. 이 세 가지 세미나의 기본 윤리가 흔들렸다. 공부를 통해 진지하게 각자의 고민이나 삶을 나누는 일도 소홀해졌다. 우동사가 귀촌으로 모였던 반면 우리에겐 뚜렷한 공통된 목표가 있는 것도 아니었다. 그렇다면 우리는 왜 모였고, 무엇을 위한 공부를 하려고 했던 걸까. 일 년 전 도시부족 세미나 모집 글을 다시 꺼내 읽어보았다.

"적게 일하지만, 더 행복할 수 있는 방법을 구체적으로 찾아보는 세미나를 시작합니다."

잘 살기 위한 방법을 찾고 싶어서 모였는데 어려운 책을 소화하는 데 급급해 공부를 삶으로 연결하지 못했다. 다시 초심으로 돌아가 삶과 연결된 공부, 새로운 삶을 상상하고 구성할 힘을 만드는 공부로 돌아가야 했다.

100명의 마을을 만들고 싶다

우동사는 얼마 전부터 새로 공동주거 실험을 시작했다. 그런데 우동사 4호가 아니라 새로운 이름이다.

"우동사의 네 번째 집은 커뮤니티 하우스 '엘리시움'이에요. 우동사 1,2,3호가 쌓아온 경험은 가치 있지만, 기존 경험을 새로운 사람들에게 그대로 적용하면 새 조직의 건강함이 떨어질 수밖에 없어요. 그들만의 자율적인 분위기를 헤치는 규율이 될 수 있어요. 그래서 네 번째 집은 우동사의 큰 틀 안에 있되 커뮤니티 하우스라는 독립 공간으로 만들었어요. 여섯 명이 입주해서 산 지 6개월 정도 지났어요. 초기 3개월은 아주 좋은 시간을 보냈고 3개월 지나니까 갈등이 엄청나게 증폭

되었다가 지금은 서서히 안정적인 분위기로 전환되는 느낌이에요. 그런 과정을 거치며 생으로 고생하면서 느껴지는 감정들이 있잖아요. 그게 그들만의 소중한 경험으로 남겠죠."

그의 말처럼 어떤 모델이 하나의 정답처럼 받아들여지면 누군가는 가르치고 누군가는 그것을 수용하는 입장이 되기 십상이다. 그렇게 되면 진정한 의미에서 함께 만들어가는 실험이라고 할 수 없을 것이다.

"어떤 사람은 같이 사는 게 좀 피곤하고 힘들 수 있어요. 그러면 분열을 일으키고 튕겨 나가겠죠. 그런데 그런 사람이 공동체의 중요한 척도라고 하더라고요. 위험할 때 울어주는 광산의 카나리아처럼. 갈수록 그 말에 공감이 돼요. 이질적인 이 사람이 공동체 안에서 살면서 어떻게 되어 가느냐가 공동체의 상태를 나타내는 거죠."

조정훈은 변화를 수용할 수 있는 힘이 곧 공동체의 건강을 보여주는 것이라고 말한다. 우동사의 경험이 공동주거를 실험하는 사람들에게 모범답안이 아니라 하나의 참고가 되길 바란단다. 어디에도 정답은 없다. 그때그때 최선의 방법을 두려움 없이 찾아갈 뿐이다.

문탁의 이희경 선생도 '늘 하던 대로 하지 않기'를 강조한다. 그러기 위해서는 새로운 사람들의 도움이 필요하다. 흔히 사람은 변하지 않는다라고 생각하지만 타자를 통해 자기 존재를 바꿀 수 있어야 한다. 그것이 곧 성장이고 존재의 확장이다. 공동체도 마찬가지다. 문을 걸어 잠그는 게 아니라 다른 세계와 적극적으로 만나야 공동체가 건강하게 성장할 수 있다. 다른 존재되기란 참 멋진 말이지만 쉽지 않은 일이다. 나와 성격이나 취향이 다른 사람들과 뭔가를 같이 한다는 것 자체가 별로 내키지 않는다. 낯선 만남을 기꺼이 받아들이고 뭔가를 함께 도모하는 것이 얼마나 어려운가. 새로운 존재가 되기란 얼마나 어려운가. 그렇기 때문에 같은 모델을 복제하지 않는 우동사의 새로운 실험이 더욱 멋지게 와닿았다.

조정훈은 그들의 공동주거 실험이 사람들의 관계망을 넓히는 일이라고 강조한다. 그건 우동사의 동네에서 '함께 일하기'라는 실험으로 현실화되고 있다.

공동주거를 시작하고 우동사의 가장 큰 변화는 멤버들의 '일'이었다. 기존 직장을 유지하는 멤버도 있지만 일반 기업체, 목공소, 학교 등 직장에 다니다가 우동사에 들어오면서 점차 일을 그만두었다. 일단 집 걱정이 사라졌고 크고 작은 물건을 공동으로 소유하니까 그만큼 돈도 절약되었다. 생활비도 확 줄었다. 이런저런 비용을 다 합쳐도 20~30만 원 정도면 한 달 생활이 가능해졌다. 무엇보다 친구들이 집 안팎에 있고 펍에서 여러 활동을 같이 만들 수 있으니 굳이 차비를 들여가며 도시로 원정을 나가지 않아도 되었다. 이렇게 동네 친구라는 관계가 형성되니까 실제로 이 동네로 이사 오는 지인들도 늘었다고 한다.

하지만 우동사로 집을 옮기며 몇몇이 자발적 백수가 된 만큼 그들에게도 일이 필요할 텐데, 적당히 버는 일도 가능해졌을까?

"처음 우동사를 만들 때도 적게 소비하면서 삶의 질을 높이는 방법이 뭘까를 고민했어요. 하고 싶고 가치 있으면서도 생계를 유지할 만한 일이 있으면 좋겠다고 생각했어요. 그래서 일과 생활이 결합되는 방식을 고민하며 하나둘 찾고 있어요. 그 일환으로 펍과 농사를 시작했죠. 펍에서는 다양한 이웃들을 자연스럽게 만나고 있어요. 초보 농사꾼이 1만5천 평 농사를 짓느라 시행착오도 겪고 있지만, 내년엔 농사를 통한 일자리도(두 명의 생계비를 마련할 수 있을 거라는) 기대하고 있어요."

조정훈은 우연한 계기로 농사일을 시작했지만 힘든 줄 모르고 농사일에 푹 빠져 지내고 있다. 펍은 2014년 10월에 4명의 공동 사장(조정훈, 박진순, 임정아, 성배경)이 자본금을 출자하고, 그들의 취지에 공감하는 사람들의 도움으로 태어났다. 2012년 우동사에 들어 온 성배경은 공동주거 형태와는 또 다른 지역 기반의 활동을 하고 싶어서 동네 카페에 참여했단다. 검암 지역에는 서울로 출퇴근하는 청년들이 많이 살지만 잠만 자는 동네 같아 안타깝다며, 그런 청년들과 네트워크를 만들어 마을을 기반으로 연대하고 싶다고도 했다.

"우리가 누리는 안정감을 검암 지역을 중심으로 자연스럽게 나누려고 하고 있어요. 동네 펍을 만든 것도 검암의 동네 친구가 되고 싶어서죠."

그들은 검암동 주변에서 함께 실험하는 이들이 많아지면 좋겠다고 말한다. 그렇게 100명의 마을을 만들고 싶단다. 가까이에 사는 이들과 나누는 소소한 일상이 얼마나 소중한지 깨달았으니, 그걸 나누고 싶은 바람일 것이다.

"같이 살면서 안정된 삶을 누리는 우리의 실험과 가치가 다른 지역으로 퍼져나가면 좋겠어요. 우리는 우동사의 4호, 5호 집을 만드는 게 아니라 우동사처럼 사는 전 세계 사람들과 네트워크를 만들고 싶거든요."

이처럼 우동사는 그들만의 공동주거에서 '검암동 사람들'이라는 이름의 마을 공동체로, 그리고 전 세계 네트워크로의 확장을 꿈꾸고 있다.

주거와 경제 문제를 함께 해결해 주는 우동사 같은 모델이 적게 벌고도 잘 사는 삶을 가능하게 하는 근본적인 해결방법이 아닐까. 그들은 더 많이 생산하고 더 많이 소비하는 도시의 삶의 방식에서 벗어나 재능을 나누고, 덜 소비하며 더 많이 누리는 삶을 살아가고 있었다.

함께 살기에서 함께 일하기로

동네 친구를 만드는 커뮤니티펍0.4km

커뮤니티펍0.4km는 우동사 멤버들이 운영하는 카페이다. 우동사를 시작한 지 3년 만인 2014년 10월에 문을 열어 수제 맥주와 차 그리고 가벼운 음식을 판매한다. 공동주거에서 시작한 우동사가 검암동 사람들로 확장하기 위한 전진기지이자 네 명의 우동사 멤버가 일하며 밥벌이를 모색하는 생존의 공간이기도 하다.

아직 네 사람의 생계를 완전히 책임질 만큼 자리 잡은 것은 아니다. 하지만 적게 벌고 잘 살자는 삶의 방식을 지닌 우동사 멤버들에게는 월 60~70만 원 정도 소득이면 사는 데 별 문제가 없다고 생각한다. 이곳에서 우동사와 검암동 사람들을 중심으로 독서 모임과 그림 그리기 모임을 하고 간혹 작은 음악회도 연다. 그렇게 동네에서 친밀한 공간으로 자리를 잡아가고 있다.

농사를 짓다

우동사 멤버 두 명이 함께 농사일을 한다. 귀촌 모임을 하면서 어떻게 공동체가 자급도를 높일 수 있을지 고민했다. 바로 '지금 여기'에서부터 삶의 방식을 바꿔 나가는 과정이 중요하다고 생각하기 때문에 농사는 우동사에게 중요한 의미이다. 강화도의 논과 밭을 빌려서 경작하고 있다. 많은 일손이 필요할 때는 '논데이', '밭데이'라고 해서 친구들 30명 정도 불러 모아 볍씨 파종하는 일부터 손 모내기와 잡초 뽑고 거름 주는 일까지 힘겨운 농사일을 같이 한다.

펍 입구 베란다에는 나무집처럼 생긴 정미소가 있다. 쌀은 도정한 후 7일 안에 먹어야 가장 맛있다고 해서 '이레'라는 이름으로 갓 도정한 쌀을 동네 친구들에게 판매한다. 농사를 짓고 그것을 동네 친구들과 나누어 먹고, 그 일이 우동사 멤버 두 명의 생계 모델이 될지 실험하고 있다. 우선 올해는 농사 수입으로 한 명의 생활비를 만드는 걸 목표로 하고 있다.

게스트하우스 '오공하우스'

검암으로 들어와 살다 보니, 꼭 같은 집에 살지 않아도 가까운 이웃으로 살면서 함께할 수 있는 일이 많다는 생각이 들었다. 그래서 지금은 100명의 마을을 만들겠다는 꿈으로 바뀌었다. 실제로 우동사 주변으로 친구들이 이사를 많이 와서 이웃으로 살고 있다. 우동사와 같은 공동주거에 함께 하고 싶은 사람들이 서로 만날 수 있는 공간을 준비하고 있다. 게스트하우스에 머물면서 공동주거에 대한 생각을 나누고, 이런 과정을 통해 공동주거 혹은 동네 주민의 형태로 우동사와 함께할 수 있도록 연결하는 다리가 될 거다. 그 자체로 게스트하우스의 운영수익 모델을 만들 계획이다.

펍 운영이나 농사일 그리고 게스트하우스도 아직은 적절한 수익에는 못 미치고 있다. 다행히 멤버들이 그동안 모은 돈이 있어서 지금은 조금씩 일자리를 만들며 가능성을 찾고 있다. 적게 벌지만 함께 살 집이 있고 동네에서 함께 자립의 길을 만들어 가는 친구들이 있기 때문에 조금씩 실험을 현실로 옮기는 여러 시도를 하고 있다.

다음 세대를 위한 씨앗자금 모으기

우동사에 아이가 한 명 태어나면서 아이를 잘 키우는 일에 대한 멤버들의 관심이 커졌다. 아이를 잘 키우기 위해서는 부모부터 제대로 공부를 해야 한다는 데 뜻을 모았다. 부모들이 건강한 방식으로 살면 아이들도 자연스럽게 건강하게 자랄 거라고 믿는다.

가깝게는 부모들의 육아 공부 모임을 준비하는 한편 다음 세대를 위한 재단을 만들 예정이다. 지금 준비하는 우동사 책이 나오면 수익은 모두 다음 세대를 위한 재단의 씨앗자금으로 사용할 것이다.

우동사 워크샵. 적게 벌지만 함께 살 집이 있고, 동네에서 함께 자립의 길을 만들어 가는 친구들이 있어서 든든하다. 그래서 그들은 "나는 가난하지만 우리는 부자다."라고 말한다.

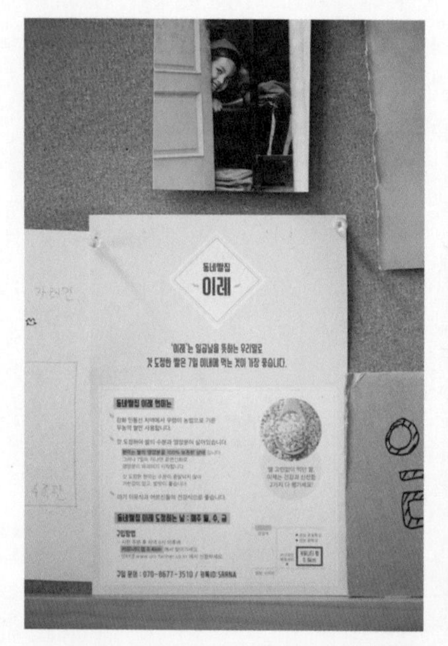

우동사에서 농사지은 쌀을 직접 도정해서 판매한다. 쌀은 도정 후 7일 이내에 먹어야 가장 맛있다고 하여 '이레'라고 이름붙였다.

펍에서의 일상을 기록하는 노트 '날적이'.

커뮤니티 펍 0.4km. 우동사의 전진기지이자 네 명의 멤버가 일하며 밥벌이를 모색하는 곳. 이 곳에서 동네 친구들과 책 읽기와 그림 그리기 모임도 하고 식사도 한다. 가끔은 작은 음악회도 열린다.

우동사에 함께사는 멤버의 생일파티

요즘 들어 검암동 우동사 주변으로 많은 친구가 이사를 와서 이웃으로 지내고 있다.

우동사 1, 2, 3호가 자리잡은 공동주택. 한 집에서 시작하여 지금은 모두 세 채를 우동사가 구입했다. "밥 차렸어요 밥 먹으러와요"라는 말이 일상이 되어버린 우동사 사람들은 서로를 식구라고 한다.

불편함보다 안정감이 더 크기 때문에 같이 사는 것 같다고 말한다. 그런 안정감을 더 많은 사람이 누리며 살면 좋겠다고 한다. 우동사의 공동주거 실험은 검암동이라는 마을 커뮤니티로 확장되고 있다.

이 사람:

애쓰지 않는 삶이라 참 좋다

조정훈(우리동네 사람들)

우동사의 마을 실험은 사회적으로 어떤 의미라고 생각하나?

회사를 4년 정도 다녔는데 서른 살 되었을 때 인생이 아깝다는 생각이 들었다. 성장하고 있지 않다고 생각되면 떠나고 싶어지지 않나. 회사 그만둔 것은 후회하지 않는다. 사람들이 좀 더 행복하게 살 수 있는 플랫폼이 이런 마을 공동체라고 생각한다. 우동사를 하는 친구들은 모두 사회 생활을 한 경험이 있는 30대들이다. 아무래도 지금 30대는 취업 자체가 어려운 20대보다는 좋은 조건이라고 할 수 있다. 우동사가 좋은 마을공동체 모델을 만들어서 10대나 20대가 이런 삶의 대안을 찾을 때 좋은 모델이 되고 싶다.

주거공동체를 이루며 마을에서 사는 삶이 예전 삶과 비교할 때 어떤 점이 가장 좋은가.

우동사가 일본공동체 마을 '에즈원커뮤니티'라는 곳과 교류한 지 3년 가까이 되었다. 에즈원커뮤니티는 강화도에서 생태공동체 활동을 활발하게 펼치는 곳으로 삶의 본질이 무엇인지를 탐구하는 내공 있는 커뮤니티다. 그들은 서로에게 뭘 가르쳐 주고 그러지 않는다. 이곳에서의 세미나는 어떤 주제를 하나 던져 주고 그것을 바라보고 곰곰이 생각하게 한다. '아, 나는 이걸 이렇게 바라보고 있었구나' 하고 스스로 깨닫게 한다. 그 시간을 통해 불필요한 생각들을 정리하니까 한결 가벼워진다. 마음을 잘 보면 사는 일이 자연스러워진다. 애를 쓴다기 보다 자연스럽게 사는 거다. '꼭 해야 한다'고 생각했던 것도 덜어 내고. 너무 끙끙대며 애쓰지 않는 삶, 자연스러운 삶, 그렇게 사는 게 가장 좋다.

두 명의 우동사 멤버가 농사로 귀촌의 꿈을 이어가고 있는데, 농사가 힘들지는 않나?

힘들지만 농사가 좋다. 현재 강화도에서 논과 밭을 빌려 경작하고 있다. 봄에는 파종하느라 바쁘지만 한 여름은 좀 쉴 수 있고, 가을 수확기 때 바짝 거두고 겨울에는 다시 쉬고. 이런 농사의 흐름이 나의 활동 성향과도 맞는 것 같다. 농사는 우동사가 추구하는 자연스러운 삶의 방식과도 잘 맞는다.

해야 하는 일과 하지 않아도 되는 일을 가려내는 비결은?

셰어하우스와 펍을 운영하려면 챙겨야 할 일이 제법 많다. '내 욕심 때문에 하려는 일인가, 나와 우리에게 필요한 일인가' 늘 스스로에게 묻는다. 필요한 일이면 시간이 지나도 여전히 그 필요성이 살아 있기 마련이다. 그러면 지속 가능성이 커지는 거다. 쓸데없는 일을 하나씩 정리하면 중요한 문제에 더 집중할 수 있다. 할 일이 단순해지고 삶의 본질, 즉 행복의 문제에 가까워진다. 어떤 확신이 들면 아무리 힘든 상황에서도 집중해서 무언가 해내는 힘이 생긴다. 무엇보다 함께 행복하게 살고 싶다. 이런 꿈을 이루면 몸이 조금 힘든 건 크게 상관없더라.

서울 서초구 서초동의 협동조합 '카페오공' 운영자로도 참여하고 있는데, 카페오공 활동은 어떤 의미인가?

우동사를 만들고 초기에 마을이라는 주제로 독서 모임을 했다. 우동사 멤버 뿐 아니라 지인들도 참여했는데 이런 모임을 상시로 하면 좋겠다고 해서 100만 원씩 40여 명이 출자해 협동조합 카페를 시작했다. 적게 소비하면서 삶의 질을 높이는 방법을 연구하고 실천하는 카페이다. 독서모임이나 특정 주제를 나누는 심야식당과 재능 나눔 프로그램도 운영한다. 상업적으로 운영하지 않고 지인 중심으로 하다 보니 적자가 나기도 한다. 다행히 카페오공 운영자들은 소비를 줄이는 방식이 익숙해서 이런 적자에 내성이 강한 편이다. 음료나 음식 재료는 좋은 걸 쓰지만 인테리어 간판 이런 곳에는 거의 돈을 쓰지 않는다. 이런 취지로 3년 이상 운영을 지속해 왔다는 게 스스로 놀랍기도 하다.

우동사 (우리동네 사람들)

2011년 불교단체 '정토회'에서 만난 청년 6명이 인천 검암동에 마련한 주거공동체. 이들은 귀촌을 준비하기 위해 함께 살다가 도시에서 생태적이며 공동체적인 삶을 이어가기로 합의하고 우동사를 만들었다. 도농교류 프로그램 '논데이'와 동네 술집인 '커뮤니티펍0.4km'를 운영하고 있으며, 청년 주거 문제를 해결하고자 커뮤니티 하우스 '엘리시움'도 문을 열었다. 우동사는 이제 자신들의 주거 문제에서 나아가 '검암동 사람들'이라는 이름으로 마을에서 일하고 활동하는 실험을 해나가고 있다.

홈페이지 udongsa.net

그래서 만났다

08

어쩌면 프로젝트

지금 한번 해 볼까? 어쩌면 이루어질지도 몰라

회사를 그만두면 책도 많이 읽고 글도 써 보고 싶다는 막연한 생각을 오랫동안 해왔다. 그런 생각 덕분인지 회사를 그만두고 나서 본격적으로 인문학공동체에서 공부하기 시작했고, 또 이렇게 글을 쓰고 있다. 처음엔 막연한 꿈일지라도 계속 생각하고 이야기하며 찬찬히 가다 보면 그 말이 씨가 되어 새로운 기회와 인연으로 이어지는 것 같다.

'어쩌면사무소' 운영자 장상미와 이민규도 그랬다. "한번 해 볼까? 어쩌면 이루어질지도 모르잖아." 하면서 '어쩌면 프로젝트'를 시작했고, 뭔가 해 보려고 한 걸음씩 발자국을 남기다 보니 한적한 동네 모퉁이에 다다라 있었다. 약수역 근처 언덕배기에 어쩌면사무소라는 이름으로 자리 잡았던 때가 2012년, 이제 4년째다.

대체로 공간을 열 때는 밥집이나 카페처럼 아이템부터 확실하게 정하기 마련이다. 그런데 이들은 달랐다. 어쩌면이라는 말에서도 알 수 있듯이 애초에 모든 가능성을 열어두고 일단 일을 저지르고 봤다. 여행으로 따지면 지도 한 장 없이 길을 나선 것이랄까. 어찌 보면 용기 있어 보이고 어쩌면 무모하게 느껴지기도 한다.

회사에서 해피빈 서비스를 운영하던 때, 나는 그들의 이름을 처음 들었다. 동료에게서 시민단체에서 일했던 사람이 어쩌면 프로젝트라는 걸 진행한다는 얘기를 듣고는 잠깐 호기심이 일었다. 그 엉뚱한 이름 때문이었다. 그러고는 한참을 잊고 있었는데 어느 날 동료에게서 그들이 작은 공간을 만들었다는 소식을 들었다. 같은 건물에 거주하는 싱글들의 택배도 받아 주고 모임을 위한 공간 대여도 하며 카페처럼 운영한다고 했다. 그곳이 바로 어쩌면사무소이다.

이야기를 들으면서 우리 동네에도 어쩌면사무소 같은 공간이 있으면 좋겠다고 생각했다. 몇 년 전부터 곳곳에 색 있는 동네 카페들이 생겨나고 있었다. 에너지자립마을 성대골에서 주민들과 다양한 활동을 하는 공유공간 '청춘플랫폼'(서울 동작구 상도동)은 동네 사랑방 같은 곳이다. 골목영화제나 뜨개질 모임 등 다양한 활동이 벌어지고 있다. 주인이 읽은 책만 판다는 '이상한 나라의 헌책방(서울 은평구 녹번동)'에선 가끔 전시회도 열고, 크고 작은 모임이나 인디밴드 공연도 한다.

나도 그런 곳을 가까이에 두고 싶은 바람이 있었다. 우리 동네에 아지트 같은 공간이 있으면 퇴근하고 들러서 잠시 쉬었다 갈 수도 있고, 가끔은 낯선 사람들과 이야기를 주고받으며 서로 친구가 될 수도 있을 것 같았다. 때론 주인에게 무언가를 부탁도 하고 혹은 내가 도움을 줄 수도 있지만 서로 너무 부담스럽지는 않은 느슨한 연결고리가 있는 공간. 이야기로 전해 들은 어쩌면사무소는 왠지 그런 공간일 것 같았다. 지금 어쩌면사무소는 어떤 그림을 그려 가고 있을까?

어쩌면사무소는 약수역사거리에서 느린 걸음으로도 10분이면 닿을 수 있는 거리의 주택가에 있다고 했다. 그 말대로 약수역에서 터널 방향으로 걸어가는데 이대로 쭉 가면 약수터널 쪽으로 들어가야 할 것만 같았다. 갸우뚱하며 걷다 보니 불쑥 왼쪽에 가파른 계단이 나왔다.

모르는 사람은 절대 찾아갈 수 없는 곳. 아무리 동네 카페라지만 어쩌자고 그런 곳에 공간을 열었단 말인가. 걱정도 잠시, 시끄러운 도로변에서 계단을 오르니 시간이 멈춘 듯 한가로운 동네가 나타났다. 〈센과 치히로의 모험〉에서 전혀 다른 세계로 전환되는 터널이 있었던 것처럼, 약수터널 앞에 숨어 있는 가파른 계단은 도시에서 동네로 바뀌는 관문처럼 느껴졌다.

방울토마토, 치커리, 대파… 어쩌면사무소를 둘러싸고 있는 여러 작물이 한낮의 여유있는 동네 카페와 잘 어울린다. 빠끔히 문을 열고 들어서니 볕 잘 드는 창가에 고양이가 늘어지게 자고 있다. 그 고양이(이름은 '어쩜'이다)가 바로 면장님이란다. 면장님을 모시는 비서실장 장상미와 면서기로 통하는 이민규가 나를 반갑게 맞아주었다.

해피빈 일을 하면서 여기저기서 장상미라는 이름을 들어서인지 그녀의 편안한 인상 때문인지, 마치 오래 알고 지낸 사이처럼 낯설지 않았다. 인사를 나누며 알게 된 그들의 별칭이 궁금했다. 장상미는 신비, 이민규는 코기토란다.

"신비와 코기토가 어떤 의미예요?"

"코기토는 '사유'라는 뜻이에요. 데카르트의 명제 '나는 생각한다 고로 존재한다'의 라틴어 '코기토, 에르고 숨'(Cogito, ergo sum)에서 따온 말인데, 철없던 대학 시절에 멋있어 보이려고 만든 거예요."

말할까 말까 망설이다가 쭈뼛쭈뼛 말을 건네는 이민규. 대학시절 철학을 꽤나 사랑하는 청년이었구나 상상하니 설핏 웃음이 나왔다. 진지한 첫인상이라 좀 어려웠는데 갑자기 친근하게 느껴졌다. 장상미의 별칭 신비의 뜻은 비밀에 부쳤다. 흔히 짐작할 만한 신비롭다고 할 때 신비가 아니라니 더욱 궁금하긴 했지만.

어쩜이는 지금은 살집이 통통하지만 그들이 처음 만났을 땐 뼈만 남은 앙상한 새끼고양이였다고 한다. 다행이 어쩌면사무소 생활을 시작하며 조금씩 건강을 되찾아 지금은 거구의 나른한 고양이가 되었다.

면장님 고양이, 비서실장 신비, 면서기 코기토. 어쩌면사무소의 식구는 이렇게 단출하다. 고양이 면장님을 모시는 면사무소 사람들의 이야기라니, 어쩐지 동화 같은 이야기가 펼쳐질 것만 같지 않나?

옥수동 달동네에서의 5년

장상미와 이민규, 둘은 시민단체 활동가와 회원으로 만났다. 이민규는 활동적이고 유쾌해 보이는 장상미의 내면에 숨겨진 그늘을 보았다. 그리고 왠지 매력적으로 다가왔다. 이민규의 말을 빌자면 그녀의 분위기가 심상치 않았다고 한다. 오랜 시민단체 생활로 지쳐갔던 장상미의 고단함, 다른 사람에게는 눈에 띄지 않았던 무게가 그의 눈에는 보였나 보다.

두 사람은 벌써 8년 차 된 삶의 파트너이다. 시민단체 활동이라는 공통의 경험과 달리 둘의 성향은 매우 달랐다. 장상미가 사람들의 이야기를 잘 듣고 스펀지처럼 수용하는 성격이라면, 이민규는 아니라고 생각되는 일에는 "노!"라고 단호하게 말할 줄 아는 성격으로 자기 기준이 명확하다.

정반대의 성향은 함께 무언가를 계획하고 진행할 때 균형을 맞추는 데 탁월한 조합이었던 듯하다. 스스로 잘 깨닫지 못하는 내밀한 문제를 들여다보게 하고, 옆에서 툭툭 잔소리를 던지지만 그럼에도 언제나 내 편인 든든한 파트너. 우정으로 맺어진 둘의 깊은 사랑이 내심 부러웠다. 서로를 알아본 두 사람은 마침 장상미가 이사해야 하는 상황이 되었을 때 함께 살기로 결정했다.

"전세 1,500만 원 하는 옥수동 반지하 집이었어요. 한쪽은 지상처럼 보이는데 반대쪽은 비탈을 끼고 있어서 동굴 같았죠. 신비로운 느낌이라 처음엔 마음에 들었어요. 아무래도 코기토가 좋아서 그랬겠죠. 그런데 막상 거기서 살아 보니까 너무 괴로운 거예요. 거미도 나오고 벌레도 많고… 임시로 잠깐 들어간 건데 5년이나 살았어요."

이민규가 살던 옥수동 집은 재개발 예정지였다. 재개발을 시작하면 그 지역에 살던 주민에게는 임대주택의 입주 권리가 주어진다. 둘은 그곳이 재개발되면 오래지 않아 그 집에서 나올 수 있을 것으로 생각했는데, 이런

저런 분쟁으로 재개발이 미뤄져 한참을 더 머물게 되었다.

그곳에서 함께 5년을 지내고 드디어 주변 임대주택 입주권이 나왔다. 당시 어쩌면사무소를 운영하고 있던 터라 되도록 그곳에서 가까운 임대주택을 원했다. 그렇지만 원하는 곳에 입주 신청을 하면 번번이 떨어졌다. 사람들이 하나둘 떠나고 텅빈 마을에 둘은 거의 마지막까지 남았다. 수도도 끊기고 누군가 던진 돌에 유리창이 깨지기도 했다. 그만 나가라는 소송도 들어오고 법원까지 불려갔다.

"그러다 겨울을 맞았어요. 영하 20도 정도로 진짜 추운 날이었는데, 집에 갔더니 보일러가 안 돌아가는 거예요. 친구에게 전기장판을 얻어 와 버티다가 결국 아주 오래된 동네 여관에서 하루를 보냈죠. 그 해 겨울은 진짜 힘들었어요."

그렇게 끝까지 버티다가 다행히 어쩌면사무소에서 걸어 다닐 만한 거리에 있는 임대 아파트에 들어가게 되었다. 지금 살고 있는 13평에 월세 7만 원짜리 집이다.

"춥고 무섭고… 그때 너무 괴롭고 처참했는데, 코기토는 아무렇지도 않더라고요. '그게 왜 문제지? 그냥 집이 있으면 되는 거지.'라는 반응이었어요. 임대 아파트에 들어간다고 특별히 좋아하는 것 같지도 않았고요."

장상미는 그때를 회상하며 말하는 중간중간 힘든 감정이 느껴졌는데, 이민규는 감정의 변화가 크게 없었다. 그게 뭐가 문제냐는 듯. 참 많이 다른 두 사람인데 어쩌면 저렇게 잘 어울릴까. 담백한 커플 장상미와 이민규, 그들은 신뢰로 맺어진 소울메이트 같았다.

삶이 먼저인가
돈이 먼저인가

그때를 힘들게 회고하지만 장상미는 옥수동에 살던 당시 재개발 예정지인 그곳의 마지막 흔적을 기록하기 위해 '옥수동 트러스트'라는 프로젝트를 진행했다. 옥수동 트러스트는 모두의 공적 재산인 문화유산을 사적 소유나 개발로부터 보존하자는 운동인 '내셔널트러스트'(National Trust)에서 따온 말이다. 그녀의 말대로라면 뒤도 안 보고 떠났을 것만 같은데, 의외였다. 알고 보니 그 배경에는 이민규의 권유가 있었다. 장상미가 기록을 남기는 데 남다른 재주가 있다는 걸 잘 알기 때문이었다.

"드라마 〈서울의 달〉의 배경이었다고 하는 달동네 옥수동. 끝없는 재개발의 도도한 행진으로 사방이 아파트 숲으로 변해가고 있는 가운데, 거의 마지막 남은 13구역의 재개발이 최근 확정되었다. 2011년 들어서는 주민들이 속속 이사를 가면서 서서히 사라져가고 있는 옥수동 달동네의 마지막 모습을 발걸음 닿는 대로 기록한다."

옥수동 트러스트 블로그에 실린 장상미의 글이다. 그녀가 기록한 사진과 글은 아직도 고스란히 남아 있다. 머무는 동안에는 하루빨리 떠나고 싶던 동네였는데, 글을 남기면서 속속들이 정이 들었다고 장상미는 말한다.

서울은 언제나 재개발로 몸살을 앓는다. 그곳에 남아 계속 살아가려는 사람들과 개발을 통해 이익을 얻으려는 사람들의 싸움이 끊이지 않는다. 수익만 우선시하고 사람들의 일상과 소소한 이야기가 새겨진 장소를 싹 쓸어버리는 도시 재개발은, 삶의 흔적을 지우고 사람들의 몸과 마음에 상처를 남긴다.

송전탑이 들어서면서 집 아래로 수만 볼트의 전기선이 지나가게 된 밀양 할매들의 얼굴이 스쳤다. 삶이 아니라 돈이 먼저인 세상, "그냥 다른 곳에 가서 살면 되잖아."라고 쉽게 말하는 세상. 사람들의 숨결이 담긴 집과 동네의 가치를 돈으로 바꿀 수 있을까.

2011년 이들은 옥수동에서의 기억을 안고 신당동의 어쩌면사무소에서 가슴 뛰는 삶을 가꾸게 되었다. 옆 동네 친구를 만나러 왔다가 어쩌면사무소가 될 지금의 공간을 만난 것도 아주 우연히 이루어진 일이다. 우연이 필연을 낳는 여정은 둘을 신당동의 한적한 동네로 이끌었다.

모이고 떠들고 꿈꾼다면 어쩌면 가능할지도 몰라

장상미는 NGO 대학원을 졸업하고 '함께하는 시민행동'이라는 시민단체에서 10년을 일했다. 꽤나 열정적인 활동가로 통했고 보람도 있었지만, 몸도 마음도 소진되는 시기를 맞았다. 시민단체에서 이야기하는 혁신이 더 이상 사회적으로 공감과 지지를 얻지 못하면서 내부에서 일하는 사람들도 지쳐갔을 것이다.
이민규도 비슷한 시기에 몸담고 있던 시민단체를 떠났다. 오랜 시민단체 활동을 접고 자발적 백수의 길로 들어선 두 사람은 함께 살며 미래에 대한 고민을 시작했다.
"특별한 계획은 없었어요. 우리가 가진 한계를 벗어나는 실험들을 해 볼까 하면서, 그냥 대책 없이 놀았던 거죠."
그러던 어느 날 둘은 '모이고 떠들고 꿈꾸는 새로운 방법(모떠꿈)'이라는 워크숍에 참여했다. 거기서 어쩌면사무소의 모델이 되는 한 청년을 만났다.
"그 청년이 부산의 한 공간을 임대해서 자기가 하고 싶은 일들을 막 벌이는 거예요. 친구들 불러서 미팅도 시켜주고. 친구랑 록밴드 공연도 열고. 수익이 많이 나진 않더라도 그 공간에서 하고 싶은 일을 하면서 재미있게 놀더라고요. 그런 것도 가능하구나 싶었죠. 그걸 보고는 진짜 신이 났어요."
둘은 앞으로 뭘 해 볼까 고민하면서도 지치기는커녕 오히려 힘이 났다고 한다. 여러 구상 끝에 어쩌면 프로젝트라는 이름을 만들었다.

"왜 이런 이름을 지었느냐고 많이들 물어봐요. 뭐든 제한을 두지 말고 이런저런 걸 해 보자. 그게 뭔지는 모르겠고. 우리 생각도 딱 거기까지였어요. 구체적이지 않은 상태였죠."

2011년 연말, 장상미와 이민규는 친구들을 불러 모아 크리스마스 파티를 열었다. 친구들과 함께 쑥덕공론을 벌였고, 그때 공간을 하나 만들면 뭐든 할 수 있지 않을까 싶은 생각을 했다고 한다. 그게 어쩌면 프로젝트의 첫 실험이 되었다.

내가 회사를 그만두고는 십년후연구소에서 10년 후에 어떻게 살 것인지를 함께 준비하자며 선배들을 만나 이야기 보따리를 풀었던 것처럼, 우동사의 멤버들이 귀촌의 그림을 함께 그리며 내일에 대한 이야기를 나누었던 것처럼, 그런 구상을 함께할 친구들이 있다는 사실이 둘에게 든든한 힘으로 작용하지 않았을까.

연말파티에서 막연하게 오간 이야기가 본격적으로 구체화되는 사건이 생겼다. 장상미가 알고 지내던 선배가 지리산에 봄나물을 캐러 오라고 부른 것이다.

"연말파티 때 어떤 공간을 만들고 싶다고 말해놓고는 정작 겨울 동안 별로 한 게 없었어요. 지리산에 봄나물 캐러 가자고 페이스북에 올렸더니 아는 사람 모르는 사람 열 명 정도가 모였죠. 다 함께 1박 2일 여행을 떠난 거죠."

지리산의 봄기운 덕분인지 거기서 다양한 이야기가 오갔다고 한다. 지리산 모임 이후 페이스북 그룹이 생겼고 그들의 이야기가 조금씩 구체화되었다.

"어쩌면 가능한 일들을 해 보고 싶었어요. 우리만의 공간에서요. 딱히 카페도 아니고 약간 동아리 방 같기도 한 공간을 찾았는데, 우리 말을 듣던

부동산 아저씨가 갸우뚱하면서 이곳으로 데리고 온 거예요. 언덕길을 올라가면서 괜찮을까 싶었는데 다 올라와서 보니까 너무 좋았어요. 바로 앞 공원 평상에서 할머니들이 앉아 쉬는 모습도 정겨워 보이고. 다음날 바로 계약했어요. 그게 2012년 6월이었죠."

어쩌면 프로젝트의 공간을 구하는 과정 역시 페이스북 그룹 친구들과 실시간으로 공유했다. 끊어 읽기를 어떻게 하느냐에 따라 '어쩌면 사무소'가 되기도 하고, '어쩌 면사무소'가 되기도 하는 이 엉뚱한 이름은 계약 당일에 지었다고 한다. 어떤 공간이 될지 명확히 정해지지 않은 상태에서 이보다 더 멋진 이름이 어디 있을까!

덜컥 공간을 구했지만 딱히 어떻게 사용하겠다는 계획이 없었던 둘은 다시 친구들을 불러 모았다. 이름하여 '어쩌면사무소를 어쩌면 좋을까요?'.

"6월에 하루 날을 잡아서 이벤트를 했죠. 아는 친구들에게 다 연락했어요. 텅 빈 공간에 스무 명 정도 신문지 깔고 둘러앉아 '딱히 정한 건 없고 뭐가 될지 모르겠는데 우린 일 년 동안 까먹을 돈이 있다. 뭘 하면 좋겠냐.' 말을 던졌죠. 그랬더니 '진짜 걱정된다' '황당하다'는 염려부터 '와 재밌겠다'는 흥미까지, 엇갈린 반응이 나왔죠. 그날 밤늦도록 휴대용 가스레인지에 프라이팬을 올려 지글지글 고기를 구워먹으며 신 나게 놀았어요."

시민단체 활동을 하면서 모아 둔 돈은 둘이 합쳐 4,000만 원 정도였다. 그중 절반인 2,000만 원은 비상금으로 남겨 두고 2,000만 원을 까먹으면서 일 년이고 이 년이고 지내보자는 데 합의했다. 그중 공간 보증금으로 1,000만 원을 내고, 남은 돈은 1,000만 원. 이 1,000만 원이 떨어질 때까지로 정해 두었던 그들의 '어쩌면' 실험은 3년 동안 지속되고 있다.

함께 만드는 실험, 어쩌면사무소

어쩌면사무소에 색을 입히고 가구를 들이고 공간을 꾸미는 과정도 사람들과 함께였다. 둘은 텀블벅이라는 크라우드 펀딩 사이트를 통해 어쩌면 프로젝트를 알리고 사람들이 참여할 수 있도록 문을 열어두었다. 거기서 둘은 네 가지 이벤트를 벌였는데 그게 참 기발하다. 첫째로 수레를 끌고 다니며 재활용품을 모으는 '재활용 원정대'. 둘째로 모든 물품을 리폼하는 각종 '재창작 워크숍'. 둘은 재활용원정대와 함께 동네에 버려진 가구를 주워 어쩌면사무소의 의자와 테이블을 만들었다. 셋째로 도시텃밭을 만들고 가꾸는 '에코가드닝'. 넷째로는 쓰지 않는 물건을 공유하는 '플리마켓 오픈파티'였다. 어찌 보면 고단하고 힘든 일일 텐데, 사람들을 기부나 이벤트로 끌여들여 둘은 그 과정을 놀이로 만들었다.

처음부터 어쩌면 프로젝트가 장상미와 이민규 둘만의 구상이 아니었던 것처럼, 공간을 만드는 과정도 둘만의 프로젝트가 아니었다. 그들은 모든 과정을 사람들과 함께 하는 실험으로 만들었다.

『도시형 수렵채집생활』에는 돈도 직업도 없이 도시 한복판에서 살아가는 이들의 삶이 소개되어 있다. 그들은 '도시의 쓰레기는 곧 보물'이라며 쓰레기에서 판매할 수 있는 것들을 찾아 생계를 유지했다. 운이 좋으면 이사하는 사람들이 버린 쓰레기 속에서 귀금속 같은 진짜 보물을 찾기도 했다.

어쩌면사무소의 이런저런 살림살이도 이를테면 도시에서 수렵 채집을 통해 마련한 것이라 꽤나 재미있어 보였다. 그 책을 읽을 때 나는 쓰레기 주우러 다니면서는 못살 것 같다고 생각했는데, 이민규는 전혀 부끄러운 기색 없이 오히려 자랑스럽게 말했다. "지금 깔고 앉은 의자도 그때 동네에서 주워온 거예요." 궁색하기는커녕 도리어 즐겁게 느껴졌다. 돌이켜 생각해 보니 나도 아름다운가게에서 문탁 이어가게까지 나름대로 꾸준히 재활용품을 사용해 온 애호가였다.
어쩌면사무소가 지금처럼 동네 카페의 꼴을 갖추고 커피를 팔게 된 것도 친구를 통해 우연히 이루어졌다고 한다.
"친구 소개로 카페를 운영하는 분을 만났는데, 그분 도움으로 커피 머신 없이 만드는 모카포트 커피를 배웠어요. 우리 얘길 듣고 처음에는 "어설프게 카페 창업에 뛰어드는 건 아닌 것 같다"고 하다가 말아 먹어도 상관없다는 말을 듣더니 "그렇다면 괜찮다, 잘해 봐라."하더라고요. 그렇게 커피내리는 법을 배우고 카페로 영업 신고해서 정식으로 오픈했죠."
6월에 공간을 구하고 9월에 열기까지, 빈 공간이 어떻게 되어가나 궁금해하는 사람들이 놀러와 같이 가구를 만들기도 하고 재미난 아이디어를 나누기도 했다. 그 과정 역시 페이스북을 통해 생생하게 전했다. 그들의 실험에 관심을 갖고 참여한 사람들, 재밌는 무언가가 이루어졌으면 하는 수많은 기대가 있었기에 어쩌면사무소는 두려움 없이 여기까지 올 수 있었을 것이다.

2012년 9월 10일, 어쩌면사무소가 문을 열었다. 두 달 동안 내부 공사를 하고 난 뒤, 조용히 문을 연 어쩌면사무소. 그들은 출입문에 'OPEN'이라는 팻말을 걸고 설레는 마음으로 첫날을 맞았다. "과연 누가 오긴 올까?" 궁금증 반 걱정 반으로 기다리는데 첫 손님이 문을 빼꼼 열고 들어왔다.
"우편배달을 하면서 매일 이 앞을 지나갔대요. 언제 문을 열까 궁금해하다가 마침 OPEN이라고 쓰인 걸 보고 들어와 봤다고 했어요. 10여 년간 꾸준히 집배원으로 일하며, 결혼도 하고 아이들도 키우면서 계속 이 동네에 살고 있는 분이었어요."
어쩌면사무소의 첫 손님이 동네 토박이 집배원 아저씨라니 의미심장한 첫 손님이 아닐 수 없다. 어리둥절한 첫날을 보내고 맞은 둘째 날도 운명적인 만남이 기다리고 있었다.

"곧 문 닫을 시간이었는데 고양이 울음소리가 나서 나가 보니 두 학생이 발치에 고양이를 두고 어쩔 줄 몰라 하더라고요. 고양이가 졸졸 따라왔다며 좀 부탁한다는 말을 남기고 꽁무니를 빼고 달아났어요. 얼떨결에 고양이를 받고 보니 너무너무 작고 바짝 말라 몰골이 말이 아니었어요."

당시 상황을 이야기하는 이민규는 사뭇 진지했다. 늦은 밤 느닷없이 나타난 위태롭기 짝이 없는 새끼고양이라니, 그의 마음이 얼마나 떨렸을지 짐작이 갔다.

"급히 부직포 가방에 천 조각을 주섬주섬 넣고 새끼고양이를 담아 집에 데려왔어요. 원래 고양이는 목욕시키면 안 되는데 너무 지저분해서 안 씻길 수가 없었어요. 세균이 고양이를 더 위험하게 할 수 있어서 따뜻하게 목욕시켜 재우고 다음날 아침에 바로 병원에 갔죠. 그런데 병원에서는 고양이가 너무 작고 말라서 해 줄 게 아무것도 없다고 하더라고요."

결국, 집에 데려와 분유를 타서 먹였지만 새끼 고양이는 잘 먹지도 못하고 계속 불안해하는 모습이었다. 둘은 틈날 때마다 고양이를 보듬어 주고 마음을 다해 돌보았다. 고양이를 가족으로 들이고 나서 며칠 뒤에 동네 아주머니가 찾아와 동네에서 헤매는 새끼 고양이를 보고 본인이 키울 상황이 안 되서 걱정만 했는데, 우리가 맡게 돼서 너무 다행이라고 하며 다녀갔단다.

그 아주머니가 "어쩌면사무소니까 어쩜이 하면 되겠네"라며 고양이 이름을 지어주고 갔다. 요즘은 짧게 '쩜이'라고 부른다.

"어디서 소문을 들었는지 모르겠지만 그 후로도 한 커플이 찾아와서 쩜이의 안부를 물었어요."

그렇게 쩜이와의 만남 이후로 어쩌면사무소의 본격적인 동네살이가 시작되었다. 벌써 3년째 동네에 터를 잡아 같은 시간에 문을 열고 사람을 맞고 커피를 만드는 둘의 일상은 어떨까? 동네살이는 불편하지 않은지 궁금했다.

"동네 어르신들과는 잘 지내는 편이에요. 누가 그러더라고요. 동네에서 잘 지내려면 어른들한테 인사 잘 하면 된다고. 그래서 만날 때마다 90도로 인사했죠. 어쩌면사무소 앞 평상에는 꼭 한두 분이 나와 계시니까 누가 수박이라도 사오면 잘라서 갔다 드려요. 그러면 '젊은 사람들이 돈 안 벌고 여기서 뭐 하냐' 그러시고. 만날 노는 걸로 보였나 봐요. 하하."

이민규는 어쩌면사무소가 동네에 자리 잡고 있긴 하지만 그것에 큰 의미를 두지 않는다고 말한다.

"요즘 마을 만들기가 유행인데 저희는 그런 쪽은 아니에요. 이곳에서 지내다 보니까 여러 사람이 보여요. 마을에는 할머니와 할아버지, 젊은 직장인과 아기엄마들… 다양한 사람들이 있잖아요. 그 안에도 잘사는 사람들도 있고 가난한 서민층도 있어요. 한동네에 살아도 그냥 스치는 사이거나 계속 만나는 사이일 수도 있고. 그렇게 다양한 관계가 섞여 있죠. 그러니 사람들이 동네에 거는 기대도 다 다를 수밖에 없어요."

그의 말대로 한 동네에도 참 다양한 사람이 산다. 각자가 바라는 사람들 사이의 거리도 다르다. 같은 사람도 그날 마음 상태에 따라 다르다. 나만 해도 그렇다. 방해받고 싶지 않을 때는 프랜차이즈 커피전문점을 가고, 그냥 편안하게 쉬고 싶을 때는 단골 카페에 간다. 내가 원하지 않는데 누군가 불쑥 들어오면 자리를 뜨고 싶고, 너무 외로운데 이야기를 나눌 사람이 아무도 없으면 누군가 있는 곳을 찾게 된다.

얼마 전부터 동네에 이런 가게 있어서 좋다며 찾아오는 사람들이 조금씩 늘기 시작했다고 한다. 자연스럽게 사람들을 맞으면서도 애써 거리를 좁히려고 노력하지 않는다. 그것이 그들만의 자연스러운 거리두기 혹은 관계맺기 방식이다.

아무것도 기획하지 않을 자유

갖가지 기대와 생각 그리고 우연한 사건이 모여 이루어진 어쩌면사무소. 그런데 생각만큼 다양한 일들이 일어나고 있지는 않았다. 어쩌면사무소를 방문하기 전에는 다양한 소모임과 워크숍으로 복작복작할 거라고 생각했다. 그런데 간이역처럼 고즈넉한 느낌이랄까. 마을 중심으로 단골을 만드는 것도 아니고, 사람을 모으는 기획을 하는 것도 아니고, 상권이 좋아 유동 인구가 많은 것도 아닌데 이 곳이 유지되는 비결은 뭘까?

"사실 초반에는 워크숍 기획도 했고, 코워킹 공간으로 만들려는 시도도 했어요. 실제로 사무실이 없는 작은 회사에서 업무 공간으로 쓰기도 했죠. 그런데 기획을 계속하면 결국은 사람들이 도구화되거든요. 몇 명이 와야 수익이 나는데, 그러다 보면 사람이 사람으로 안 보이고 머릿수로 보이는 순간이 오죠. 그게 싫었어요. 코기토도 기획된 행사를 반대했고요. 그런 식의 기획을 안 하기까지 일 년 정도 걸렸어요. 애써서 하는 그런 기획 말고 우리의 에너지가 될 때 혹은 원하는 사람이 있을 때 한 번씩 해보는 것으로 조금씩 바뀌었죠."

이전의 장상미처럼 나도 뭔가 일이 되려면 계속 새로운 걸 기획하고 사람을 모아야 한다는 강박이 있었다. 그리고 애쓴 만큼 당연히 좋은 결과를 기대했다. 아무것도 안 하고 있으면 아무것도 되는 건 없지 않냐는 나의 질문에 이민규가 기획된 일이 싫다고 잘라 말했다.

"사람이 많이 안 와도 우리가 하고 싶은 걸 하면 계속할 힘이 생겨요. 한 명이 오면 그 한 명과 깊은 만남을 갖고, 그러다 보면 자연스레 열 명 스무 명이 될 수 있죠. 한두 명과도 즐거움을 나누며 계속 갈 수 있는 게 중요하죠."

지금 할 수 있는 만큼 필요한 만큼 해야 오래 지속할 수 있다는 그의 말에 나도 동의했다. 숨 가쁘게 돌아가는 도시의 속도에 맞추려고 끊임없이 새로운 일을 만들어 내고 사람들을 불러 모으는 방식은 금세 지칠 수밖에 없을 테니까. 기획하지 않는 삶, 애쓰지 않는 자연스러운 방식은 그들이 사는 동네의 일상과도 맞닿아 있는 듯했다.

"조금씩 까먹다 보면 마지막에 보증금 천만 원만 남겠지 하고 시작했는데, 의외로 돈을 까먹지 않고 있어요. 사람들이 야, 너네 아직도 해? 그런 이야기를 하며 놀라기도 하죠."

그렇게 어쩌면사무소의 하루하루를 만들어가던 그들은 사실 작년에 문을 닫을 뻔 했다고 한다.

"2년 하고 나니까 뭔가 해 볼 만한 거 대충 다 해 본 거 같고, 이 공간을 일상적으로 유지하고 또 사람들을 만나는 일에 약간 지치기도 했어요. 그래서 함께 준비했던 친구들과 단골들에게 '우리 이번 달 말로 안 할 거야'라고 말하기 시작했어요. 그런데 막상 그런 결정을 하고 가벼워진 마음으로 한 달 정도 지내니까 다시 에너지가 생기는 거예요. 그게 정말 신기한데 아쉬운 마음이 들어서가 아니라 이곳이 정말 좋다는 생각이 들었어요. 여기 있으면 마음이 편하니까. 결국 재계약을 했죠."

그만하고 싶을 때 그만할 수 있는 것이 지속하는 비결이라니 참 역설적이다. 둘은 어쩌면사무소를 천년만년 계속하지 않을 거라고 가볍게 말하며, 언제든 그만둘 수 있다는 생각으로 무리하지 않는다고 한다. 아직 할 수 있는 일이 있다면 계속하는 거고 하고 싶은 게 없으면 미련 없이 접을 거라고.

어쩌면사무소를 지속할 수 있는 조건은 생각보다 간단하다. 잔고가 크게 줄어들지 않는 상황, 또 하나는 그들이 계속해서 그 공간을 편하게 누릴 수 있는 여건이 되는 한이다.

우동사의 조정훈도 '애쓰지 않는 삶'을 이야기했다. 롤링다이스의 제현주는 '지금 하고 있는 만큼 앞으로도 계속해나갈 수 있느냐?'라는 질문이 지속 가능성을 확인하는 중요한 척도라고 했다.

그들의 유연한 삶의 방식은 매 순간 자신들의 상태를 정확히 보고 변화를 자연스레 수용하기에 가능한 것이다. 애쓰지 않는 삶이라… 어찌 보면 배부른 소리나 무책임한 말로 들릴 수도 있다. 하지만 언제든 그만둘 수 있는 용기가 그들을 지속하게 하는 힘인 건 분명해 보인다.

우리는 만드는 사람들이다 '어쩜상회'

어쩌면사무소는 얼마 전 '어쩜상회'라는 작은 이벤트를 시작했다. 장상미와 친구 이미영과 조아라, 이 셋이서 조용히 시작한 어쩜상회는 뭔가를 꼼지락꼼지락 만들고 나누면서 순환시키기 위한 새 프로젝트이다. 어쩌면사무소 한쪽 벽면 선반에서 자태를 뽐내고 있는 지우개스탬프, 소품 액자, 만들紙 수첩, 색색 실로 만든 팔찌… 셋이 모여 사부작사부작 이런 물건을 만든다.

장상미는 "만들기는 자기 내면과의 만남"이라며 일상의 공간에서 작업하는 즐거움이 제법 크다고 말했다. 그녀는 대학 때 의류학을 전공한 재능을 살려 어쩌면사무소에서 틈틈이 손뜨개질이나 바느질 모임을 열고 있는데, 어쩜상회에도 그 솜씨를 부려놓았다. 어슬렁이라는 별칭을 사용하는 드로잉 작가 이미영은 어쩜상회의 활동에 관해 말하기를, "무엇이든 만들어 보는 경험을 하면 소비가 필수가 아니라 선택이 된다는 걸 알게 된다"고 했다.

시간과 정성을 들여 만든 물건과 돈을 주고 산 물건은 그것을 대하는 마음가짐에서부터 다를 수밖에 없다. 직접 만든 물건은 가볍게 쓰거나 쉽게 버릴 수 없기 때문이다.

틈날 때마다 손으로 뭔가를 만들고, 어쩌면사무소 앞 작은 텃밭에서 각종 채소를 기르는 장상미를 보며 우동사의 조정훈이 떠올랐다. 우동사에서 농사를 짓고 닭을 키우며 자급자족을 꿈꾸는 것처럼, 손으로 무언가를 만들고 소비를 최소화하며 사는 어쩌면사무소의 두 사람도 가능한 수준에서 자급자족하고 있었다.

어쩌면사무소 한쪽 벽면에 전시된 실팔찌를 보며 얼마냐고 물었더니 장상미가 선물로 주겠다고 했다.

"마음에 드는 거 하나 고르세요. 가끔 아는 사람들에게 판매도 하는데 처음부터 판매를 목적으로 만든 건 아니에요."

그녀가 선뜻 실팔찌 하나를 건네주었다. 장상미와 이민규가 어쩌면사무소를 두고 왜 돈과 서비스를 주고받는 공간이 아니라고 하는지 알 것 같았다. 둘이는 이곳에서 거래가 아니라 사람들과의 소박한 만남을 이뤄가고 있었다.

"딱 전형적으로 손님처럼 구는 사람, 이곳을 소비의 공간으로 생각하는 사람, 종업원 대하듯이 '여기요, 이것 좀 줘 봐요' 이런 식으로 나오면 몸에서 바로 '친절해지지 말아야지' 하는 반응이 나오더라고요."

그래서 이민규는 아주 가끔 불친절하다. 손님처럼 구는 손님에게 손님으로 대하지 않는다는 두 사람. 이들의 얘기를 듣다 보니 친구 같은 손님을 기다린다는 마르쉐@의 송성희가 어쩌면사무소를 찾으면 밤늦도록 수다가 이어질 거라는 기분 좋은 상상을 하게 되었다.

"어쩌면사무소는 우리에게 거실 같은 곳이에요. 손님들이 많이 와서 바빴으면 오래 못하고 금방 접었을지도 몰라요."

가볍게 얘기하지만 그들의 말은 농담이 아니라 진심이었다. 무리하지 않으면서 달팽이처럼 느릿느릿 자기들만의 움직임을 만드는 장상미와 이민규. 그게 바로 어쩌면사무소의 자연스런 모습이다. 자신의 힘을 적절하게 배분해서 쓸 줄 아는, 자신이 맺고 싶은 관계를 적절히 만들어 가는 두 사람. 어쩌면사무소에 들어가면 나도 모르게 편안해지는 것도 둘의 생각이 곳곳에 스며있기 때문일 것이다. 그들은 그들만의 속도로 움직이고 있었다. 천천히.

둘이는 할 수 있는 만큼의 힘으로 적절히 자신들의 문제를 해결하고, 나눌 수 있는 걸 나눈다. '해야 한다'라는 의무나 당위가 둘의 삶을 끌고 가지 않는다는 의미다. 오랜 시간을 함께 나눈 둘만의 단단한 신뢰가, 무심한 듯 다정한 둘의 캐릭터가 조화롭게 느껴진다.

두 사람의 색깔이 바래지 않고 오래 유지되기를 바란다. 혹여 어쩌면사무소가 사라진다고 해도, 둘은 또 다른 모습으로 어쩌면 이루어질지도 모를 일을 가지고 어디선가 다시 나타나겠지.

적게 벌고도 유유자적 사는 비결

적게 벌고 적게 쓰기

가장 중요한 것은 적게 벌고 적게 쓰는 생활 방식이다. 운 좋게도 장기임대주택에 살면서 집에 대한 부담은 줄었다. 집에서 어쩌면사무소까지 걷거나 자전거 타고 다니며 밥도 직접 해 먹기 때문에 크게 돈 들어갈 일이 없다. 면장님 고양이 사료값 정도가 큰 지출. 특히 이민규는 환경단체 출신으로 검소한 생활이 몸에 배었다. 정말 물샐 틈이 없는 생활을 한다. 필요 없는 것을 많이 소비하는 삶이 도리어 불편하다. 소비는 거의 안 하지만 둘 다 특별한 날 서로에게 선물을 주고받는 것처럼 꼭 필요한 물건을 사는 건 인색하지 않다. 잘 버는 것만큼이나 잘 쓰는 것도 중요하기 때문이다. 벌이와 쓰임의 조화를 맞추는 것이 비결이라면 비결일까.

이삭줍기, 기술이 중요해

사실 가게 운영으로는 수입과 지출이 거의 같아 이윤이 전혀 나지 않기 때문에, 생활을 위해 프리랜서로 종종 다른 일을 한다. 이민규는 이것을 '이삭줍기'라고 표현한다. 이것 역시 애써서 힘들게 일하기보다 할 수 있는 선에서 적당히 하지만 생계를 유지하는 데 어려움은 없다. 홈페이지 디자인부터 개발까지 다 할 수 있다. 최근에는 소품 바느질 활동도 하고 있다.

가게의 수입과 지출을 맞춘다

여기서 얻는 수익과 소작농처럼 건물주에게 갖다 바치는 돈이 똔똔이다. 어쩌면사무소의 월세는 100만 원이 조금 안 된다. 동네라서 도심보다는 월세가 현저히 낮지만 매달 월세를 부담하는 것은 결코 쉽지 않다. 매출의 반은 일반 음료 판매, 나머지 반은 공간 대관료다. 월세를 제외하고 전기세 같은 운영비와 재료비로 50~100만 원이 더 필요하다. 그래도 아직 잔고는 늘지도 줄지도 않고 유지되고 있다. 어쩌면사무소를 연지 3년 동안 통장 잔고 1,000만 원이 유지되고 있는데, 잔고 유지가 어쩌면사무소를 계속할지 말지를 결정하는 나름의 기준이다. 잔고가 계속 줄면 미련 없이 문을 닫을 거다. 1년만 하고 그만둘 수 있겠다고 가볍게 생각했기 때문에 어쩌면사무소를 쉽게 열 수 있었다.

어쩌면사무소앞 텃밭에서 수확한 갖가지 채소. 상추 깻잎 방울토마토 가지 오이 바질…. 다품종 소량 재배하는 재미가 쏠쏠하다.

"만들기는 자기 내면과의 만남"이라는 장상미는 틈틈이 손바느질 작업을 한다.

장상미의 손바느질 용품들.

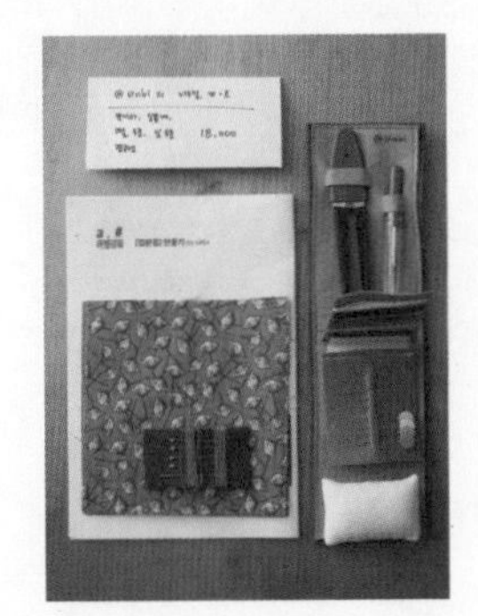

꼼지락 꼼지락 손으로 만드는 재미를 누리다! 어쩜상회에서 함께 만든 드로잉북, 바느질 키트, 만들紙 수첩과 지우개 스탬프.

어쩌면사무소의 세 주인장, 비서실장 장상미와 면서기 이민규 그리고 면장님 어쩜이

어.
카페, 브런치, 워크숍, 대관
어쩌면 프로젝트
probable.kr

SXR
SXR

이 사람

소득이 적어도 자존감을 유지하는 법

이민규(어쩌면사무소 면서기)

어디에 살고, 어떤 집에 사느냐로 그 사람의 능력과 가치를 평가하는 사회다. 그런 사회에서 소득이 높지 않아도 자존감을 유지할 수 있을까.

나에게도 시민운동을 하면서 조금 벌어서 쓰는 삶에 대한 자기 설득 과정이 있었다. 일반 회사에 들어가지 않고 시민운동을 업으로 살겠다고 결심한 거니까 그런 과정이 필요했다. 불안하거나 조급하지는 않았다. 처음부터 아무렇지 않았던 건 아니다. 대기업 다니는 친구들, 돈 잘 버는 친구들과 비교하는 걸 스스로 떨쳐내려고 했다. 기존 직장을 버리고 그냥 가볍게 산다고 했을 때 꼭 월급이 줄어서가 아니라 스스로 위축되고 왜소하게 느끼기 쉬운데, 다들 이 과정을 받아들이기 어려워한다. 한국 사회는 비교하는 문화라서 더 그런 거 같다. 어릴 적부터 부모나 주변 어른들로부터 비교당하는 경험을 많이 하니까, 스스로도 그런 비교 의식에서 벗어날 수 없다. 엄친아라는 말이나, 누구는 어느 회사 다니고 무슨 차를 샀고 이런 이야기에 박탈감을 느끼는 사람들도 많지 않나. 그런 과정을 스스로 극복하는 과정이 중요하다. 그걸 자존감이라고 표현할 수도 있을 것 같다. 연봉 6,000만 원 받을 때의 내 자존감만큼 60만 원, 600만 원 연봉일 때도 그 자존감을 유지할 수 있느냐가 중요하지 않을까.

일 년 동안 한 달에 약 8만 원으로 산 적이 있다고 했는데, 많이 벌어도 부족한 사람, 적게 벌어도 풍족한 사람의 차이는 뭘까.

엄마랑 같이 살다가 친구 셋이서 3,000만 원 전세자금을 마련해 독립했다. 다행히 선배들이 운용하는 사채펀드에서 연이율 4%로 돈을 빌려줬다. 고리대금업처럼 높은 금리의 진짜 사채가 아니다. 말 그대로 개인적으로 진 빚이다. 선배들한테 돈을 꾼 것을 우리끼리 재미 삼아 사채펀드라고 얘기한 것이다. 천만 원을 일 년 안에 다 갚아야 했는데, 그래서 한 달에 100만 원을 만들어야 했다. 그때 한 달에 50만 원을 빚 갚는 데 썼다. 당시 활동하던 단체의 월급이 90만 원 정도였고, 50만 원 대출 갚고, 엄마 생활비로 30만 원 드리니까 8만 원이 남았다. 도시락 싸다니면서도 교통비, 통신비 다 해서 8만 원을 생활비로 썼다. 생활하기 빠듯해서 친구한테 몇 번 돈을 꾼 적도 있지만 일 년 안에 500만 원을 갚았다. 그렇다고 거지처럼 살진 않았다. 회비 낼 것도 내고. 그때 많은 걸 느꼈다. 사람이 돈이 많으면 많은 대로 없으면 없는 대로 형편에 맞춰 살게 된다는 것. 500만 원 벌어도 부족한 사람은 항상 부족하다. 돈을 적지 않게 벌면서도 빚지고 사는 사람들이 참 이해 안 된다.

어쩌면사무소를 대안 공간이 아니라고 하는 이유는 뭔가?

대안, 나눔, 공동체… 이런 단어들은 거부감이 들어서 싫어한다. 초기에 어쩌면사무소를 오픈하고 이곳저곳에서 얘기 좀 해달라고 해서 어쩌면사무소 이야기를 하러 다녔다. 이곳을 '대안 카페' '공동체' 이런 거냐고 물으면 우리는 그런 거 아니라고 얘기하곤 했다. 그런 범주에 들지 않는다고 말이다. 우린 그냥 철저히 자영업자다. 거창한 사회적 의미나 사회 변화 이런 거 추구하는 사람들 아니고 그냥 노는 애들이다. 대안이라고 하면 그것이 정답인 것처럼 느껴지고 다 그곳을 향해 가야 할 것 같은데 그건 아니다. 각자 자기만의 방식을 찾아가는 거다. 이런 게 정답이라고 정하는 것에는 거부감이 있다.

어쩌면 프로젝트

어쩌면 프로젝트

'어쩌면 이루어질지도 몰라!'라는 막연한 생각으로 이런저런 실험을 도모하는 프로젝트. 호기심이 공포를 이긴다'는 말을 좋아하는 장상미와 '삶의 목적은 재미와 감동'이라고 말하는 이민규가 꾸린다. '어쩌면사무소'는 어쩌면 프로젝트의 놀이터로 면장님으로 모시는 고양이 어쩜이와 면서기 이민규, 비서실장 장상미가 함께 머물며 새로운 활동을 실험하는 작업 공간으로 쓰고 있다. 가끔은 파티나 워크숍, 강연을 위한 대관도 한다.

홈페이지 probable.kr

페이스북 그룹 www.facebook.com/groups/probable

[나 의 실 험 보 고 서]

일과 삶에 대한 질문에서 시작한 탐색과 실험

질문 : 어떤 일을 누구와 어떻게 할 수 있을까?

이 글은 '지금 이대로 괜찮은가?'라는 질문에서 시작된 나의 탐색과 실험에 관한 보고서이다. 2년 전 나는 10년간의 회사 생활을 정리했다. 계속 이대로 살고 싶지 않은 절박한 마음에서였다. 동료들과 우스갯소리로 "영혼은 집에 두고 왔어. 집에 가면 다시 장착해야지"라는 말을 주고받곤 했는데, 하루 시간의 대부분을 보내는 회사에서 영혼 없이 살아간다'는 건 농담이지만 참 무서운 말이라고 생각했다. 그 결정은 지금껏 정해진 길을 충실히 걸어오던 내 삶의 첫 번째 일탈이었다. 어렵게 결정한 만큼 이제는 적극적으로 방향키를 잡고 내 의지에 따라 인생을 항해하고 싶었다. 그렇게 서른이 넘어서야 '앞으로 어떻게 살아야 하지?'라는 근본적인 질문과 마주쳤다. 쉽지 않은 결정이었던 만큼 이후의 삶에 대한 탐색을 신중하게 하고 싶었다.

회사를 그만두고 아무것도 하지 말고 그냥 놀아 보자! 다짐했다. 하루 8시간 이상, 10년을 일해 온 나에게 주는 통 큰 선물이었다. 아무 일도 안 하면서 몇 달을 쉬다가 문득 자유의 의미를 다시 생각하게 되었다.

단순히 회사 생활에서 벗어난 것으로 자유롭다고 생각했지만, 나의 활동을 스스로 만들고 있는지 자신 있게 말할 수 없었다. 그러다 회사를 그만두면서 잃어버린, 하지만 내 삶에 필요한 두 가지가 떠올랐다.

첫 번째는, 삶을 지탱하는 어떤 규칙이다. 매일 아침, 같은 시간에 일어나 출근하고 퇴근하는 '회사원의 일과표'를 대신할, 하루를 오롯이 나 자신을 위해 스스로 계획하며 일상의 리듬을 만드는 규칙이 필요했다. 고대 그리스인들은 삶을 하나의 예술로 보고 자기 삶을 작품으로 만들어 가는 걸 인생의 과제로 삼았다. 그리고 삶을 작품으로 만들기 위한 여러 기술을 익혔다. 나는 어디서부터 시작해 볼까? 그런 고민을 하다가 다시 요가 수련을 시작했고 일주일에 한 번씩 문탁의 인문학 세미나에 참여했다. 요가와 공부를 삶의 일부로 들여와, 일상이 대책 없이 흐트러지지 않도록 내 몸의 리듬을 다시 회복했다.

두 번째는, 일과 소속감이다. 나는 일하기 싫어서 회사를 그만두었다고 생각했는데, 일이 아니라 회사 생활이 괴로웠다는 걸 깨달았다. 일을 통해 갖는 성취감과 동료, 조직이 주는 소속감과 인정받고 싶은 욕구는 나에게 매우 중요했다. 이런 진단 후, 나는 어떤 방식으로든 일을 다시 시작해야겠다고 생각했다. 하지만 새롭게 시작하는 일은 좀 더 능동적이면서 내가 원하는 방식으로 만나고 싶었다. 그렇게 '지금 잘 살고 있나?'라는 나의 질문은 새로운 질문으로 이어졌다.

'나는 어떤 일을 누구와 어떻게 할 수 있을까?

방법 : 스스로 만들고 경험한 나만의 전환학교

덴마크에선 우리나라 중등 교육과정인 공립종합학교나 자유학교 과정을 이수한 후 고등 과정인 김나지움이나 직업학교에 가기 전, 일 년간 쉬면서 진로 탐색 시간을 갖는다. 청소년기를 보내는 중간에 일과 삶을 탐색할 수 있는 과정이 제도화된 것이다. 이런 과정에서 아이들이 스스로 배우고 싶은 분야를 찾아서 자유롭게 공부하고, 이 과정을 통해 하고 싶은 일을 찾게 된다. 대학입학을 위한 공부, 취업을 위한 공부가 아닌 "사회적 자각, 삶의 의미"를 탐색하는 학교이다. 덴마크의 사례를 보면서 늦게나마 나도 그런 전환기를 겪고 있는 건 아닐까 생각했다.

운이 좋게도 나는 일하는 동안 새로운 방식의 일과 삶을 꾸려가는 이들을 만날 수 있었다. 나도 한 번쯤 꿈꾸던 삶을 실제로 만들어 가는 사람들.

그들을 직접 만나 일의 가치와 즐거움을 생생하게 느끼면서 '나의 일은 어떤 모습이어야 할까'에 대한 실마리를 얻고자 했다. 그리고 작게나마 내가 할 수 있는 새로운 일들을 해 보고 싶었다. 내 삶의 방향키를 잡은 나는 항해를 위한 나침반이 필요했다.

길을 찾기 위한 만남에는 몇 가지 기준이 있었다.

첫 번째는 내가 지향하는 사회적 가치에 부합하는 모델이어야 했다. 대단한 기준이 있는 건 아니었다. 다만 지금보다는 나은 삶과 사회를 위한 일을 하는 사람들이어야 했다.

두 번째는 지금 하는 일을 3년 이상 지속하는 사람들이어야 했다. 3년 정도의 시간을 유지해 온 곳이라면 앞으로도 지속할 힘이 있을 것으로 생각했다. 그들이 그동안 겪었을 시행착오나 갈등을 어떻게 넘어왔는지에 대한 구체적인 이야기를 듣고 싶었다.

마지막으로 내가 평소 관심 있게 지켜보던 사람들이어야 했다. 첫 번째와 두 번째를 충족하는 대상 중 나와 어떤 식으로든 인연이 닿았던 이들을 찾았다. 공적인 대화가 아니라 조금은 속 깊은 이야기를 나누고 싶었기 때문이다. 그렇게 나름의 기준을 세우고 새로운 일하기를 실험하는 사람들을 만나기 시작했다.

나만의 모험, 나만의 전환학교가 시작된 것이다.

내용 : 공부와 우정을 바탕으로 가치를 지키며 함께 살기

공부를 기반으로 다른 방식의 일과 삶을 꾸려가는 남산강학원+감이당과 롤링다이스, 우정의 관계를 바탕으로 함께 일하는 십년후연구소와 마르쉐친구들, 사회적 가치를 매력적인 밥벌이로 실현하는 바이맘과 오르그닷, 마을을 기반으로 적게 벌고 적게 쓰고 충분히 누리며 사는 우동사와 어쩌면 프로젝트. 이들은 자기만의 방식으로 새로운 일하기 방식을 만들어가고 있었다.

재미있게도 이들은 하나같이 우정을 중시하고, 함께라는 가치를 추구하며, 적게 벌고 적게 쓰는 검소한 생활방식을 실천하고 있었다.

함께 공부하다 보면 서로의 삶이 교차하게 되고, 그렇게 쌓인 신뢰는 같이 무언가를 할 때 큰 자산이 된다. 가벼운 책 읽기 모임이나 무슨 일을 할지 탐색하는 연구 모임 혹은 밀도 있는 철학 세미나일 수도 있다. 고민을 나누고 뭔가를 함께 해 보고 싶은 친구들을 모아 공부를 먼저 시작해볼 수 있다.

그런 친구는 누구보다 좋은 동료가 될 수 있다. 물론 친구에서 동료가 되는 과정에서 남다른 노력이 필요하다. 일을 하면 당연히 서로의 생각과 삶의 방식이 얼마나 다른지 그 차이가 드러날 수밖에 없다. 문제를 회피하지 않고 차이를 인정하며, 신뢰는 만들어가는 것이 필요하다. 조급해하지 말고 천천히.

그렇다면 어떤 일을 만들어갈까? 우리는 오랫동안 기업의 목적은 이윤추구라고 생각해 왔다. 하지만 이윤 즉 돈은 잘 살기 위한 수단일 뿐이다. 우리는 모두 잘 살기 위해 돈을 벌지 돈을 벌기 위해 사는 것이 아니다. 함께 잘 사는 삶이라는 가치가 구성원들 사이에서 공명할 때, 어려운 상황을 함께 이겨 낼 힘이 생긴다.

필요한 물건을 직접 만들거나 공유하는 방식으로 불필요한 소비를 줄일 수도 있다. 걷거나 자전거 타기, 텃밭 경작하기처럼 당장 실행 가능한 일부터 하나씩 자급자족한다면 적게 벌고 많이 누리는 삶이 가능하다. 덜 쓰게 되면 덜 벌어도 되고, 그만큼 여유를 누릴 수 있다.

여유로운 시간은 다른 삶을 상상할 여지를 준다. 마을에서 함께하는 이들이 있을 때 이런 시도들이 가능하다. 무엇보다 이런 삶은 경제적 안정뿐 아니라 정서적 안정감을 준다.

마무리 : 다시 나의 실험으로, 자신의 질문과 만나면서 관계를 만들어 가기

새로운 일과 삶의 실마리를 찾기 위해 만난 사람들. 이 이야기가 운이 좋은 특별한 사람들의 이야기로 여겨지지 않았으면 좋겠다. 그들은 특별하지만 특별하지 않다. 그들은 친구들과 새로운 삶을 모색하고 있지만 그 과정에서 친구들과 결별하기도 하고 사업으로 인한 빚 때문에 매일 밤잠 못 이루기도 한다.

공부와 우정을 바탕으로 가치를 지키며 적게 벌고 함께 잘 사는 현명

한 사람들의 실험은 여전히 계속되고 있다.

책을 준비할 때 마음에 담아 둔 친구가 있다. 그 친구는 내가 회사를 그만둘 때 '너는 회사 밖에도 친구가 많고 같이 일할 사람들도 있지만 나는 그런 관계가 없다'고 했다. 혼자가 된 것 같은 기분이 들까 봐 무섭다는 것이다. 그런 이들에게 나의 실험과 탐색이 조금은 딴짓을 할 수 있는 계기를 마련해 주면 좋겠다고 생각했다.

기계적인 출퇴근을 반복하면서도 바깥세상에 나갈 엄두도 내지 못하는 이들, 다른 삶을 꿈꾸지만 어떻게 시작할지 몰라 머뭇거리는 청년 세대에게 작은 실마리가 되길 바란다. 막연한 질문 앞에서 머뭇거리는 수많은 당신들과 새로운 길을 함께 찾아보고 싶다.

나의 길 내기도 이제 시작이다.

1. 개요

제목	적당히 벌고 잘 살기: 나와 그들의 새로운 일하기 실험
연구 동기	'나의 삶, 지금 이대로 괜찮을까?' 라는 질문에서 시작. 직장 생활 10년 차 안정과 도전의 갈림길에서 회사 생활을 정리. 앞으로의 삶을 고민하는 데 참고가 될 만한 이들을 만나고자 함.
대상	자기만의 일과 삶의 방식을 만들어가는 청년 세대 개인과 공동체 - 행복한 개인과 더 나은 세상이라는 가치에 부합하는 일 - 3년 이상 지속해 온 곳 - 그들의 일에 대해 진솔한 이야기를 들려줄 만한 사람
연구 방법과 기간	방법 : 네 가지 키워드(공부, 친구, 사회적 가치, 마을)를 중심으로 총 여덟 곳의 사례 인터뷰 기간 : 2013년 8월 ~ 2015년 7월

2. 연구 결과

나의 실험 **회사에서 함께 공부를 시작하다 : 협동조합 스터디**

질문 : 밥이 되는 공부가 가능할까? 공부와 일하기를 병행할 수 있을까?

그래서 만났다 **남산강학원 + 감이당**

도심에서 유목하기, 세속에서 출가하기, 일상에서 혁명하기, 글쓰기로 수련하기

1. 친구와 함께하는 공부로 자기 한계 넘기
2. 적게 벌고 적게 쓰는 공동체 생활
3. 공부 내공이 쌓이면 강의, 출판으로 이어져 공부를 통한 자립 가능

그래서 만났다 **롤링다이스**

세상에 펼쳐진 수많은 우연을 두려워하지 않는다

1. 각자의 본업과 놀이로서 롤다 일의 균형 찾기
2. 무리하고 있지 않은지 질문하며 지치지 않고 일하기
3. 수익 일부를 적립해 미래를 위한 공통의 기반 마련

나의 실험 **협동조합을 꿈꾸다 : 십년후연구소**

질문 : 1. 친구는 좋은 동료가 될 수 있을까?
2. 친구들과 꾸린 재미있는 일이 밥벌이가 될까?

그래서 만났다 **십년후연구소**

관계적 개인의 복원과 공동체적 자아의 회복, 지속 가능한 라이프 스타일

1. 우정과 신뢰의 관계를 만드는 노력
2. 바로 옆의 친구와 지금 할수 있는 일을 하기
3. 노른자 · 흰자 그룹으로 나눠 참여 수준을 정하는 유연한 조직 구조

그래서 만났다 **마르쉐친구들**

농부와 요리사, 수공예가가 함께 만드는 도시형 농부시장

1. 일이 되는 친구, 친구가 되는 일을 만들기
2. 일과 활동의 적절한 상승작용
3. 양적 성장보다 질적인 성장에 가치를 두기

나의 실험 **공익 콘텐츠를 발굴하다: 사회혁신을 꿈꾸는 작은 회사들**

질문 : 사회적 가치를 추구하는 기업이 어떻게 오래 지속할 수 있을까?

그래서 만났다 **바이맘**

사람을 향한 기술로 따뜻한 세상을 만든다

1. 품질로 승부한다
2. 돈보다 사람이라는 가치 지향.
3. 직급에 관계없이 함께 고생하면서 팀워크 다지기

그래서 만났다 **오르그닷**

생산자와 소비자가 모두 행복한 패션생태계

1. 문제가 생기면 자주 터놓고 이야기한다
2. 원칙만으로는 안된다. 그때그때 우리만의 용법 만들기
3. 가치에 공감하는 구성원들의 열정.

나의 실험 **2030 도시부족이 되다: 문탁네트워크**

질문 : 적게 일하고 잘 살기 위해 마을에서 어떤 활동을 모색할까?

그래서 만났다 **우동사**

안심되는 실험공동체 룰루랄라 우동사

1. 공동주거로 주거비를 절약, 적게 벌고 적게 쓴다
2. 마음나누기를 통해 함께 살며 생기는 갈등 해결
3. 커뮤니티 펍0.4km, 오공하우스를 기반으로 마을로 활동을 확장

그래서 만났다 **어쩌면 프로젝트**

'호기심이 공포를 이긴다' '삶의 의미와 목적은 재미와 감동'

1. 무리하지 않으면서 즐거울 만큼만 일을 만든다.
2. 텃밭 가꾸기, 생활소품 만들기 등 소비를 최소화
3. 가끔 아르바이트로 통장 잔고를 메꾸기도 함

나의 실험 참고 도서

- 김현대, 하종란, 차형석 공저, 『협동조합, 참 좋다』, 푸른지식, 2012.
- 김상봉, 『기업은 누구의 것인가』, 꾸리에, 2012.
- 사이먼 사이넥, 『나는 왜 이 일을 하는가?』, 이영민 옮김, 타임비즈, 2013.
- 조안 B. 시울라, 『일의 발견』, 안재진 옮김, 다우, 2005.
- 그레그 맥레오드, 『지역을 살리는 협동조합 만들기 7단계』, 이인우 옮김, 한살림, 2012.
- 김성오, 『몬드라곤의 기적』, 역사비평사, 2012.
- B. 스피노자, 『에티카』, 황태연 옮김, 피앤비, 2011.
- 루쉰, 『아침 꽃 저녁에 줍다』, 김하림 옮김, 그린비, 2011.
- 조지 오웰, 『나는 왜 쓰는가』, 이한중 옮김, 한겨레출판, 2010.
- 프리드리히 니체, 『차라투스트라는 이렇게 말했다』, 정동호 옮김, 책세상, 2000.
- 요시다 타로, 『생태도시 아바나의 탄생』, 안철환 옮김, 들녘, 2004.

- 이본 취나드, 『파도가 칠 때는 서핑을』, 서지원 옮김, 화산문화, 2007.
- 존 에이브램스, 『가슴뛰는 회사』, 황근하 옮김, 샨티, 2009.
- 앙투안 마리 로제 드 생텍쥐페리, 『어린 왕자』, 김화영 옮김, 문학동네, 2007.
- 우치다 타츠루, 오카다 도시오 공저, 『절망의 시대를 건너는 법』, 김경원 옮김, 메멘토, 2014.
- 실뱅 다르니, 마튜 르 루 공저, 『세상을 바꾸는 대안기업가 80인』, 민병숙 옮김, 마고북스, 2006.
- 스미소니언 연구소, 『소외된 90%를 위한 디자인』, 허성용, 허영란 공역, 홍성욱 감수, 에딧더월드, 2010.
- 조한혜정, 『다시 마을이다』, 또하나의문화, 2007.

- 후지무라 야스유키, 『3만엔 비즈니스, 적게 일하고 더 행복하기』, 김유익 옮김, 북센스, 2012.
- 사카구치 교헤, 『도시형 수렵채집생활』, 서승철 옮김, 쿠폰북, 2011.

- 카와무라 아츠노리, 그룹 현대 공저, 『엔데의 유언』, 김경인 옮김, 갈라파고스, 2013.
- 앙드레 고르, 『에콜로지카』, 정혜용 옮김, 생각의나무, 2008.
- 마르셀 모스, 『증여론』, 이상률 옮김, 류정아 해제, 한길사, 2002.
- 미하엘 엔데, 『모모』, 한미희 옮김, 비룡소, 1999.
- 시미즈 미츠루, 『삶을 위한 학교』, 김경인 김형수 공역, 녹색평론사, 2014.

- 오연호, 『우리도 행복할 수 있을까』, 오마이북, 2014.
- 이반 일리치, 『과거의 거울에 비추어』, 권루시안 옮김, 느린걸음, 2013.
- 박원순, 『마을이 학교다』, 검둥소, 2010.
- 레나테 멘치, 『FREITAG 프라이탁 – 가방을 넘어서』, 이수영 옮김, 안그라픽스, 2013.
- 요코다 카쓰미, 『어리석은 나라의 부드러우면서도 강한 시민』, 나일경 옮김, 논형, 2004.
- 고미숙, 『돈의 달인, 호모 코뮤니타스』, 그린비, 2010.
- 홍기빈, 『아리스토텔레스, 경제를 말하다』, 책세상, 2001.
- 나카자와 신이치, 『곰에서 왕으로』, 김옥희 옮김, 동아시아, 2003.
- P.A.크로포트킨, 『만물은 서로 돕는다』, 김영범 옮김, 르네상스, 2005

: 나와 그들의 새로운 일하기 실험

적당히 벌고 잘 살기

초판 1쇄 발행 2015년 10월 8일
초판 2쇄 발행 2015년 11월 27일

지은이 김진선
펴낸이 이미경

디자인 Design Group ALL(www.all-designgroup.com)
사 진 물나무스튜디오(이정민), 김정주, 김한, 취재에 응해준 8곳의 취재원
모니터 차민지
관 리 김홍희

펴낸곳 도서출판 슬로비
등록 제2013-000148호(2013년 5월 22일)
주소 서울시 강남구 도곡로 43길 21, 103-803(우: 135-927)
전화 대표02-762-0598 편집070-4413-3037
팩스 02-765-9132
전자우편 slobbiebook@naver.com
www.slobbiebook.com

ISBN 979-11-951039-4-2 03300

이 도서의 국립중앙도서관 출판예정도서목록(CIP)은 서지정보유통지원시스템 홈페이지(http://seoji.nl.go.kr)와 국가자료공동목록시스템(http://www.nl.go.kr/kolisnet)에서 이용하실 수 있습니다.(CIP제어번호: CIP2015026384)

한국출판문화산업진흥원 2015년 우수출판콘텐츠 제작 지원 사업 선정작입니다.